S0-AVT-826

Inside Intel

二十多年來，英代爾在晶圓製造技術上屢有突破，從當初的直徑兩英寸進步到今天的八英寸（如上圖）。晶圓中的許多正方形都是晶片，而每片晶片就相等於一台電腦的心臟了。

英代爾的許多員工都喜歡速度快的運動，我則很喜歡打網球。照片是我穿著有「Intel」字樣的T恤去英國觀看溫布頓網球大賽時拍攝的。

英代爾在加州聖塔克拉的總部，可清楚看到我們的地址。二八六、三八六、四八六及Pentium等一代一代的微處理器，就在這裏醞釀和誕生了。

許多讀者的家裡可能都有一台四八六電腦。這就是四八六設計人員的全家福了。照片攝於一九八九年三月。

一九九二年，我們在愛爾蘭萊斯聶的晶圓廠已接近完工。之後，我們便可就近出貨歐洲各國。

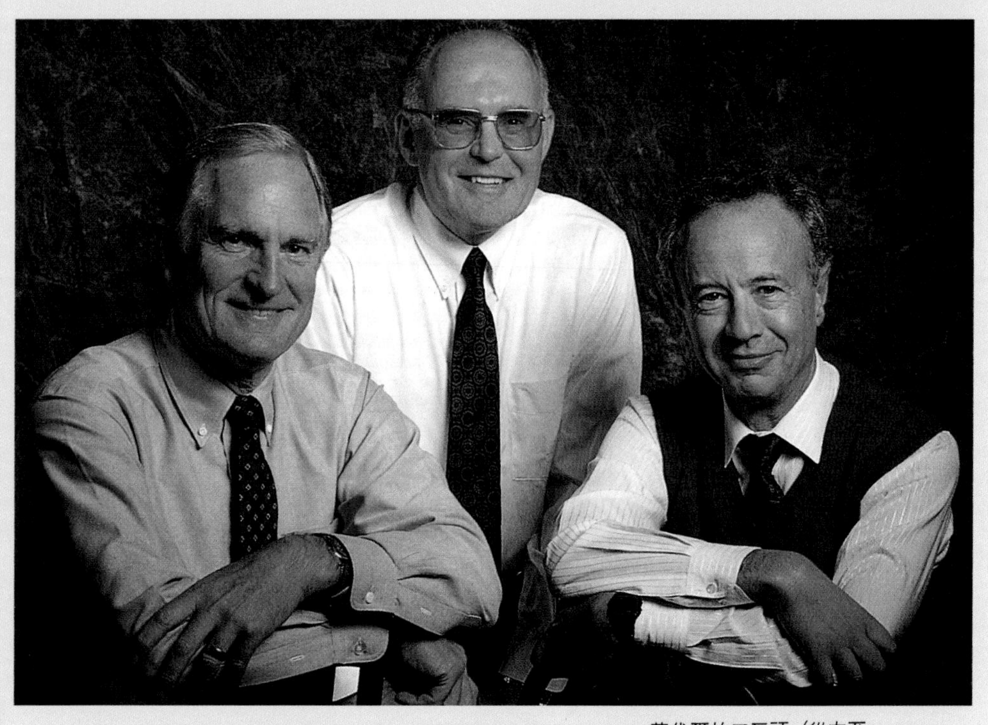

英代爾的三巨頭（從左至右）：巴瑞特（執行副總裁兼管理長）、摩爾（董事長）以及葛洛夫（總裁）。三人的合作及互補，是公司成功的關鍵之一。而如果當初沒有碰到葛洛夫，我的一生恐怕都要改寫了。

這就是四八六之後的新一代——Pentium處理器。而當Pentium處理器大功告成時，我們已經在計畫再下一代及下下一代的微處理器了。

這是我五歲時攝於上海的照片，我手裡拿著的是自幼就很喜愛的可口可樂。從這件經驗我領悟到品牌對顧客的重要。

一九五八年，我在師大附中念書，這是我在實驗五班的其中幾位好同學。最左邊的是我，站在中央的就是現任總統府秘書長的吳伯雄了。

一九六七年我在史丹福大學拿到博士學位，拍照留念。

這是在師大附中拍的另一張照片。猜得出來誰是吳伯雄嗎？（答案是最右邊最活潑的那一位）

我與歐提里尼的合照。當時他和我一起採用英代爾特有的「二位一體」管理模式。

豪斯是英代爾的行銷高手。我們於一九八四年的一頓晚餐，就描畫出英代爾的遠景（請參閱第六章）。這是他一九九一年來台北時拍的照片。

一九七九年，我隻身前往中國大陸，嘗試開發新市場。上圖攝於北京，下圖是在西安參觀兵馬俑時攝。

一九九三年，英代爾和《天下雜誌》、資策會合辦「PC十年」的活動，以感謝對推動個人電腦有貢獻的單位。《天下雜誌》向來以報導高科技產業著稱，而宏碁及大衆等電腦公司更是業界中的佼佼者。圖中站在我左手邊的是《天下雜誌》發行人兼總編輯殷允芃，再過去的是宏碁集團董事長施振榮以及大衆電腦董事長簡明仁。

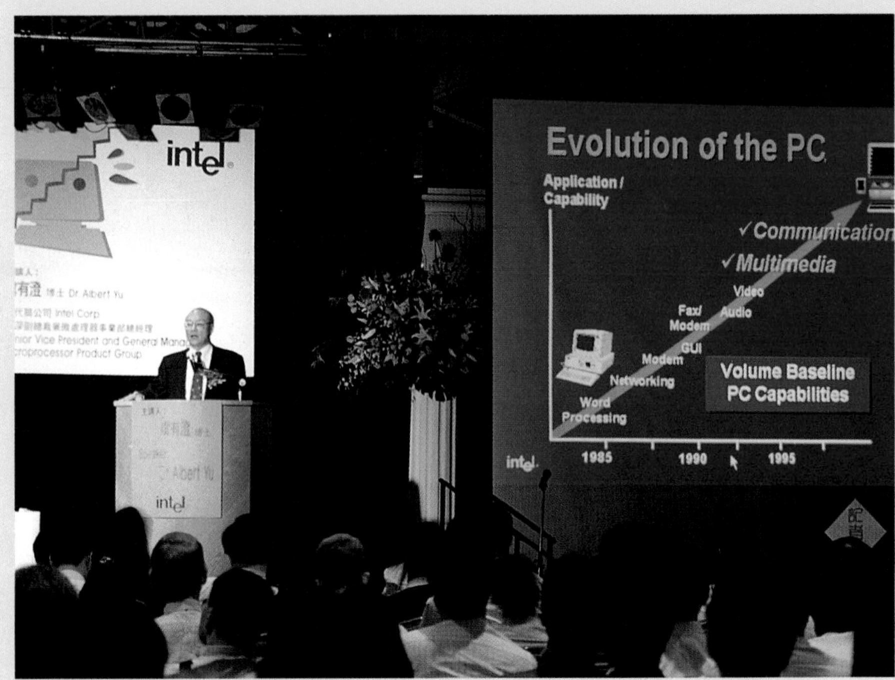

在一九九五年六月舉行的「台北國際電腦展」中，我應邀就「電腦發展趨勢與新契機」作專題演講（上圖）。而在之前一年的十二月，我也回台灣來參加「中國電機工程師學會六十週年慶」，期間與總統府孫資政會面（左上圖）。而在左下的照片中，是慶典快開始時攝，坐在我左邊的是國科會主委郭南宏。

WORLD CLASS IC

這是一大塊矽錠模，切下來的一片片就是晶圓了。左圖是放大後的P六晶片。難以想像，從前需要占整個房子那麼多空間的電腦(如下圖)，今天可以「濃縮」到一小片晶片上！

Inside Intel

Inside Intel

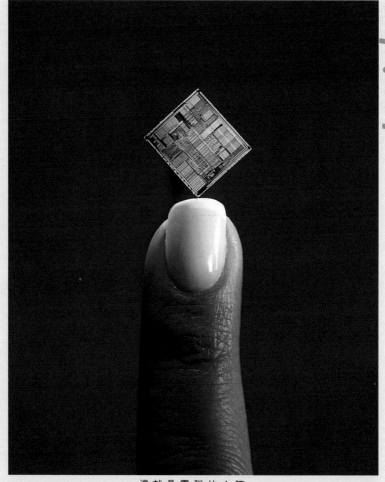

這就是電腦的心臟——微處理器晶片，它跟我們的指甲大小差不多，但它也就是使電腦功能愈來愈強的主要原因了！

This book is dedicated to Dr. Andrew Grove,

who pushes the management

art of high technology to new heights, every day.

謹以此書獻給葛洛夫，

他每天推動高科技管理的藝術創新高峯。

Inside Intel

by Albert Yu

assisted by Zoe Cherng

財經企管126

封面設計／陳俊良

我看英代爾

——華裔副總裁的現身說法

虞有澄 著

程文燕 協助整理

作者簡介

虞有澄

出生於上海，在台灣師大附中完成六年中學教育，曾獲保送台大電機工程學系就讀，後轉至美國加州理工學院電子工程學系求學，並先後修習完成史丹福大學電子工程碩士與博士學位。

畢業後，虞博士先加入有「現代半導體科技鼻祖」之稱的快捷半導體公司；爾後於一九七二年加入英代爾公司，歷任製程、品管、產品策略等多項要職，對奠定英代爾今日之成就功不可沒。

虞博士現任英代爾公司資深副總裁，兼微處理器產品事業部總經理，負責英代爾最重要的微處理器業務、周邊晶片組與設計技術等領域，也是目前矽谷最具影響力的中國人之一。一九八九年，並獲得美國舊金山亞洲商業聯盟推選爲「傑出亞裔執行總裁」。

程文燕　協助整理

台北市人，國立政治大學新聞學系畢，曾任電腦雜誌總編輯多年，現爲高科技公司公關經理。

序

迎接一次又一次的挑戰

葛洛夫

我與虞有澄博士相識與共事已將近三十年，在這段不算短的歲月裡，他從一位物理學領域的研究員，進而成為領導全球最大微處理器事業部的靈魂人物。

身為他的朋友與共事者，我極其幸運能有機會親身觀察虞博士本人在這段期間的成長。他可以說是具體實踐了英代爾最重要的價值觀，如：結果導向、開放與紀律等等，結合他對技術深奧的研究，以及在管理上的完整理念，領導一大羣技術精英迎接一次又一次巨大的挑戰。

我樂於見到虞博士決定將他的成長故事，在此書中與大家分享。

（本文作者為英代爾總裁）

From One Great Challenge to Another

I have known and worked with Dr. Albert Yu for some 30 years. During that time, he has evolved from physics researcher to heading the largest microprocessor development organization in the world. I was fortunate to have had the oppoutunity — as coworker and friend — to observe firsthand Dr. Yu's corresponding personal growth. He epitomizes the key Intel values of results orientation, openness, and discipline — and combines them with thoroughness in his grasp of technology and a broad understanding of what it takes to lead a large group of technologists from one great challenge to another.

I am delighted that Dr. Yu has decided to tell his story in a book.

Andy S. Grove
President and CEO of Intel

序

熠熠生輝的珍珠

張忠謀

從二十年前微電腦開始出現，它的功能很快地增加，價格很快地減低，應用也愈來愈便利；到今天，微電腦對於我們的工作和生活已經發生了很大的影響，而且這影響仍然只是開端而已。未來十年、二十年內，微電腦的功能、價格及應用都會更有進步。到那時，微電腦以及它的各種相關應用，確實會瀰漫於我們的工作和生活環境中。我們的生產力、日常活動的自由度、視聽娛樂的選擇以及各式各樣的生活品質都會有進一步的改善。這就是大家所說的「電腦革命」，也是被認爲自二百年前工業革命後，最重要的一個進展。

在這「電腦革命」的過程裏，有兩家公司扮演了舉足輕重的角色。雖然它們的營業額與全球巨型公司相比，還不能算大，但是它們的成長率高，獲利率厚，一舉一動又影響許多其他公司的業績，甚至影響整個經濟，所以已成爲全球最受矚目的公司，而它們在股票市場的價值，也已遠超過許多比它們大的公司。這兩家公司就是微軟和英代爾。微軟控制了微電腦的軟體；英代爾控制了硬體中最重要的部分：微處理器。這兩家公司從二十年前的沒沒無聞到今天叱吒風雲，其中之辛酸甜蜜，應該非但會引起從事資訊業者濃厚的興趣，同時對研究企業策略管理的學者，甚至一般對科技或經濟發展有興趣之讀者，也有其啓發價值。

最近幾年來關於微軟及其創辦人蓋兹的書已經不少，但是關於英代爾的書，卻尚未見過。今天有澄寫《我看英代爾》，我覺得真是太好了。非但這是第一次把英代爾的面紗掀開，讓讀者看到它的真面目，而且有澄也是最具資格寫這本書的人選之一。英代爾的創辦人是有澄在快捷半導體公司的上司，有澄在英代爾成立後不久，就離開快捷加入老上司的行列，自此後除了有幾年自己出去創業外，一直都在英代爾，地位也一步步地高升。最近幾年，有澄以資深副總裁的頭銜，主管微處理器的技術發展，這是英代爾未來的成敗關鍵，所以有澄在英代爾的重要性，可說僅在總裁及執行長之下。以他的地位和視野來敍述英代爾，更使這本書值得一讀。我在週末把這本書讀了一遍，雖然我從事半導體業多年，而且與英代爾的幾位創辦人以及有澄都是舊交，所以書裡許多的事都早已知道，但還是吸收到不少新的資料。這週末的閱讀，可說是相當的有意義。

這本書由三個故事交織而成。最主要的故事是英代爾的歷史，尤其是英代爾微處理器的歷史。這是一段可歌可泣的歷史，英代爾應該為此而歌，而它的同業競爭者應為此而泣。這段歷史裏蘊藏了好幾個教訓。第一，微處理器的發明是一個機遇。它不是擁有龐大經費、運用大量人力的研究計畫結晶，卻是一顆幾乎在無意中找到的珍珠。科技的進展，固然有不少是大型計畫的成果，但是也有不少是出於機遇。第二、英代爾與微處理器的機遇，至少部分是出於英代爾在計算機IC（積體電路）的劣勢。當英代爾發明微處理器時，正是計算機IC業務如火如荼之時，別的公司的精力都消耗在計算機IC上，而英代爾卻有餘力尋找別的機會。科技業的機會到處皆是，進步層出不窮，一個公司往往為了擴大目前的成功，對目前機會消耗過度資源，而忽略了新的機會，結果變成明天失敗的禍因。所以「塞翁失馬，焉知非福」這句話，對科技業而言，特別有意義，但也不能只把它當作自我慰藉的話，而應該把它當作「在失去一個機會後，要積極追尋另一機會」的箴言。第三個教訓也是最重要的：單是機遇不夠，一定要把握機遇。如果英代爾沒有把握住微處理器的機會，沒有千辛萬苦地開拓微處理器的市場，沒有集中資源繼續開發微處理器技術，那麼英代爾的歷史一定會改寫，它也絕對不會像現在那麼成功。事實上，英代爾在發明了第一個初具規模的微處理器後，立刻了解到這項發明的重要，此後就完全掌握了微處理器的發展。這是英代爾的最大成就。

要創新，也要紀律

第二個故事是英代爾的企業文化。在矽谷，英代爾是有相當特殊企業文化的公司。「人人平等，事事求簡」的樸實原則，固然也是許多公司的口號，但能做到的卻很少。英代爾的實行程度可說超過一般。以辦公室爲例，英代爾總裁的辦公室只有三、四坪左右面積，而且只有不到身高的隔離牆，這在世界上的大公司裡，是非常少見的。英代爾的特點還不止於此，它紀律的嚴謹，在矽谷是出名的。矽谷的最大長處是創新力，但是許多公司在沒有創新以前，就先把紀律鬆弛下來，目的是使員工有自由創新的空間，然而往往在失去紀律以後，創新倒不見得一定會發生。英代爾始終沒有放鬆紀律，卻不斷的在創新，我想這與它上層人員以身作則，奉守紀律很有關係。本書裡談到簽到簿的規矩，連總裁也要每天簽到，有一天他遲到了，還自我調侃的在簽到簿上注了一句「沒有人是十全十美的」，這是一個很有趣且有意義的故事。

英代爾的另一個特點是它的「對立」文化。公司內有很多會議，通常每一會議都有上下好幾層次的人員參加，在會議內發言的直率，即使在美國「直來直往」的文化內，也是少見的。在會議中提出的資料常被人質疑，在會議中提出的方案也常被反對，而且在英代爾，會議的氣氛相當民主，非但上司質疑下屬，下屬也常常質疑上司。一個不習慣這種對立文化的人常有難以適應的感覺。但作爲一個過來人（我曾服務的德州儀器公司是另一家有對立文化的公司），我認爲對立文化有很大的優點。它大幅增進了同事間的相互溝通，也同時把暗鬥化明。經過對立式的討論後，最後的決定往往較未討論前周全，也會受到大部分人的支持。對立文化的最大缺點當然是它可能造成的意氣。「就事論事」不能完全消除意氣之爭：某人的建議被反對，雖然受反對的是他的建議而非個人，但是他個人可以完全置身事外嗎？我認爲最能消除意氣的，是「對立」的例行性和頻繁性。今天你的建議不被接受，但這只是家常便飯，明天你的另一建議可能就會被採納。久而久之，公司裡沒有一個未受質疑的人，每個人也都有曾被接受的喜悅，久而久之，大家把對立看成工作的一部分，意氣就會漸漸減少，溝通、合作增強了，決策品質改善了，這「對立」文化就是這麼建立起來的。

不是老闆，也能致富

本書的第三個故事，但絕不是最不重要的部分，是有澄個人的故事。他在少年時，以留學生的身分到美國，如今已經是世界著名公司的重要主管，這是一部不折不扣的成功史！他對本身工作的熱愛，在他自序的第一句話就明白表示：「每天清晨，當我開車回辦公室上班時，心裡總是充滿興奮與期待」，這不是我們事業人生的最高目標嗎？這是金錢財富所能衡量的嗎?就以財富而言，有澄雖不能與超級富豪相比，但以我所知道的英代爾發給高級主管的股票選擇權數量，以及英代爾股價的節節上漲，有澄應該早是「腰纏十萬貫，騎鶴上楊州」，在任何標準下，都不愧稱爲富有的人。

對台灣讀者應相當有啓發性的是:有澄的成功，是一位專業經理人對公司有充分的信心，接受公司的職位安排，努力在自己崗位上把工作做好，在公司裡一步步升上來的成功例子。他不是「老闆」，但是他照樣可以累積相當的財富。他也不是近年來台灣所標榜的「愛拚才會贏」典型，我想他恐怕很少想到要與任何人「拚」。他的成功，是一步一步在自己崗位上耕耘而獲得的。在美國企業界，這樣的成功途徑是相當標準的模式。但是在台灣，這途徑的終點往往不能爲終身耕耘者帶來財富或成就感上的滿足，所以人人都要創業，人人都要自己當老闆。企業成長到一個規模後，往往流失許多重要人員，以致很難成長到世界級的規模。所幸的是，近年來台灣的高科技業已積極採取專業經理人管理的模式，老闆與員工也不復爲兩個截然不同而對立的陣營，要建立世界級的科技產業，我相信這是我們必經的途徑。

這本書帶給我很多感想，信手寫來，已經很多了，應該讓讀者自己去發掘了。

（作者為台灣積體電路製造公司董事長）

讀後感言

一顆勇往直前的心

吳伯雄

我與虞有澄博士爲師大附中六年的同班同學。相交莫逆，至今仍經常保持連繫，我發現無論是在讀書求學時期，或往後就業生涯，有澄始終保有一顆勇往直前的心。多年來，我觀察他總是不斷學習與成長，我想這是他處身在瞬息巨變的高科技產業裡，卻始終能在世界舞台占有一席之地的主要原因。

有澄的成功帶給我們一個啓示，那就是無論面對如何巨大的挑戰，憑著無盡的毅力與不服輸的鬥志，必然會有成功的一日。

我十分樂意見到有澄將他的個人成長故事，和他在美國矽谷多年的學習經驗，與大家共同分享。我也極力推薦更多人來看這本書，無論你的工作或生活與電腦是否相關，無論你是否懂得電腦，這本書深入淺出、像是說故事的方式，讓讀者可以很快了解這個二十世紀最新科技的奧妙。

更重要的是，所有珍惜自己事業前程、對自己「未來有夢」的人，都值得靜心一讀，甚至也會興起「有爲者亦若是」之感！

（作者現任總統府祕書長）

讀後感言

現代人均應一讀的好書

果芸

在世界資訊科技發展史上，中國人扮演了極關重要的角色，在資訊科技領域內中國人人才輩出，兼具資訊科技與經營管理的傑出人才也大有人在，但兼具資訊科技、經營管理、又能寫流暢文章的人，確不多見，虞有澄博士就是這少見的卓越人士之一。

七月初虞先生寄來他所著《我看英代爾》一書的初稿，一看便著迷，兩個夜晚讀完了全文，發現這不僅是一册近代微電腦發展史的紀實文章，更重要地，在字裡行間傳達了作者的智慧、經驗與寶貴見解。我確信每一位讀過本書的人，特別是從事高科技事業的人，均將受益良多。更難能可貴的是在行雲流水的文章中，生動而寫實地描述了英代爾的發展史，也說明了一位成功的科學家兼管理經營者的心路歷程，讀者可從本書中吸取作者的經驗並獲得啓發。例如，作者在「前有敵軍後有來兵」一節中寫道：「對電腦經營者而言，最重要的還是確實掌握到電腦產業的遊戲規則，市場規模決定一切，」這真是有價值的經驗與教訓。作者又在自序中說「每天清晨當我開車回辦公室上班時，心裡總是充滿興奮與期待」，他用「回辦公室」而不是「去辦公室」，這不正說明以辦公室爲家的敬業精神嗎？《我看英代爾》確是一册現代人均應一讀的好書，是一册充滿智慧與情趣的好書。

（作者為資訊工業策進會副董事長兼執行長）

讀後感言

認清現實、創造歷史

施振榮

日前趁出國洽公之便，在旅途中一口氣將虞有澄博士的大著《我看英代爾》讀完。虞博士在全球微處理器技術發展上占有舉足輕重的地位，此書是他經驗與智慧的首度公開，十分難得，而我也很高興成為第一批讀者！

虞博士從矽晶片與微處理器的技術突破，談到個人電腦的大放異彩，這段風起雲湧的過程中，我不僅躬逢其盛，且全心投入，因此閱讀這本書，彷彿是回顧自己經歷過的路程，感覺特別的親切。

眾所周知，半導體晶片的進步，促成微處理器技術的突破，進而創造了資訊市場最誘人的大餅——個人電腦。虞博士以當事人的背景，詳實描述了號稱「矽谷半導體人才搖籃」的快捷（Fairchild）公司，以及英代爾與超微公司先後自立門戶的前因後果，使人對微處理器由「海砂變成黃金」的過程有深刻的印象，閱讀此書，好像瀏覽一部微處理器與個人電腦的發展史。

回想一九八〇年代初期，ＩＢＭ開放個人電腦的標準，英代爾的中央處理器與微軟的作業系統又不斷翻新，進一步加速個人電腦的崛起，我國資訊廠商才能在開放的基礎上，獲得迅速成長的大好機會。台灣今天能成爲全球個人電腦產業的重鎮，英代爾發展微處理器技術實在功不可沒。

英代爾是全球微處理器的盟主，虞博士是英代爾的元老級人士，也是該公司第一位推動微處理器策略的人，從三八六，四八六，Pentium到正在研發的Ｐ六與Ｐ七產品，都發揮了主導性的作用，對世界個人電腦工業深具影響力，相信所有的華人均與有榮焉。

在危機中發現轉機

誠如虞博士所言，英代爾雖然技術領先，但不敢稍有怠忽，一直在「競爭中求生存，在危機中發現轉機」，從八位元微處理器一路到Pentium，先後面對Zilog公司Ｚ八〇，摩托羅拉公司六八〇〇，六八〇〇〇與ＩＢＭ威力晶片等挑戰，但英代爾善於把握趨勢，及早推廣產品，建立標準，且其策略以靈活、犀利見稱，因此均能化險爲夷，保住龍頭地位，並且愈戰愈勇。

閱讀此書可發現，在美日半導體大戰中，英代爾是一個既能認清現實，又能創造歷史的公司，十年前當日本廠商大舉搶攻DRAM市場時，英代爾經過苦戰仍難以招架，虞博士就力主放棄DRAM，全心發展微處理器，結果英代爾不僅業績大幅成長，也成爲推動個人電腦工業前進的最大動力之一。兩年前，英代爾躍居全球最大半導體廠商，替美國重新奪回王座，業界傳爲佳話。

虞博士談到許多英代爾的企業文化與管理制度，其中若干關鍵之處與宏碁不謀而合，例如二者都勇於向困難挑戰，不斷創新，採行平民文化，重視員工溝通，自行培養人才，大多數高級主管都自內部擢升，因此，我要求宏碁的工程師與主管一起分享這本好書，從企業管理層面深入了解英代爾持續創新與維持高成長的秘訣。

從英代爾的崛起與個人電腦革命的過程中，讀者應可深刻體會產業「不進則退」的道理，面對當前家用電腦的興起，誠如本書所言，無論是個人電腦、半導體、通訊甚至娛樂、傳播業者，都不可避免要面對下一波變革。如何成爲二十一世紀的贏家，是值得大家深思的。

（作者為宏碁集團董事長）

讀後感言

如何成長而不混亂

苗豐強

虞有澄博士是我多年的好友，當初我在英代爾公司設計微處理器線路時，他就在先進的製程（process）方面替公司打基礎，同時還在就近的聖塔克拉大學執教，的的確確是集理論與實際於一身。他不但是中國人在英代爾的最資深者，而且在整個英代爾經歷之廣，前後也找不出數人。今天能看到他用中文出書，實在是很高興。近幾年台灣個人電腦工業之發展在世界科技領域中扮演舉足輕重的角色，雖然是國人苦幹實幹及政府大力訂定方向之結果，但仍是受助於微處理器之發明，而且和英代爾脫離不了關係及淵源！

二十五年前我在英代爾公司上班的時候，中國工程人員並不多，事實上那時英代爾營業額不大，每年還不到二千萬美元。那時英代爾有兩個產品深深吸引著我，一個是E

PROM（可擦可改寫唯讀記憶體），另一個就是微處理器。要發明、創造出這兩個產品實在不易。除了要有深奧的物理、化學、光學、電子、材料等科學的理論基礎外，還需要有膽識、有創意、有理想的工程師將理論融入實際去執行，這才創造出人類近代史上最具威力的工具。

事實上英代爾不止在技術取勝，領導者之超強管理能力及執著，長遠之眼光及嚴謹之執行能力，在當時及在今日，均令人嘆爲觀止。我常說在英代爾工作最大的收獲有二：第一是認識了一批超級專家，當然這包括技術及管理兩方面的天才。第二就是親身體驗葛洛夫博士所說的「如何成長而不混亂」（How to grow without chaos），將小公司成長變大。這兩點對我日後的事業發展很有幫助。要知道，經營一個成功的高科技事業，必須要有人材及執著的去執行一個使命，公司才會穩健的成長壯大，理想才可以發揮。英代爾就是一個很好的例子。

有本可以讓大家了解英代爾的書，雖然時光不可倒流，也可讓我們借鏡、啓示；使管理者及從事高科技者，在變動的大環境中，能增加成功的機會，發揮自己的理想。

（作者為神通電腦集團董事長）

讀後感言

爲老同學驕傲

徐小波

看了虞有澄撰述的《我看英代爾》初稿後可以說是感慨萬千，這份感慨並不止於虞有澄舉世有目共睹的成就，因爲任何熟悉近年來電腦業發展的人都一定知道「英代爾」這家公司，電腦業界任何與「英代爾」打過交道的也必然認識或聽過虞有澄或「Albert Yu」這個名字。

我感慨的是，打從我們在師大附中實驗五班六年同學各奔東西後，直到今天他在一個世界頂尖的高科技公司擔任執行副總裁地位之間的奮鬥過程，也感慨這個過程多少反映了我們這輩在一九六〇年代成長的台灣學生的心路歷程。

虞有澄的故事絕不是一個單純個人成功的故事，它不但代表了改變人類生活的新產品的誕生過程，以及如何掌握誕生後繼續成長的空間，也代表了高科技事業的發展不僅靠研究發展的成就，還要靠現代化、人性化甚至於高度哲學化的經營管理理念以及將科技商品化付諸實施的高度智慧，這些都是台灣下階段經濟發展亟需學習的範例。

我認識的虞有澄絕不是一個沽名釣譽，自我膨脹的人。相反地，也許由於隔行如隔山所引起的好奇心，我很早就從其他朋友處得知他在微處理器方面的成就，但是他從未在我們相處時自我吹噓。自從看了《我看英代爾》一書後，對這位老同學又有了更深一層的了解，不禁油然起敬。雖然三十多年來我們各自發展，沒有朝夕相處的共同工作經驗，可是我覺得他在經營管理方面的經歷，非常值得企業界從事經營管理者借鏡，諸如如何發揮團隊精神，以面對市場上的激烈競爭，如何克服多重文化上的障礙，而促使一羣背景各異的專才充分發揮，如何面臨失敗而發奮圖強扭轉劣勢，如何使事業發展邁向國際化及全球化。

兩幅畫面

寫到這裡，兩幅畫面不禁浮現在我的面前。一幅是師大附中實驗五班教室中每天上課前五分鐘內同學們的嘈雜、打鬧、頑皮的畫面，另一幅是虞有澄單獨沈思，爲他所鍾愛的事業規畫未來的畫面。而在這兩幅畫面間，擺著一個真正有血有肉的故事。也許我們每一個人面前都有這兩幅畫面，畫中的故事就要靠每個人自己去發揮了。虞有澄的故事的重要啓發是如何把辛勤學習，發揮個人的潛力，一股具有市場導向產品的創造力量及正確的經營管理理念匯集起來，締造了一個令人驚訝的成就。

一方面我爲老同學感到真正的驕傲，一方面很高興他能把他的寶貴經驗與後起之秀分享。

（作者為理律法律事務所執行合夥人）

Inside Intel

我看英代爾——華裔副總裁的現身說法

目錄

Inside Intel

前言

無盡的成長與學習

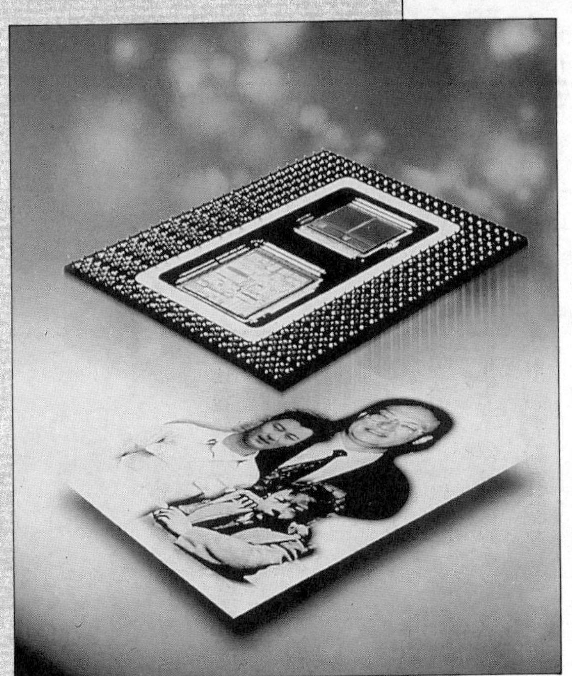

童年時的上海、青少年時的台灣，以及成年後的美國，構成了我的成長經過。而微處理器則是我職業生涯的重心。

在我參與高科技產業發展近三十年後，寫這本書的目的，就是希望能仔細回答這些問題。我希望能與讀者分享我的經驗，從中體會：永無止境的學習、追求技術創新的極限與勇於嘗試錯誤是多麼的重要！

每天清晨，當我開車回辦公室上班時，心裡總是充滿興奮與期待。在公司裡，我和同事們每天不停的忙碌，主要在規畫電腦的未來演進，我們總盡全力讓各種夢想實現。

也許讀者對我服務的公司——英代爾（Intel），感覺既熟悉又陌生，讓我先在這裡略作介紹。在每台個人電腦內部，都有一片微處理器（microprocessor），它負責整台電腦的基本運作，大家稱之爲電腦的心臟；從一九八一年第一台個人電腦問世以來，英代爾就是這微處理器的主要供應者。

事實上，我們在一九七一年就發明了第一顆微處理器，比個人電腦的誕生足足早了十年。今天，微處理器幾乎已經無所不在，無論是錄放影機、洗衣機等家電用品、汽車的引擎和煞車控制、以及飛機或電話等等，都和微處理器脫離不了關係。當你在電腦或各種機器的外殼上，看到圓形的「Intel Inside」標誌時，就代表著這台電腦或機器內部裝置了英代爾的微處理器。

我一直覺得英代爾聚集了最聰明、也最具創意的一羣員工，在這裡，我們真的是樂在工作。身爲英代爾資深副總裁，我現在的工作是負責開發並推廣一代比一代更進步的微處理器，我常常覺得，這真是全世界最有趣的工作。

電腦科技一日千里

最近我和微處理器事業部的七位總經理，拜訪了位於舊金山與卡布提諾的幾家軟硬體公司，他們正在利用Pentium™電腦與國際網際網路（Internet）開發各種最新多媒體與通訊應用，像是電腦遊戲、互動式影片、與網路上的虛擬實體影像等等；就在一年之前，我們都還無法想像會有這些神奇的玩意。

這些新的電腦應用之所以能夠迅速普及，最主要還是拜高性能個人電腦愈來愈普遍、價格也日益低廉之所賜。現在我們花不到二千美元，就可以買到一台配備齊全的Pentium電腦，擁有完整的多媒體與通訊功能，而這些小小的個人電腦，跟幾年前商用大型電腦比起來，其功能可說是有過之而無不及。

除了辦公用途以外，個人電腦現在也已進入家庭，大家都想買一台回家，就好像是買電視或錄放影機一樣。我們在九〇年代初期剛開始開發Pentium處理器時，對它的應用範圍只有模糊的概念，但現在我和同事們在忙著規畫下一代微處理器時，不但可以想像它在公元二〇〇〇年以前將會大量生產、被廣泛應用，更相信居時我們可以在市面上買到更多的新軟體，以及更先進的應用。

一向頗受工商界所敬重的《財星》（*Fortune*）雜誌，在一九九五年三月號特別報導了「最受推崇的美國企業」專題，英代爾首度上榜、名列第六，領先許多極具知名度的公司，例如寶鹼、３Ｍ、惠普、波音、奇異、ＡＴ＆Ｔ以及ＩＢＭ等等。和這些老字號相比，只有二十七年歷史的英代爾應該算是相當年輕，可是我們的成績卻是有目共睹，尤其是我們在微處理器產品上的「創新」技術，以及無可置疑的領導地位，更讓我們在創新這一項目上排名高居第二位。

這也是我們繼一九九三年超越ＮＥＣ、東芝與摩托羅拉等，成爲全球最大半導體公司之後，再增一項殊榮。一九九四年，我們的營業額更較前一年足足成長了三〇%，達到一一八億美元，創下公司歷史上的新高點。

英代爾在一九六八年成立；我在七二年加入時，全公司營業額還只有九百萬美元。當時雖然只是個小公司，但我們一直致力於創新，勇於突破技術的極限，即使今日公司的規模已成長許多，這種追求創新技術的努力仍沒有改變，我們每天仍夢想著爲電腦產業創造更多神奇進步。

經常有人問我說：「英代爾爲什麼會這麼成功？」或是「哪些因素使你們有今日的成就？」以及「你對高科技公司的經營管理有哪些獨到的心得？」這些問題都很有意義，但卻不容易回答。在我參與高科技產業發展近三十年後，寫這本書的目的，就是希望能仔細回答這些問題。我希望能與讀者分享我的經驗，從中體會：永無止境的學習、追求技術創新的極限與勇於嘗試錯誤是多麼的重要！

童年時光：上海

我在二次世界大戰期間出生於上海，當時日軍已經占領上海，所以有生以來我對日本的第一個印象，就是街上經常可以看到、頭上戴個紅星標幟帽子的日本兵。當時大家對日本兵都怕得要命，可是我有一次居然還敢去摸摸他們的制服，真是不知天高地厚。由於美軍飛機經常會砲轟上海，所以我們偶爾要躲警報，只要空襲警報一響，大家都得躲到陰暗潮濕的地下室去，這可不是好玩的事情。

我們住在一幢公寓的三樓，印象中十分陰暗老舊。父親在戰爭開始前原爲英國卜內門（ＩＣＩ）化工公司的員工，戰爭使他失去工作，他只好自起爐灶，試著組織一家小小的化工公司，每天忙得不可開交。我的母親在中國銀行擔任經理，雖然是人人羨慕的好差事，可是和父親一樣從早忙到晚，所以我等於是在外婆的照料下長大的。

外婆是個很傳統的中國人，脾氣好，篤信佛教，每天會說各種神話故事、鬼神傳說或是戰爭英雄事蹟之類的，充分滿足了我童年的好奇心，讓我在戰爭的陰影下還能有一些些童年的歡樂。後來我慢慢學會閱讀，只要可以拿到的故事書，我都看得津津有味。這些書帶我進入完全不同的世界，讓我很早就領略到閱讀與學習的樂趣，一直到現在我都還保有這個嗜好。

小時候我的健康情形並不太好，曾經開過兩次刀，經常都被迫躺在床上，不能像普通孩子一樣在外面亂跑。我只好編織各種神奇故事來打發時間，這些故事經常把我外婆逗得哈哈大笑。有時候我還用兩手扮成幾個不同的演員，讓他們打來打去玩上半天。

將近六歲時我開始上小學，由於可以學會認更多字、讀更多故事書，讓我非常快樂。每到週末，父母帶我到黃浦江畔的公園去散步，成爲生活中快樂的小插曲。我特別記得當時最愛可口可樂，無論是汽水瓶的特殊造型或者是入口清涼的感覺，讓我從小就深深著迷，往後我再也不曾喝過其他品牌的可樂。這個例子讓我體會到，品牌形象對人們採購行爲的影響深遠，後來我們在推廣「Intel Inside」活動時，也是希望能夠建立品牌忠誠度，讓人們在買電腦時也不要忘了找「Intel Inside」這個標誌。

二次大戰結束後，父親回到卜内門工作，家裡經濟情況也大幅好轉。一九四八年，公司希望他到台灣來設立分公司，這不但使他的事業前途有新發展，同時也讓全家有更好的生活空間，因此我們都爲這個大好機會而雀躍。

原本我們以爲可能只待個一、二年，就會回上海，所以僅僅隨身帶了兩箱行李。外婆雖然對我依依不捨，不過想到這只是短暫分別，因此，我們只是輕輕擁抱一下，倒也沒有特別的難過。沒想到政治局勢一夕遽變，往後我就再也沒有機會見到她了。這一別居然成了生離死別。

少年立志・台北

整整搭了兩天船，我們才到達台北。母親由於暈船難受，只好躺在艙裡。至於我這七歲小童則彷彿發現了新世界，把整艘船上上下下裡裡外外都跑遍。我覺得它好像正帶領我脫離陰暗沈悶的上海，進入全新光明的世界。我童稚的心中對台北已充滿嚮往。

到了台北，到處是青翠稻田、空氣清新、人煙稀少。我們住在一幢日式房子裡，有寬闊庭院，種著不少花草樹木，真是鳥語花香。唯一無法適應的是日式榻榻米床，每天我們都要在上面再舖一層厚被才能入眠。

我在台北的童年生活也相當寫意，先進女師附小唸小學，交了不少新朋友。由於自然的生活環境讓我可以舒展身心，身體比以前健康許多，而且還學會各種球類運動，像是籃球、桌球、足球與網球等等，網球更從此成爲我的終生娛樂。

母親到了台北就不再工作，每天與我作伴，以照顧我爲她的生活重心。她是個很有見解的中國女人，一直以傳統中國美德，例如辛勤努力、與朋友要互信互諒等等來教誨我，而她本人也以身作則，作了最好的示範。

父親在台北還是忙於工作，除非是週末，否則我很難與他見上一面。不過我倒是記得他很早就說過：「我會一直讓你完成教育，但你要學有專精，以後才能自己獨立，千萬別指望我留什麼財產給你。」我覺得他真是睿智，因爲就像俗話說的：金山銀山不如一技在身，只是早期家族觀念讓中國人很少能認真實踐這句話。我祖父在無錫有自己的店面，算是還不錯的人家，可是父親在上海大學畢業後，便留在當地就業結婚，完全獨立自主，爲我留下很好的榜樣。

父親的話，也讓我了解讀書求知的重要，往後不論多忙，我幾乎每天都保持看書的好習慣，不斷追求新知。母親也是從小就鼓勵我認真讀書，她甚至發明很有效的獎勵辦法，依分數高低設定等級而給不同的獎金，所以我從小就學會要追求高標準，才能得到最好的獎勵。後來我在學校的成績一直名列前茅，顯然母親也有很大功勞。

母親對我的管教，其實也是我在領導管理方面最先的啓蒙。除了提供適當獎勵以鼓舞士氣以外，她還教會我要仔細聆聽別人的話，弄清楚話中實際目的，這是我學習管理溝通的第一步，往後都因此而受益無窮。

我在師大附中念完初高中六年的學業，而且幸運的進入實驗五班。由於相處時間長達六年，同學之間感情特別親密。後來我們有二十五位同學先後遷居到美國加州，大家還籌組共同投資基金，定期舉辦家庭聚會，重溫往日時光，一直到今日這個基金都還存在。當時的同班同學許多現在都已頗有名氣，像吳伯雄現在是總統府祕書長，以及現任台大醫院院長的戴東原、知名律師徐小波等。

由於很早就對物理特別有興趣，所以從高二開始我就決定選擇理工科。不過當時學校的物理老師用傳統的教學方法，並不能滿足我的求知慾。有一次剛好找到一本大學物理教科書，讓我學會許多物理的基本理論，從此我的物理成績就大幅領先其他同學。這也讓我再次體驗到唯有透過學習，才能累積自己的實力。

從台大到香港

中學畢業後，我順利獲保送第一志願：台大電機系。不過才念了一學期，父親又要調往香港總部，這對他是再度升遷的好事，可是我卻有些猶豫，不願離開台北，更捨不得放棄台大電機系的學業。母親說服我：到香港以後，如果要到美國繼續念書會比較容易，而且一九五九年香港已經是貿易自由港，各種物資較為充裕，加上我喜歡海洋景觀，而它四面環海，所以我還是轉學到了香港。

香港這時已經是大都會，來自英、美、德、法或印度等各色人種都有，它自由的氣氛和快速步調，與台北的封閉和悠閒是一大對比，我個人的成長因此又向前邁進一步。在這一年裡，我學會廣東話，後來我才發現這對往後赴美的生活大有幫助。

我一邊在崇基書院（後成爲香港中文大學一部分）念書，同時也試著與美國各地大學接觸。父母親希望我在麻省理工學院或密西根大學二擇其一，理由是前者爲眾所周知的優秀理工學校；而後者則是因爲父親一位摯友在那裡居住，可以就近照料。我另外還從同學那裡聽說加州有些學校很不錯，所以也向加州理工學院（Caltech）與加州理工大學（California Polytechnic College）提出申請。

沒想到我相當幸運，這四間學校居然都允許我入學，所以我反而要爲該如何選擇而傷神。父母親當然希望我去知名度最高的麻省理工學院，可是我對加州理工學院更是情有獨鍾。它們在考試時容許學生翻參考書，著重學生是否理解而不要求死背，和我的求學態度十分類似。此外，它還提供我六百美元獎學金，等於是學費的一半，讓我更覺得深受重視。因此我最後還是決定違背父命，到加州理工學院就讀。

與加州結緣

這個決定無形中注定了我往後發展，都與加州息息相關。湊巧的是，這時候也正是加州矽谷成形的初期。往後我才明白，這個決定對我這一生有莫大的影響力。

不過，一九六〇年當我初次來到位於帕沙迪納（Pasadena）的加州理工學院校園時，倒是很驚訝它看起來比台大校園要小很多。儘管如此，「勿以外表取人」這句話倒是十分適用，因爲加州理工學院雖然很小，每年只招收大約二百名新生，不過這二百人可都是最頂尖的中學畢業生。

我參加在加州山崗上舉行、爲期三天的新生歡迎會時，就見識到這些學生果然都是中學成績全A的理工天才，談起數學或物理都是口沫橫飛、滔滔不絕。我很快就知道我一定得要加倍用功，否則很難迎頭趕上。這些學生確實相當優秀，後來我發現從同學那裡學來的，並不比課堂上老師教的少。

在加州理工學院的第一年，我深刻感受到文化上的衝擊。這裡大概是全美個人主義最盛行的地方，學生奇裝異服，愛做什麼就做什麼，和我在台灣念中學時處處受到管制，真是截然不同的待遇。老師的教育方式也著重探討各種原理。記得我在台灣念中學時，老師總要我們背誦各種公式，我始終覺得這不是學數學的好方法。而到了這裡，由於強調原理說明，我很快就真正學會了數學的真諦。

我們的物理教授同樣也相當不錯，他除了教導我們物理原理外，等於也用熱情爲我們打開進入物理殿堂的大門。有一位教授教我們一則物理基本原則：「非絕對禁止者，就有可能發生。」這句話對我有莫大的影響力，成爲我這一生的座右銘。它代表無盡的嘗試與追尋，以探索不可知的未來，從那時起，我就不願受現實情況所拘束，而一直期望自己能勇於突破。

另一位米德（Carved Mead）教授，對我也影響深遠。他是個永不停止的學習者，經常對某些特定題目充滿探索熱忱，而且很快就能弄懂成爲專家，差不多每隔五年便會轉到不同領域，再繼續學習新事物，一直在前進。我認識他近三十年來，他已經從物理轉到積體電路設計、系統以及神經網路等領域，他旺盛的求知心真令人佩服。

史丹福初嘗挫敗

大學畢業後，我決定到史丹福的研究所繼續求學。很湊巧在這裡認識了現任台灣積體電路製造公司的董事長張忠謀。

當時張忠謀已經在美國德州儀器公司擔任高階經理人，在公司的安排下至史丹福博士班繼續深造，後來他更負責整個德州儀器公司半導體的業務。在我當時認爲，他真是留美華人在半導體產業最好的典範。

另一方面，我在加州理工學院畢業時曾獲頒獎，讓我有些過度自負。而史丹福校園寬闊，景緻優雅，學生留連其中，看起來有些懶散。由於以前在考場上一直是常勝紀錄，我在入學六個月後就決定參加博士班資格考試，並且以爲也會像從前一樣輕易過關。

這一年夏天我回香港時，剛好透過朋友介紹，認識了現在的太太。秋天時她也來美國念書，所以我一有空就去找她。事實上就在資格考的前一個月，我還大老遠開車去與她共渡聖誕，並不太把這個考試放在心上。結果一九六四年一月的博士資格考，當然是過不了關。

這次考場挫敗，讓我畢生記憶深刻。當時對我確實是一大打擊，我甚至失去自信，懷疑我自己是不是念博士的料？是否應該打消繼續求學的念頭，找個工作算了？還好包括女朋友、我的父母以及許多朋友都支持我，尤其是我的指導教授史拜塞（William Spicer，後來他也成爲我的論文指導教授）更是鼓勵我說：許多人都不是第一次就考過的，你不必太難過。

他和我坐下來花了許多時間檢討，到底哪裡出了差錯。後來發現其實原因很簡單，我太輕忽了這次考試，以至於不夠用功，未深入了解許多工程或科學主題的基本原理，在口試時自然無法從容回答問題。於是，我試著將跌至谷底的自信找回一些，並且擬定長達九個月的苦讀計畫，希望在下次考試可以一試通過。

我不但自己閉門認真讀書，而且還請同學幫忙問我各種難題，讓我練習適應口試的考法。史拜塞教授更應我要求，幫我作了一次模擬口試。剛好這年冬天老天爺也很幫忙，經常都下大雨，很適合我的讀書心情。

一年之後，我準備充分也深具自信的上了考場，這次不但輕鬆過關，而且還在三百名學生中排名第二，算是苦讀九個月的代價。我想如果不是前次失敗，我大概也不會學到這麼多寶貴經驗。我尤其深刻體會到：對任何一項任務都不能輕視，絕對要仔細準備，全力以赴，不應該想靠運氣投機混過。我很慶幸在年輕時候，就能學得這個教訓。

虛心，不心虛

史拜塞教授擁有自己的實驗室，經常從政府單位獲得經費贊助。他邀請我加入他的實驗室，作一些不同材料的感光研究。我選擇了鈀（Palladium）及白金（Platinum），作爲我的研究論文題目。由於我對這些主題都一無所知，可以學習新東西的感覺讓我相當興奮。我到處去找各種相關論文以及已出版的書籍，也向史拜塞教授與其他較資深的研究生請教，像海綿一樣儘可能的吸收知識。甚至連遠在他地的研究者，我也透過寫信或在他們來史丹福時向他們請益，每次我都提出一長串問題，看是否我不明白之處他們都能提供解答。

大約一個月左右，我已經對研究的題目有些認識，可以開始自己動手進行研究來找答案。事實上，往後多年來的職業生涯，我都是在重覆這樣的歷程。史拜塞管理實驗室的方式，也和一家小型公司大同小異。他從外界募得經費，然後放手給研究生去作出結果。他大學原本在威廉學院主修歷史，後來才轉行到麻省理工學院念物理研究所。畢業後在RCA實驗室工作了幾年，才到史丹福任教。我想他是少數兼具人文與科學修養的人，所以能指導我們在既合作又競爭的環境下作研究。

新挑戰、新經驗

在我完成一項研究後，有一天史拜塞教授突然跟我說：「你應該到今年在洛杉磯舉行的全美物理學年會上，發表研究結果。」我嚇了一跳，以前從來沒有過演講經驗的我，根本不知道該從何做起。原本我想打退堂鼓，不過他堅持說：「你所要做的只是全力去準備，其他沒什麼好擔心的。你先想三個應該告訴聽眾的重點，然後在演講時重覆幾次。再想一些聽眾可能會問的問題，事先準備好答案。記住：你是所有人裡頭最了解這個主題的，所以沒什麼好怕。」

我照他的話去作準備，而且還找來別的研究生幫忙想問題，可是臨上場前還是十分緊張。一直到站上演講台一、兩分鐘後，才逐漸恢復冷靜，思緒也開始清晰。等演講結束後，也只有幾個簡單的問題，我輕鬆的回答，似乎沒有想像中那麼困難。下了演講台以後，史拜塞教授帶著滿臉笑容走來與我握手，並且很滿意的說：「講得很好！現在你可以繼續準備下一場在舊金山的演講……」雖然汗水濕透了我的衣服，可是我還是滿心歡喜，總算有一個完美結局。

學習，成功之道

往後幾年，史拜塞教授一直很用心的指導我的演講技巧。事實上，他不僅教我學會演說，同時也要求我提筆學寫論文，每次研究一有結果就在學術期刊上發表。還記得我第一次將剛寫好的論文交到他手上時，他很快就用紅筆畫得到處都是，指出這裡不夠清楚、那裡別人會看不懂、語氣不連貫等等問題。我只好帶回去重寫。

沒想到他對我改寫後的第二版本，還是很不滿意，還勾出更多問題來。就這樣來來回回改了四到五次，才算令他滿意。我再次從這過程中學到許多，尤其是學會如何在一開始就將問題陳述清楚，並在結尾時作完整的結論。寫作方式則要簡單清楚，一目了然，並且合乎邏輯。我在他的指導下總共發表了五篇學術論文。由於有這段歷練，往後我寫論文總是得心應手，沒有太大困難。

在我獲得史丹福博士學位時，我覺得真是學到不少東西，個人也成長許多。可是現在回想起來，在我二十五歲以前的求學生涯，其實只跨出學習的第一步；往後我在工作場合學習到的，更不知是多少倍。

以下就讓我從求職生涯開始細說重頭。

半導體的生力軍

就像任何的新公司一樣，英代爾也曾經面對過許多挑戰及緊張。這張照片攝於七〇年代初某天，當時摩爾（左方）及諾宜斯正爲了公司的某個問題憂心如焚，神情焦慮。

雖然矽晶與我以前在史丹福大學研究的題目相差十萬八千里，但從此得以進入矽晶的新領域，著實令人興奮。尤其當時的快捷實驗室，是學習矽晶技術的最佳殿堂，我可不能入寶山空手而回！

一九六六年秋天，我在史丹福大學的博士學位只剩六個月即可完成，憑著幾分初生之犢的勇氣，開始應徵工作，或者應該說是尋找伯樂。

那時侯，ＩＢＭ已是鼎鼎有名的電腦公司，營運狀況與它的知名度同樣都在快速爬升中。它的研究中心，也以新穎齊全的設備，吸引許多一流人才前往投效。與我面談的是一位年輕主管，充滿活力、自信心十足，他熱忱的鼓勵我加入，以原先研究論文爲基礎，更深入探索材料學的領域。

如果後來沒有碰上葛洛夫（Andrew S. Grove），也許我就真的成了藍色巨人麾下的一員，那往後的故事可就要改寫了。理由是與其他幾家著名的研究單位比起來，ＩＢＭ研究中心似乎是當時最好的選擇。

面談記趣

例如，原本我也像當時許多理工科博士一樣，對夙有研究鼻祖之稱的貝爾實驗室特別嚮往。但等我前去一探究竟，感覺卻全然不是那麼一回事。當時的貝爾實驗室，看起來似乎還更像工廠，研究人員擁有自己的小小地盤、研究設備以及技工，我感覺如果在那裡工作，好像會成爲這個巨大機器裡的一顆小螺絲釘了。

還有一個同樣很有趣的應徵經驗，是位於密西根州的福特汽車研究室。當時他們純粹以物理學的基礎科技研究爲使命，與福特的生意經絲毫沒有關連。這對我來說，簡直是不可思議，記得我還特別請教他們爲何如此，得到的答案是：「這是爲了福特在科技界的聲譽而設，與商業無關。」好在我沒有加入，因爲聽說不久之後，福特就裁撤了這個研究室。

RCA位於普林斯頓的實驗室，是當時另一個叫得出名號的研究單位。由於我的論文指導老師史拜塞在至史丹福任教之前，即在此工作，因此激起我前往應徵的好奇心。當時他們的研究計畫，是雷射影碟錄製技術的發展。然而，雖然研究題材很新，但似乎研究人員以年長者居多，年輕人寥寥可數，而且感覺上環境不算挺好，負責人似乎對這主題也不太有把握。

新方向：半導體公司

看來我似乎應該下定決心，投入IBM的懷抱。但我念頭一轉，爲何不試著找一兩家半導體公司看看？六〇年代初期，半導體還是個創新的科技，甚至矽谷的高科技工業區也只是略具雛型而已，沒有人料到會有往後的發展。我想到摩托羅拉（Motorola）電子與快捷（Fairchild）半導體公司去碰碰運氣。

到位於鳳凰城的摩托羅拉應徵，大概是我最不愉快的應徵經驗之一。與我面談的那位仁兄，似乎對我的博士論文與專長毫無興趣，卻考問我高中程度的數學！

而唯一位於美國西岸的快捷半導體，當時看起來也只是個小小毫不起眼的公司。面談當天，在加州帕洛奧圖（Palo Alto）的小辦公室裡，七個人一字排開，聆聽我專門爲此次應徵而準備的論文說明，氣勢彷彿有些唬人。

在座的七個人裡，似乎只有一人聽懂了我在說些什麼，而且提出幾個頗爲關鍵的問題。這個人個子不高、戴著厚重的眼鏡與助聽器，一頭亂髮讓他看起來比實際年齡要大許多，不過專注的神情讓我感覺相當受到尊重。當然他就是現在赫赫有名的葛洛夫。後來他改戴隱形眼鏡，耳朵也接受過矯正手術，看起來反而年輕許多。許多老朋友開玩笑的說「葛洛夫是唯一可以抗拒年齡的人。」

葛洛夫當時正帶領一小組人在做研究，希望能物色幾位生力軍加入。會議之後，他們帶我去用午餐，其中包括後來我的頂頭上司：史諾（Edward Snow），以及史拜塞教授以前在RCA的同事戴克（Dyak）等。

遇到伯樂了

大家談起葛洛夫，說他是標準的工程師個性，做事一板一眼，對他可絲毫不能打馬虎眼矇混過關。而葛洛夫好像對我這個人，比對我的研究題目更有興趣，不斷的問我：「你認爲問題出在哪裡？應該如何解決……」，我想他是在考驗我對問題的分析能力。

後來我乾脆直接的說：「其實我也厭倦了老是做學術研究，希望在相關領域內找些新的題目來試試，研究一些可以商業化的技術。」我出生於上海，據說上海人都是天生的生意人，姑且不論這樣的說法是否正確，我確實對經營管理的興趣，不亞於作學術研究。我的想法和葛洛夫不謀而合，他很熱心的提出一些建議，並且邀請我加入快捷，一顯身手。

這次應徵讓我內心興奮不已，因爲這是第一次有人注意到我的想法，更甚於我的研究內容，用現代年輕人的說法就是：我的潛力相當受到肯定。而且，更重要的是，葛洛夫所提的研究建議，都是全新的技術，對一向喜愛新事物的我，真是如魚得水。

經過幾個星期的考慮，我決定加入快捷。不過，其中也歷經一番心理掙扎。因爲ＩＢＭ當時已頗有規模，業務蒸蒸日上，儼然是高科技產業的新星。相形之下，快捷半導體還只是一家小公司，而我未來的老闆——葛洛夫，這時甚至連小有名氣都還稱不上。我的父母、朋友等人，都認爲我應該選擇如ＩＢＭ之類的大公司，才是聰明之舉。

事實上，在一九六〇年代初期，即使整個半導體產業也還在新興萌芽階段，難怪一般人對快捷半導體沒有多大信心。可是這對我卻是大好時機，我所研究的物理學，在當時雖然仍是個完全陌生的領域，但可以預期未來會有很大的發展空間。

八人幫

創立於一九五七年的快捷半導體，其實也不是沒沒無聞的小公司。事實上，它在近代半導體產業興起的歷史中，還扮演著火車頭的角色。很多後起的半導體公司，主要人才幾乎都曾經在快捷待過，所以有人說：「進了快捷，就等於跨進了矽谷半導體工業的大門。」或者說它是「矽谷半導體人才的搖籃」也不爲過。

快捷的誕生有特殊的時代背景。一九四七年時，原本任職於貝爾實驗室的蕭克利（William Shockley, 1910–1989）博士，和另外兩位物理學家共同發明了電晶體，這是一種和真空管一樣能將電子訊號放大的元件，不過它所需要的電流，以及產生的熱量，甚至它的體積都要比真空管小很多，因此用途廣泛，甚至足以取代真空管。有人稱這項發明爲「本世紀最重要的發明」，而蕭克利也因此在一九五六年獲頒諾貝爾獎，等於是科技研究人員的最高榮耀。

不過蕭克利並不就此滿足。電晶體應用前途看好，但要製造出穩定性高的電晶體卻不容易，這是另一種挑戰，何況任何一種創新科技，都要仰賴量產能力與技術，才可能真正商品化成功。後來蕭克利在矽谷成立了一家半導體工廠，取名爲「蕭克利半導體實驗室」，並且自美國東岸招募了八位優秀的年輕人，他們就是後來聯手創立快捷半導體的「八人幫」。

這八位年輕的工程師，原本是因仰慕蕭克利在科學上的才華，而來到矽谷的。可是由於與蕭克利對產品發展方向意見不合，而且無法忍受蕭克利的老大管理作風，因此由諾宜斯（Bob Noyce）領頭，一齊離開蕭克利半導體實驗室，在工業家費爾察（Sherman Fairchild）的資助下，另行創立快捷半導體公司。

快捷總部位於紐約，除了經營照相機與儀器之外，還有許多關係企業，不過其中成長最快的還是快捷半導體公司。創立後不久，由於諾宜斯發明了積體電路（integrated circuit）技術，可以將多個電晶體整合在一片晶片上，使快捷從一開始就有平步青雲的發展。

除了經常發表先進的研究成果外，它的營運成績也有目共睹，一九六七年時，快捷半導體的營業額已達一億九千六百萬美元，這在當時已經可以說是天大的數字。因此雖然我捨ＩＢＭ、貝爾實驗室等大機構，而加入快捷，事實上也不是毫無道理可循的。

一九六七年六月三十日，我較預期提早一日向快捷位於帕洛奧圖的研究發展實驗室報到，興致勃勃地迎接生平第一份工作之挑戰。

當時我確實將工作當作生平最大樂事，不過倒不只是因爲熱愛工作，而是在報到之前我已因負傷在家足不出戶，整整窩了二個多月。好不容易熬到可以上班了，充滿鬥志的心，就如張滿帆的船，隨時蓄勢待發。

事情是這樣的：三月間提完論文後一日，有些親戚到家裡來玩，大夥兒出外踢足球。誰知樂極生悲，我不慎扭傷足踝，連想站起來都有困難。接下來的兩個多月裡，我的行動完全失去自由，在妻子到學校上課的時候，我只能一人困守公寓。因此傷好後我簡直迫不及待的想去上班，也就較預期提早一天出現在新辦公室裡。

人事風波

與此同時，快捷半導體實驗室內也正經歷一場驚天動地的大變革。

一九六七年初，史波克（Charlie Spork）與羅蒙（Pierre Lamond）等人決定脫離快捷半導體，另創國民半導體（National Semiconductor）公司。當時葛洛夫在快捷實驗室內，雖然還只是個小小的主管，不過由於表現傑出深具潛力，因而成爲他們大力延攬遊說的首要目標。

這個消息震驚了當時擔任實驗室總監的摩爾（Gordon Moore），他也是當初創立快捷的八人幫之一，相當具有前瞻眼光。顯然摩爾也有識人之明，早已看出葛洛夫是不可多得的將才，未來前途不可限量。爲了挽留葛洛夫，他破例將他擢升二級，使葛洛夫凌駕他原來的部門經理畢特曼（Charlie Bittman）之上，成爲實驗室副總監，也就是摩爾最重要的副手，這在當時頗不尋常。

因此雖然我是經由葛洛夫面試進來，但在一番人事變動塵埃落定之後，我的頂頭上司卻成了史諾，這時他正負責掌管物理部門。

自一九六三年起，史諾與迪爾（Bruce Deal）等人在葛洛夫的領導下，正以先鋒者的態勢朝開發「金屬氧化半導體」（MOS, metal oxide semiconductor）的新領域邁進。大家早已耳聞金屬氧化半導體具有製程簡化的優點，而且體積較小，更適合作爲積體電路的材料；可是由於在實際應用上不夠穩定，因此令多數人裹足不前。

不過葛洛夫、史諾與迪爾等人可不氣餒。經過一番在當時頗爲前衛的研究，他們發現金屬氧化半導體之所以不穩定，是由於鈉離子的作祟。因此如果製程中不用鈉，就可以產生穩定的金屬氧化半導體，而且極可能發展出完美的高密度積體電路，也就是說可以在同一片積體電路上，放入數千個電晶體，因而可使其應用更爲廣泛，後來更因此發展出記憶體與微處理器等產品。此一發現具有畫時代意義，而且可以說是現代半導體技術之濫觴。

史諾畢業於猶他大學，是相當優秀的物理學者，我問他：「有哪些題材可以讓我試試？」他誠懇的向我解釋：「我們好幾位研究員希望多了解一些金屬氧化介面（interface）的問題。其實有關金屬矽晶介面的應用非常廣泛，但目前相關的研究卻非常的少，我希望你可以在這方面有一些貢獻。」

雖然矽晶與我以前在史丹福大學研究的題目——磁性金屬光學特性——相差十萬八千里，但從此得以進入矽晶的新領域，著實令人興奮。尤其當時的快捷實驗室，可以稱得上是學習矽晶技術的最佳殿堂，我可不能入寶山空手而回。

爲了儘快進入狀況，我不願放棄任何的學習機會。除了參加所有相關的研討會外，也主動就教於前輩們。葛洛夫於一九六七年出版的一本《物理學與半導體技術》，對於矽晶元件與技術有相當詳盡的解說，因此就成爲我最佳的入門指南。事實上，我不僅參加了以這本書爲主的研討課程，後來還以此爲主題在快捷與聖塔克拉大學教課，當時用功程度幾乎已到廢寢忘食的地步。

專攻休基障礙

對我而言，在快捷實驗室研究金屬矽晶介面的感覺，就像是在史丹福做研究論文一樣，只差沒有指導教授。爲進入此一新領域，一切都得重新來過，從基層做起。我搬出過去所學的十八般武藝，向遠在各地的專家請益，更不放過任何相關的文獻。

我很快發現金屬半導體可以說是一種典型的「休基障礙」（Schottky barrier），這種作業機制是由一位德國科學家首先發現，因而以之命名。

當時與此相關的另一位知名學者是加州理工學院的米德教授。我在那裡讀書時曾與他有數面之緣，對於他總是能以突破傳統桎梏的觀點來看事情，印象頗爲深刻。幸運的是，他此刻正任快捷的顧問，這可說是天時地利人和，我馬上與他連絡，並且開始討論有興趣的研究題材。

米德教授曾以休基障礙爲主題，發表過數篇論文，並且設計出一套模型，以解釋其中某些現象。然而當時大部分專家都不了解，在所有積體電路都會用到的鋁與矽晶接觸介面間，雖然理論上不太會有問題，但在實際應用時這些元件卻經常出差錯。我極欲發掘其中奧妙，後來發現了一些由「鋁―矽―氧化」介面控制的有趣現象。

我在專業文獻上發表了這些發現以後，獲得許多回響，也被視爲是當時相當重要的研究。而所有這些結果，都是在我加入快捷第一年內的研究收穫。史諾與葛洛夫二人對我的研究品質與速度，也深表肯定及嘉許。當時我們與RCA在研究金屬氧化半導體的不穩定性上，競爭激烈，雙方甚至公開指責對方的研究結果不正確。而在我的研究領域裡，也有德州儀器（Texas Instruments）的研究員正卯足了勁與我火拚。

記得有一次在會議結束後的傍晚時分，史諾、葛洛夫與我在游泳池畔聊天，話題全圍繞在如何儘快發表研究成果，以搶得先機。這股昂揚鬥志，與今日我們在微處理器市場勇於面對競爭，有異曲同工之妙。

葛洛夫興致勃勃的問我：接下來想做些什麼？我告訴他：「我想製作出真正很棒的鋁—矽休基障礙，以應用在許多產品上。」他相當支持，但也透露他們在金屬氧化半導體的基礎研究，雖正有些成果，但無法爲快捷半導體生產線所採納，因而無法更進一步的突破，這使他有些挫折感，而這也埋下他日後求去的伏筆。

無法跨越的鴻溝

他所面臨的挫折，其實我也略有耳聞。當時在葛洛夫領導下的另一羣人，以維達斯

（Les Vadasz）爲首，希望了解在金屬氧化半導體架構中以矽代替金屬閘（gate）的可能性。「這種新的元件，不僅量產容易，而且由於體積小，可以在一片積體電路上放入更多的元件，其應用也就更爲廣泛了。」維達斯說。他和葛洛夫同樣是匈牙利移民，也同樣爲發展出矽閘元件雀躍萬分，卻不料這番美意絲毫未獲生產工廠之青睞，使他的研究僅止於實驗室階段，殊爲可惜。

事實上，矽閘的研究與免用鈉離子的製程方法，對後來整個超大型積體電路的發展，同樣大有貢獻。可惜當時的快捷半導體，由於生產部門與研發實驗室的門戶之見，錯失了晉身新領域的大好良機。這也使快捷半導體雖然在起步時領先羣倫，往後卻反而比不上其他半導體公司，也無法在金屬氧化半導體技術史上留名。

除了位於帕洛奧圖的研究實驗室外，快捷半導體的另一重心是位於山景市（Mountain View）的生產及行銷部門，兩地相距雖只有十英里遠，但彼此間溝通之困難與缺乏共識，足可比美東西德統一之前的對峙。企業文化上的基本差異使二者之間極少往來，實驗室的成果經常不爲生產部門所信賴，他們寧可重來，也不願採納；研究發展人員也因無從得知業務狀況與市場需求，因而只能埋頭苦幹自求多福。

一九六八年初，由於我的同儕簡金斯（Ted Jenkins）偶然間發展出一個極完美的鋁—矽休基元件，使我「有幸」親身體驗這道鴻溝。我興沖沖的與簡金斯整理研究心得，好不容易發展出一個實際有用的元件，真恨不能馬上就將這個產品排上生產線，儘快上市。但很快的，我就發現這比登天還難。

我與位在聖羅菲的二極管工廠連絡，得到的反應是他們對此毫無興趣，卻希望我能幫他們解決其他的製程問題。這實在令人氣結。二極管廠房已經是整個快捷半導體獲利最豐也最先進的工廠，居然還有如此後果，其餘的可想一斑。

氣結之餘，我們還是得面對現實。首先我得幫廠房解決一些問題，並且在多次到訪之後，很快的與工廠經理建立合作關係，希望可以動之以情，使我們的研究結晶能儘快在生產線上呱呱落地，只是這個願望往後幾乎從未實現過。

無限生機

一九六八年秋，我在快捷實驗室已累積相當實力，成了研究休基障礙的專家，而且小有知名度。我開始尋找諸如砷化鎵（GaAs, Gallium Arsenide）和「離子布植」（ion implantation）等新的研究領域。

這時整個快捷實驗室人人生龍活虎，時時都有新發現：積體電路研究小組深入探討各種可能的大型積體電路，材料小組發掘不同的封裝方法與金屬化機制，甚至還有一組人負責開發電腦的新架構。事實上，這可以說是摩爾與葛洛夫第一次攜手締造佳績。

摩爾與葛洛夫在某方面相當有互補作用。摩爾專長在思考分析與謀略，很能掌握技術趨勢等大方向，可是在執行細節上有時就使不上力，他可以說是思想家，而不是實踐者，這時候葛洛夫就發揮了他的長才。他的行事風格清楚明快，很有魄力，同時也十分注重細節，因此可以執行貫徹到底。這二人的合作模式，從快捷開始發跡，一直延續到英代爾，可以說已經歷三十多年的考驗而不墜。

此時也正是矽谷成形的早期，我剛在桑尼威爾（Sunnyvale）買了新房子，而我太太正懷著我們的第一個孩子：女兒文楓。整個矽谷大環境也是生氣蓬勃，欣欣向榮，幾乎每星期都有新公司誕生，許多人離開快捷自立門戶，或者投向其他新公司的懷抱，我們幾乎每星期都舉辦餞行晚宴。

除了國民半導體以外，快捷原來的行銷經理桑德斯（Jerry Sanders）也在一九六八年離職，另創超微半導體（AMD, Advanced Micro Devices）公司，成爲轟動一時的新聞。桑德斯出生於芝加哥，是快捷自當時的競爭對手摩托羅拉公司挖來的業務高手，三十一歲就負責整個快捷的銷售業務，年輕氣盛，因爲要求加薪受拒，乾脆離開自立門戶。

分道揚鑣

其實大家心裡有數，快捷有組織上的先天問題，必須重整改造，才能留住人才。快捷應該停止許多不相關的作業，將資源集中在半導體領域上；而生產部門與研究單位各自爲政的現象，也應大刀闊斧、全力整頓。由於西岸發展迅速，快捷的總部也應該由紐約搬到加州來。但結果，各種謠言滿天飛，包括負責快捷半導體的諾宜斯，將升格成爲快捷照相機與儀器公司總裁，而創辦人費爾察似乎對他有所不滿……。總之，這時的快捷已是人心浮動，再遲鈍的人也感覺得到山雨欲來風滿樓的氣氛。

這一天終於到來。

一九六八年七月，史諾闖進我的辦公室裡說：「諾宜斯、摩爾與葛洛夫要離開快捷，自立門戶。」我真是覺得晴天霹靂，不願相信這幾位靈魂人物也會有離去的一天。但是一想起過去與生產廠房打交道的不愉快經驗，又覺得他們的去職似乎也是不得不然，遲早總要發生。

在爲他們舉行的餞別晚會上，我內心悵然若有所失。往好的一面想，其實他們也真令人羨慕，可以從頭東山再起，而且顯然他們發展的產品方向正確，可以預期未來必能鴻圖大展。

二星期後，傳來另一個震撼人心的消息：曾經是我們競爭對手的摩托羅拉負責人霍根（Les Hogan），將出任快捷照像機與儀器公司總裁，而且總部即將自紐約搬至加州來。

雖然快捷重金禮聘霍根的消息，令快捷的股價指數猛漲七點；但在快捷半導體內部，卻沒有人歡欣鼓舞。我們隱約感覺到，似乎快捷半導體的光輝歲月即將走入歷史。

英代爾的誕生

八月間，諾宜斯、摩爾與葛洛夫籌設的新公司已經取好了名字：英代爾（Intel），這是由「積體電子」（integrated electronics）兩個英文字組合成的，是摩爾的傑作，象徵新公司將在積體電路市場上飛黃騰達。

從英代爾的命名，可以看出他們三人從一開始就打定主意要朝積體電路的方向發展。而他們之所以對積體電路未來前途會有堅定信念，和著名的摩爾定律（Moore's Law）大有關係。

一九六五年時，摩爾觀察到一件很奇怪有趣的現象：積體電路上可容納的零件數量，每隔一年半左右就會成長一倍，性能也提昇一倍，因而發表摩爾定律，並大膽預測未來這種成長仍會延續下去。至今三十年來，積體電路的進步真的循著這條軌跡進行，

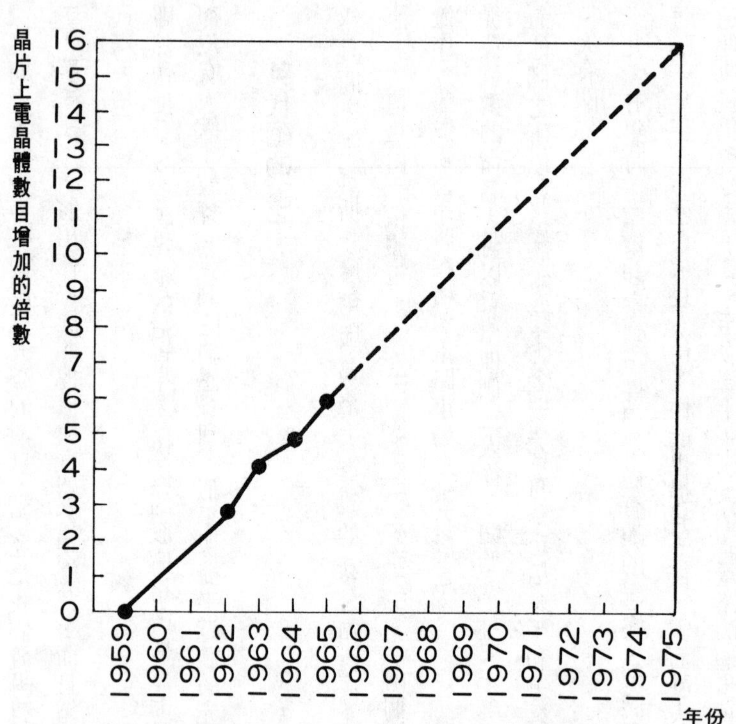

一九六五年四月，摩爾發表論文，提出後來大大有名的「摩爾定律」。他觀察從一九五九年到六五年的數據，而以一九五九年的數據爲基準，發現每隔十八個月左右，晶片技術大概就進步一倍。據此摩爾更可預測未來的發展趨勢。本圖就是摘自他的論文。

他們三人可以說是押對了寶。

摩爾認爲，由於半導體技術成長沒有極限，因此可以大量生產，進而導致價格下降。而由於價位便宜，又可以取代「磁芯記憶體」（magnetic core memory），因此市場前景看好。他的創業經驗告訴我們，懂技術趨向的人可以預測未來，因而也降低了創立新公司的風險。

有志難伸

不過此時和我切身相關的最大疑問，還是誰將接任摩爾的實驗室總監之職？因爲那等於是我的頂頭上司。很快就聽說是由貝爾實驗室挖來的爾力（Jim Early），令我頓時如釋重負。

爾力在研究半導體元件方面很有名氣，有種電晶體特性稱爲「爾力效應」，就是由他所發現，因而以之命名。我們曾有一面之緣，當年我至貝爾實驗室面談時，他曾希望我能加入他們，這回我們又碰頭了。

當他到快捷的第一天，就跟我說：「真高興又見到你，以前我要你到貝爾來爲我工作，希望落空，這回你可跑不掉了。」由於經理人改朝換代，這時的快捷動盪不安，許多責任歸屬不清，沒有人知道自己所作的研究是否會得到老闆的繼續支持，很多人持觀望態度。

雖然前途未卜，我仍決意繼續擴展在矽晶領域的專業知識與研究經驗；另一方面，也與英代爾公司的葛洛夫等人保持連繫。我開始研究氧化半導體、雙載子記憶體與諸如整合連接線路之類的新型積體電路。一九七〇年，我升任爲研究小組經理，負責指導五位研究員；七二年，我再獲擢升爲部門經理，負責也參與更多嶄新的研究領域。只是儘管職階步步高昇，我依然得面對快捷的許多基本問題。

例如，我的主要職責之一，是儘可能將一些產品與技術移轉到生產線上，以利大量生產。而金屬氧化半導體記憶體，就是我第一個矢志實現的目標。

一九六九年間，曾有人展示過以只含一個電晶體的記憶體元件，來取代磁芯記憶體的功能，不僅體積縮小，而且成本低廉。我們也曾展示過類似的元件，而且準備好相關作業，設計出一顆小型的記憶體，只是從未排上量產線上。

這時候，英代爾公司推出了它的第一個產品：即代號爲三一〇一的雙載子記憶體；隨即在一九七〇年推出第一顆金屬氧化半導體記憶體：一一〇一，以及其後著名的一一〇三。他們首度嘗試大作廣告，宣稱「一一〇三將以低價位掠奪市場，自此宣告磁芯記憶體之死亡」。我真佩服他們的明快作風，其實在快捷的我們，也已經研究出類似的元件，只是受制於生產部門，無法得見天日。

徘徊去留邊緣

我的無力感因爲另一位資深經理人的出現而加劇。七〇年左右，快捷從RCA挖來負責電視業務的波雷克（Roy Pollack），任命爲副總裁，主管金屬氧化半導體業務。我去拜訪他，希望他對我們的研究成果有興趣，並支持我們發展金屬氧化半導體記憶體。可是他對我的報告好像一點也不感興趣，甚至還不太聽得懂。

我簡直無法相信：如此位高權重的經理人竟然對技術毫無涉獵，而且不知道金屬氧化半導體記憶體的潛在無窮商機。我轉而與他的工程部經理唐尼聯絡，他似乎較感興趣，但沒想到他很快又改投效超微半導體公司，爲他們發展金屬氧化半導體記憶體。

結果，波雷克在經營金屬氧化半導體業務上，始終無法一展抱負。一年半後，也因抑鬱不得志而離開。

以前一直有種錯誤觀念，認爲只要是好的經理人才，就可以經營任何業務。以波雷克的例子來看，他在經營電視業務上的輝煌成就，就無法適用在金屬氧化半導體上。後來的許多事實也都證明，非技術背景的人一下子跳槽到高科技公司裡居於高位，通常都無法勝任。類似的例子在我爾後二十多年的工作生涯裡，可說是屢見不鮮。

我在快捷的另一研究主題是雙載子記憶體，我們的研究小組陣容堅強，而且搶先推出一種小型的單平面（isoplanar）雙載子架構，極適合作雙載子記憶體。所幸的是，這回我們的生產部經理貝可（Bill Baker）很有遠見，讓我們順利的將產品與技術帶到生產線上，而快捷因此也一度超越英代爾，在雙載子記憶體市場上領先。

舉世第一顆處理器

一九七一年左右，聽説英代爾可以將一台電腦「濃縮」在一顆稱爲「微處理器」的晶片上，令人覺得無比神奇。後來在廣告上看到這顆命名爲「四○○四」的微處理器，這也是有史以來第一顆微處理器，他們甚至雄心勃勃的宣稱：「開啓積體電路的新紀元」。這時正是醞釀現代電腦技術的黎明時分，而英代爾率先跨出了一大步。

現在回想起來，以我當時局外人的身分來看英代爾，已能感受到他們真正擁有研發創新的能力，而且能夠迅速推出商品問世。他們的長處正是快捷所缺乏的。

他們首度刊登的廣告上打著「英代爾説到做到」（Intel delivers），就令其他半導體公司望塵莫及，理由是當時很少半導體公司能夠如期推出預定的產品。英代爾等於是開風氣之先。一九七一年，英代爾與花花公子於同日以同樣價格上市股票，自那時起，英代爾的股票就一路狂飆，花花公子被遠拋於後，現在已不可同日而語。

眼見著英代爾日益有成，我愈覺得在快捷所受的束縛日益沉重。我與頂頭上司爾力經常提起微處理器，但他顯然心已另有所屬，一點也聽不進去。當時他醉心於一種稱作「雙藕合元件」（CCD, charge-coupled device）的技術，而且認定此技術將會如記憶體與攝影機一樣的征服全世界。

爾力自貝爾實驗室找來亞梅利歐，而且有意逐漸將全部實驗室的人力，都投入雙藕合元件技術中。我對此完全無法認同，一心認定在記憶體與微處理器領域中，仍有寬廣的研究空間值得探討。對於爾力無法洞燭機先，而且絲毫不敏銳，我略覺失望。也許他太專注於雙藕合元件，以致忽略了外面更寬廣的世界。

有一次，爾力要我到他辦公室開會，卻同時又打電話訂一部凱迪拉克，整整花了半個鐘頭才決定新車的顏色。我既不滿他用辦公時間處理私事，更氣憤他讓我白白浪費了三十分鐘。

與此同時，史諾的去職再度震驚了我。他將與幾位朋友創立新公司，應用半導體來生產攝影機。後來他把公司賣給ＥＧＧ公司，現在仍然是ＥＧＧ的副總裁，負責所有的元件業務。由於史諾的能力與個性，一直令我讚佩，他不僅是我最好的朋友，也是我有意學習的典範，他的離開對我是一大衝擊。

我更覺得這一切已不再值得留戀了。

記憶體獨領風騷

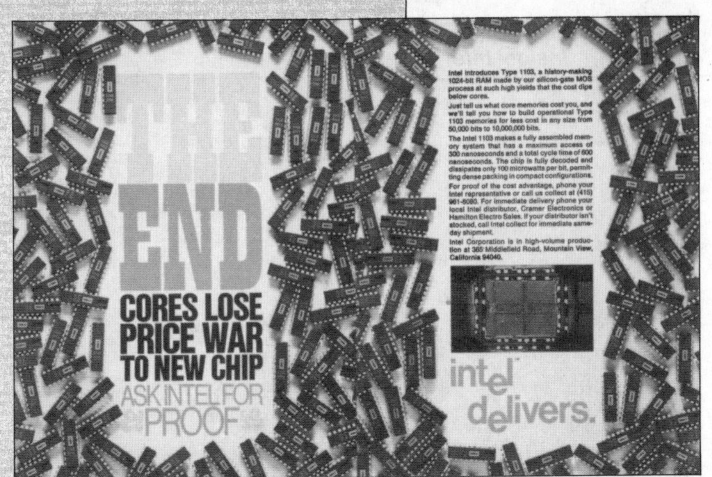

當我加入英代爾時，我們最重要的產品是編號一一〇三的記憶體。在這張廣告裡，我們強調這些晶片能取代磁芯記憶體，耗電量低。而如果你附近的店沒有賣這項產品，你可以打電話給英代爾（由英代爾付電話費），我們一天之內送貨。右下方的紅字是「英代爾說到做到」。

等我加入英代爾，對管理的概念卻有了一百八十度的轉變。我第一次體驗到自己就像是控制方向盤的駕駛，要驅使四個輪子克服不同路況，朝著同樣的目標一齊前進。

一九七二年間，我徘徊在去留邊緣，雖然已經與好幾家公司接觸過，但直到有一天葛洛夫打電話來，我才認真的考慮：是否離開快捷已成定局？

葛洛夫知道我在快捷當時的處境，問我是否有意加入英代爾的晶圓（wafer）製造廠。他提供我一個學習新事物的好機會，但要我負責一些從未涉獵過的新領域，因此也有一些風險。「考慮一下，我相信你能很快的進入狀況，而且我們的生產部門正需要像你這樣的生力軍。」他說。這是個新挑戰，我有些心動。

表面上，我到英代爾似乎是走回頭路：從快捷半導體的總監職位、帶領二十五位研究員作半導體技術開發；到英代爾的新工作卻只有小貓三四隻的一組人，作生產製程研究，薪水也沒增加多少，似乎不像別人跳槽那般風光。雖然，葛洛夫讓我有認股的權利（往後我才體會到這是多麼可觀的報酬），但當時可也沒什麼興奮的感覺。

然而，由於在快捷的無力感，以及一心渴望能將研究結果商品化，英代爾所提供的職位，或許是最好的「捷徑」。最後加上太太的全力支持，我便接受新職，甚至連應聘書都沒有就走馬上任。後來我才發現，這是我一生中最重要的抉擇之一。

爾力對於我的去職相當震驚，且暗示我：「離開頗有規模的快捷，跳到新成立、前途不明的小公司，是極端瘋狂的舉動。」倒是有幾位同事非常贊成我的去職決定，認爲是明智的選擇。

有個故事說：兩個人從窗戶看出去，一個人看到泥土，另一個看到星星。我想當時我從快捷的窗口望出去，確實看到許多閃亮星光。對我而言，能遠離過去的是是非非，重新回到起跑點上，無疑有海闊天空的感覺。

初到英代爾

一九七二年七月十四日，與法國國慶同日，我以歡天喜地的心情，驅車前往位於山景市的英代爾廠房，正式加入英代爾公司。首先映入眼簾的是一棟很小的建築，無法與快捷實驗室的寬廣相提並論。這讓我很快聯想起初抵加州理工學院時，也是震驚於它無法和台灣大學的寬闊校園相比。待我走入這棟建築，才發現它連個守衛或接待人員都沒有，我得自己找到人事經理包爾（Ann Bower）的辦公室，好不容易找到，偏巧她又不在。最後，還是另一位人事部門同仁帶我找到了她。

包爾是位能幹的女士，她很清楚我是誰，又將擔任些什麼工作。我們愉快的交談，她簡單介紹了英代爾公司，還帶我去拜會以後的頂頭上司：法雷斯（Gene Flath），這時他主管所有的生產部門。法雷斯出身海軍，聰明、嚴格而且紀律分明，終其一生都在生產製造部門效力。

包爾一直擔任我們的人事部經理，直到她嫁給諾宜斯之後才離開。她是諾宜斯的第二任妻子，諾宜斯與前任妻子離異時，由於美國法律規定夫妻財產對分，他太太拋售英代爾股票，還曾經造成股價一度下跌，這是英代爾少見的股票下挫紀錄。包爾後來加入蘋果電腦，成為該公司早期的人力資源副總裁，也擔任過聖塔克拉大學董事，是相當傑出的女性。

晶圓計畫處女秀

法雷斯給我的第一項任務是：「將生產積體電路所用的晶圓由二英寸直徑改為三英寸」。如此一來可使每片晶圓的產量提高一倍，成本即可下降一半，對公司大有助益。

當時我們最重要的量產產品就是一一〇三，這是一顆記憶容量為一千位元（bit）的「動態隨機存取記憶體」（DRAM, dynamic random access memory），也是英代爾在全世界首創以半導體取代磁芯，以更符合量產的經濟效益。英代爾同時也是第一家採用矽閘金屬氧化半導體技術，來量產記憶體，這些我在快捷時代早已耳熟能詳。

這時光是矽谷的半導體公司就有數十家，其中幾家是我們明顯的競爭對手。另外還有一家頗具實力的是位於加拿大的ＭＩＬ。他們採用金屬閘金屬氧化半導體技術，同樣也正想以三英寸取代二英寸晶圓。誰先發展成功，誰就會是贏家。當時矽谷許多公司都在隔山觀虎鬥，我一加入英代爾，就得承受許多外界的關注，心中壓力真是不輕。

一一〇三其實是很難使用、也很難量產的產品，但由於體積較小、也較便宜，許多電腦公司還是樂於採用，所以大量採購。偏偏英代爾產能有限，無法大量供應。因此我的責任相當重大，如果我能順利完成三英寸製程，使產量加倍，並降低成本，我們的競爭對手可就沒什麼戲好唱；否則，對英代爾這樣的小型公司，可就危機重重了。

我只有三位同事來幫忙完成此重任：渥徹斯，與我同樣畢業自加州理工學院，是位開朗的工程師、史瓊是一位機靈的光罩工程師、以及頗富責任感的技工馬庭尼，他是墨西哥裔。他們幾位在英代爾廠房已有數年經驗，比我更清楚我們所面臨的難題，經常提供一些意見，反倒成爲我的私人顧問。我們主要的製程工程師羅威，也協助我很快了解矽晶圓的製程技巧。

我的主要職責是：組織這幾位研究人員、企畫專案並落實執行。我們這小小的製程研究小組，必須與生產部門合作無間，以儘可能縮短實際量產所需的時間。在加入英代爾一個月之後，我太太生下第二個孩子：文彬，是個男孩，但新工作占據我太多時間，我已無暇他顧，以至在他周歲以前我都少有機會抱抱他。

我親手設計一些擴散爐，操作所有製程步驟，希望能最先體驗所有的反應。幸運的是，過去所受的訓練，讓我十分清楚這些結果所代表的物理原理。我最大的職責就是要使這些理論，以最快的速度應用到生產製程上。還好我們不負重望，終於領先進入三英寸晶圓製程。

說來容易，事實上其中的過程非常繁瑣，我們必須設計新的「載具」（boat），開發新的真空設備，以裝載這大片晶圓。雖然以現在所用的八英寸晶圓來比，這三英寸晶圓簡直是小巫見大巫，但以當時的眼光來看，這真是片「大晶圓」。但它同時也是個大麻煩，因為所有的光罩與清洗過程，全都需要重新發展。

當我們以第一片三英寸晶圓製作出一一〇三時，那種興奮的感覺可真像中了愛國獎券，至今都還記憶猶新。我們大肆慶祝，對跨出成功的第一步樂不可支；由於比多數人預期的更早達成，葛洛夫與法雷斯也深感興奮，重重的拍了我們每人的背，以表達他們的激勵與讚許。

不過這成功只是曇花一現，很快就發現當晶圓大量生產時，良率（yield）就會下降。我們好像坐雲霄飛車，一下子從雲端摔了下來。

原來，由於部分作業員並未遵循處理步驟，導致一些製程特性發生變化。唯一的改善之道，是對作業員施以在職訓練，並將所有操作細節寫成手册，要求作業員嚴格遵守。果然，良率很快又直線上昇。經過這一番折騰，總算真的是大功告成。

與此同時，ＭＩＬ卻傳來三英寸晶圓量產失敗的消息，而且很快就在商場上銷聲匿跡。高科技公司間競爭之殘酷，由此可見一斑。表面上是高利潤事業，其實也暗藏高風險，成敗往往在一瞬之間。

麥英代爾

回顧這段歷史，我想我們成功的關鍵，在於我們的研究工作就在生產部門內進行。由於使用的設備完全相同，因此要將研究成果移轉到生產線上時，顯得格外容易。此外，我們與生產部同仁密切配合，所以新的量產製程中許多細節或難題，都能逐一化解。後來英代爾一直非常重視製程技術，在生產部門也都設有研發人員。由於半導體公司一向以量產能力分勝負，我想這也是英代爾所以能長保領先的原因之一。

這次我們成功地使一一〇三產能加倍，成本下降一半，不但使英代爾在七三年獲利可觀，並且在前無古人、後無來者的情況下，一舉成爲記憶體市場上的巨擘。

這段期間，每逢星期五，所有生產部門的同仁，都會吆喝著到附近一家漢堡店，喝喝啤酒、共進午餐，話題東南西北無所不談，紓緩一下緊繃的工作壓力。後來我們發現，這種午餐聚會的妙用還真不少，它讓我們可以利用非正式場合討論問題或工作難題，許多疑難雜症就此迎刃而解。

後來許多矽谷公司也都流行在星期五下班後，聚集到小酒吧去喝杯啤酒、吃點點心，順便交換些小道消息。這方面，我們還成了流行先驅。我最慶幸的是，在英代爾沒有像快捷半導體一樣，發生研究單位與生產部門水火不容的現象，我終於擺脫了此一夢魘。

事實上，天下沒有白吃的午餐，要避免部門間壁壘分明，有賴管理者的苦心規畫，絕非一蹴可幾。像英代爾將研究人員放到生產部門裡，讓他們所用的設備與生產線完全一樣，這樣大家對研究結果就不會有爭議。同時由於同樣隸屬於生產部門，研究人員們也較能實地體會生產線上的困難。最重要的是彼此容易建立共識，是「我們」在共同面對問題，而不是互踢皮球。

在生產製造領域裡，我們也不忘創新。葛洛夫提出一個類似麥當勞速食店的作業理念。他還發明了「麥英代爾」這個字眼，希望有效管理工廠流程。但是由於英代爾有太多不同地點的工廠、不同的設備與負責人，我們花了將近二十年的時間，才將這個理念付之實踐。

跨出管理的第一步

在這時期，英代爾也率先將統計分析，應用在製程管理上。我們從早期開始，就每天用圖表來顯示各地的生產狀況。如果發現那裡的曲線脫離常軌，便會立即採取行動來糾正錯誤。

摩爾還發展了一套簡單模式，利用晶片大小來計算量產良率。雖然只是個簡單的圖表，卻可透露出我們當時的生產效率，這等於是我們當時全部的經濟來源，也是整個半導體工廠營運的命脈。

我們小組在研究如何提高良率的過程中，也發現了增加晶圓表面平滑度的新配方，結果使我們可以順利的量產三英寸晶圓。這個神奇的配方算是最高機密。爲保持我們領先的優勢，直到多年以後，這一向不公開的祕密才正式曝光。另一方面，我們也開發出許多方法以控制不同矽晶材料的缺點，讓動態記憶體可以有較長「更新時間」（refresh time），因而大幅提高一一〇三的穩定度。其他在技術上類似的創新，多得不勝枚舉。

對我個人來說，三英寸晶圓計畫還有另一重大意義，那就是我第一次體驗到管理的重要，也是我職業生涯的轉捩點。

由於我在加州理工學院與史丹福大學一直都是念電機工程，因此自一九六七年加入快捷以來，我一直以科技人員自居，腦中所想的多半都是科技的最新發展，很少想到要立志成為專業的經理人。

在我加入快捷三年後，有一天我的頂頭上司史諾跑來找我說：「我想升你為部門的小組經理，由你負責管理另外五位研究員。」這從天而降的大好消息，讓我有些受寵若驚。我回家告訴妻子，那個晚上我們全家享用一頓豐盛大餐，算是為我慶祝一番。

可是在升職的興奮慢慢冷卻之後，我卻不禁問自己：「如何才能勝任經理人的角色？」隔天我到辦公室，就找史諾問個明白。史諾回答說：「小組經理的職責，就是要確保其他人的研究計畫，能順利進行。」他建議我去企管學校和美國管理協會（AMA, American Management Association）上些課，讓我在管理方面有些啓蒙。

由於這五位研究員本來就相當獨立地作研究，我的第一份管理工作可說是相當輕鬆，只要花一些精神和他們討論研究進度，提供一些建議，多數時間就任由他們放手去做，等於是「放牛吃草式」的管理。

我買了一些管理的書籍，選修了一門管理課程，後來發現這些內容多半都是「常識」，對我來說相當簡單，於是我就安心的當我的小組經理了。

我想我的第一份經理人工作，應該還算勝任得當，也獲得老闆的肯定。因爲兩年後的某一天，同樣的故事又重演，我的新老闆爾力跑來告訴我：「我要升你爲部門經理，再多加幾位研究員在你的部門裡。」公司甚至還慷慨的提供我個人專用停車位，讓我感覺到升職的實際意義。

不過雖然有了前次的管理經驗，我還是忍不住要問：「如何才能做好部門經理的管理工作？」我還記得爾力的答案是：「只要照你現在的方式做就好了。」所以我爲自己下了個小小的結論：「管理很容易，只要和部屬談談，提供一些建議，適時給點鼓勵，其他時間還是可以繼續做我自己的研究。」

管理更上層樓

事實上，在快捷時代，我真的是這樣扮演我的經理人角色，在管理上只花一點精神，幾乎一半以上的時間都用在自己的研究工作上。每星期我還撥出兩個上午的時間，到聖塔克拉大學電子工程研究所教「半導體元件」的課，顯然是當部門經理還「游刃有餘」，所以可以「心有旁騖」。

等我加入英代爾，對管理的概念卻從此有了一百八十度的轉變。雖然只是三人小組，可是我們的任務卻相當重大，因此我們必須分工合作，分頭解決不同問題，而且還要確保步調一致，才能完成使命。我第一次體驗到自己就像是控制方向盤的駕駛，要驅使四個輪子克服不同路況，朝著同樣的目標一齊前進。

與此同時，我們還必須將研究結果寫成書面報告，讓生產線了解我們的開發工作，同時也訓練作業員改用新的方法操作。此外，爲確使一一〇三記憶體的特性，不會因晶圓製程不同而有所改變，我們還得和設計人員密切合作。爲了確保製程良率穩定，也需要品管工程師的參與。簡而言之，爲了能順利將製程改成三英寸晶圓，讓產品儘快上市，我要和公司裡許多小組打交道，這是以前從未有過的經驗。

我在快捷時，由於大家各自獨立作業，多數的研究成果也排不上生產線，因此和其他部門的互動關係，可以說是微乎其微。難怪當時我初次擔任管理者的職位時，一直感覺得心應手，甚至以爲管理根本不是多大的學問，可以「無師自通」。

英代爾的第一份工作才讓我真正見識到管理的奧妙。我學會如何設定目標；如何當好舵手，領導小組朝同一方向前進；也了解如何與公司內部其他組織配合，讓結果儘快上市，我想這才是管理的真正意義。

獨樹一幟的企業文化

雖然英代爾的幾位創辦人都來自快捷半導體，不過這裡的企業文化卻與快捷截然不同，這也是往後兩家公司走上不同方向的主要關鍵。在上班的頭二天，我已經可以感覺到不同文化的衝擊，就好像我剛到加州理工學院時一樣。

英代爾從創立開始就非常強調「紀律」，處處都有清楚的規定。每天早上的上班制度，就是最好的例證。在快捷的時候，每個人每天都可以來去自如，上下班時間完全「自由心證」，根本沒有人管你是幾點鐘到。而在英代爾，每天上班時間從早上八點正開始，八點零五分以後才報到的同事，就要簽名在「英雄榜」上，背負遲到的罪名。即使你前一天晚上加班到半夜，隔天上班時間仍是上午八點。這和七〇年代嬉皮盛行、個人享樂主義淩駕一切的美國，有些背道而馳，可是卻延續至今，始終如一。

我想準時上班最主要的目的，是希望確保每件事能夠準時開始，像公司會議、報告、專案進度、以及最重要的「交貨時間」。英代爾特別重視團隊合作，任何一個人不守時都會影響團隊中其他成員，對公司資源造成浪費，因此準時成爲紀律要求的第一條規範。

葛洛夫是英代爾推動紀律管理的最大功臣，他本人嚴守紀律的個性，也經常博得別人的讚揚。我曾經和他搭檔打網球長達數年之久，每次約定時間練球，他從來不曾遲到。而單從網球場上就可以看出，除了準時之外，他的耐力與意志力也令人震驚，一旦決定要做什麼，他必然排除萬難全力以赴，不看到最後成果決不罷休。

最能顯示英代爾著重紀律的企業文化的，就是每天早上的上班制度。每天八點零五分以後才回到公司的，就要簽到留名在「英雄榜」上。如果連續兩個月或以上有七%的員工遲到，英雄榜便予以公告，直到遲到率降回五%以下。

這個制度乃是由葛洛夫制定的。到了一九七一年，英代爾員工數目已增至三百，每天早上大家上班的步調不盡一，以致擔誤了工作的進度，或沒法準時開會。

在某個星期五早上的工作會議上，葛洛夫終於覺得忍無可忍了。他一拳打在會議桌上，說「英代爾是製造業的組織，大家要八點鐘開始上班的話就要所有人都八點鐘上班。」這張漫畫的標題爲「早上八點零六分的英代爾，」出現在英代爾的公司簡介刊物内，很能讓人發出會心的微笑。

葛洛夫嚴格強悍的作風，讓整個公司管理紀律分明，從製造、工程到財務、甚至行銷部門，每件事情都有清楚的規範，甚至連公司留言都分爲AR（action required，需要行動）、BI（background information，背景資料）、II（important information，重要資料）等不同等級，人人都依此標準而行。當時矽谷風行人性化管理，許多公司都以重視員工爲號召，只有英代爾強調紀律勝於一切，這使英代爾的企業文化獨樹一幟。

除了準時以外，「人人平等、事事從簡」是摩爾與葛洛夫在內部管理上的共識，這也是英代爾的一大特色，任何事情不會因階級不同而有差別待遇。像前面所提的遲到簽名制度，即使是高級主管也得照辦。有一次，上班從不遲到的葛洛夫極爲難得的破例遲到，他同樣也在上面簽名，一點也沒有特權。他還在上頭加注：「沒有人是十全十美的。」自我揶揄一番。

平等為生存之道

還有一項很能表現英代爾平等精神的，就是辦公室內只有隔間，完全沒有私人辦公室，每人同樣都只分配到小小的辦公空間；停車場也不會爲任何人保留停車位，完全是隨到隨停。即使是葛洛夫，每天也得爲找停車位而四處打轉。

我初到英代爾的第一個辦公室，只有小小的空間，卻還須與另二位同事共用。相形之下，之前在快捷的大辦公室、門口還坐著祕書小姐，簡直是比總裁還高級的待遇了。

有一次，有位專欄作家在參觀了英代爾公司後，很不客氣的提出問題說：「葛洛夫先生，貴公司在管理上強調一切平等主義，是否會太過虛僞呢？」葛洛夫很誠懇的回答說：「這並非虛僞，而是我們的生存之道。」由於英代爾身處高科技產業中，每天必須結合各種技術精英與經理人員，共同制定決策。我們的「技術精英」經常是實際在做研究的年輕人，擁有最新的技術，「經理人員」則脫離研究工作，了解趨勢，並具備管理經驗。職位象徵對促進意見交流，顯然是有百害而無一利，因此強調平等的管理型態才真正能符合高科技公司之需求。

我絕對相信這樣的想法是對的，換個角度來看，公司也該將資源與精力用在對營運有益之處，例如研究開發、行銷企畫或生產製程上，而非將精神耗費在無關輕重、只爲彰顯身分地位的辦公空間及家具上面。

這讓我想起在快捷時，只要有人升官了，很快就會看到他更換大辦公室，大肆舖張一番。其他的人有時就會心理不平衡，甚至造成情緒反彈，只因辦公室大小而興風作浪。有時候，辦公位置是否靠窗還是靠門，也會造成另一場革命，這在人事管理上真是無妄之災。

另外在快捷時，由於我的職位是「總監」，因此可以擁有私人的停車位，也算是小小的特權。不過後來由於太多高級主管另覓高就，停車場只得聘請專人，負責每天不斷的將停車位刷上新的名字，所以這個制度後來反而成了笑話。

「工程師式」管理

英代爾文化另一獨到之處，是「讓數據說話」，在這裡處處都見得到數字。公司內大小事情都以數據化來呈現：無論是銷售結果、出貨量、退貨比率、生產層級、製程良率……等等。每個人都習慣訂定數據化的目標，執行時也不忘衡量實際與目標的差距，如果發現二者相距愈來愈遠，就要馬上採取緊急行動，以糾正錯誤。

此外，英代爾非常難能可貴的，是開放自由的企業文化，人人可以公開討論任何困難或成就。提出問題的人並不會因此受到責難，或擔心「秋後算帳」，反而可以刺激團隊深入問題，並尋求解答。

我想這與英代爾的管理者多半是工程師出身有關，他們將科學研究的精神同樣應用在企業管理上。每個問題就像是未知的挑戰，激起管理者的雄心壯志去征服它。他們認爲：問題如同企業組織中的毒瘤，不會無藥而癒，唯有積極面對、從根拔起，才是永續經營之道。

這種精神從我加入英代爾至今，都沒有變質。每當我跟葛洛夫討論問題時，他總是會明確的提供建議，幫助我很快整理出頭緒，從頭至尾沒想過應該怪罪於誰。

轉戰雙載子技術

在成功的將金屬氧化半導體工廠製程由二英寸晶圓轉換到三英寸之後，一九七三年我奉命至位於聖塔克拉的雙載子新廠房，負責相同的任務；不過這次人手增加，計畫也更複雜些。當時我們所有的雙載子設計，由蔡華泰負責，他是英代爾公司第一位華裔元老，不但開發出第一顆雙載子記憶體三一〇一，隨後更帶領研究小組，設計出雙載子微處理晶片。

我跟他默契十足，希望能重新發展三英寸的雙載子製程，以符合新設計的需求。事實上，我們野心勃勃的想發展出全新的三英寸製程，而不只是改善原有的二英寸製程。這顯然是比我們預估更艱鉅的工程，也比先前在金屬氧化半導體製程上要花費更大的精神。

蔡華泰可說是雙載子電路的設計天才，不過由於八〇年代英代爾將重心移往金屬氧化半導體，使他轉至Monolithic記憶體公司上班，也成功的爲他們發展出可程式化記憶體產品線。

爲了讓製程發展順利進行，我甄選了一位來自快捷半導體的研究員作主導。沒想到他對英代爾文化適應不良，與其他研究員格格不入，而且經常以情緒化的態度來面對科技問題，例如他會說：「我只知道一定是這樣，根本沒有數據可以證明」之類的話，但由於他在快捷所學與此並不完全相關，結果經常證明他是錯的，這點使他深受打擊。

基於主管的立場，我總是儘可能的想助他一臂之力。雖然我從快捷時代開始，已經有多年的主管經驗，可是實際上處理人事管理問題還是頭一遭。他拖延了一段時間才去職，無論是個人或整個研究計畫都不可避免有些傷害。事後回想起來，我才發現應該儘早當機立斷。這次教訓讓我感觸良多，等於在管理上又上了一課，以後再也未曾犯過同樣的錯。

站在前線，面對客戶

一九七四年間，經濟不景氣像烏雲般籠罩全球上空，英代爾公司也面臨著嚴重的退貨與品管問題。有一天，法雷斯突然要求將我改調品質管理部門，以品管工程來解決棘手的品質問題。

這時期，產業界尚未建立品管的專業認知，也還沒有大師級人物出現。一般認爲，品管人員每天的工作只是依樣畫葫蘆，幾乎沒有建設性。對此領域，我雖不能說是毫無興趣，但可確定我真是一無所知。在我覺得，改調品管部門好像被打入冷宮。

但我太太這時可適時發揮了賢內助的角色，她頗有哲學意味的說：「你何不往好的一面想，品管問題在你們公司已經是燃眉之急，你正可以發揮救火功用呢。」經過與她一番長談之後，我逐漸釋懷。

有兩句詩形容春蠶蛻變成蛾：「一朝眉羽成，鑽破亦在我。」往往一念之差，會使人畫地自限，後來證明我在品管部門並沒有白待，從這裡累積的許多經驗對我往後工作有許多的幫助。

帶著忐忑不安的心情，卻沒想到在品管部門遇見兩位頗具睿智的經理人：即當時的品保部門總監費哲羅，以及品管工程經理派克。

費哲羅同樣曾經在快捷實驗室待過，和葛洛夫共同開發金屬氧化半導體元件。由於英代爾公司重視產品品質，因此奉命出掌品管部門。派克則是來自加州理工學院的理工博士，也是米德教授的得意門生，一九六七年夏天我初加入快捷時，曾經與他共事。

由於有相似的背景淵源，我們在工作上很快就能水乳交融，他們也毫不吝嗇的傳授我許多品管專業知識。這時候由於英代爾剛推出塑料封裝產品，許多品質問題開始浮上檯面，而且像蠶吃桑葉一般逐漸蔓延開來。

我第一次面對憤怒的客戶。他們認爲英代爾的品質不穩定使他們的產品出現問題，要求我們立即改善。原本客戶跺一下腳，我們就會地震，更何況這次是指明了是品質問題，更讓我們如臨大敵。

還好派克是與客戶打交道的最佳外交官。他有豐富的技術背景，而且有備而來，不僅在會議中詳細解說造成品質問題的原因，而且提出時間表，證明英代爾已有完整的解決方案，很快就解除客戶的武裝戒備，因此也就不再爲難我們。

二位一體

我加入品管部門之後，將工程部門分爲兩部分，率先實驗英代爾特殊的「二位一體」（two in a box）「雙軌管理」理念，也就是將特別繁重的任務交由二人共同負責。這二人之間必須經常保持連繫，才能加速工作的推動速度。

其實英代爾在創辦初期，也是採用這種「二位一體」制度。當時諾宜斯負責與外界打交道，如：創業投資顧問、產業界與政府等；由於他有很好的聲望與人際關係，曾經創下在三十分鐘內就爲英代爾募集二五〇萬美元創業基金的紀錄，成爲矽谷的傳奇故事。

至於摩爾與葛洛夫二人，則共同負責全公司運作。由於他們合作無間，使「二位一體」的管理模式運作得宜，因此我們也從品管部門開始推動，一度甚至全公司都採取這種雙軌制度。

對我來說，由於過去累積的技術根基，我很快就能對基本的品管與可信度問題駕輕就熟。我著手規畫幾個研究小組，嘗試了解矽晶技術的可信度問題，我們在DRAM的更新等方面，都有領先羣倫的進展。我們還試著用一些神奇新招，例如加強積體電路內部電壓，以提高品質穩定度等，陸續完成可信度極高的產品。

在品管部門的歷練，讓我有很好的機會站在第一線去面對客戶，聆聽客戶的反應，並且立即解決問題。雖然英代爾一直強調以技術創新取勝，但從來不敢疏忽客戶。葛洛夫從一開始即十分堅持我們必須確實回應客戶的需求，即使他再忙，每天也都要親自會見客戶，這種習慣一直延續到今日。其他高級主管們更是將定期拜訪客戶，視爲主要職責之一。

當時英代爾公司重視品管，可不是掛在嘴邊光說不練。我們品管部門簡直像皇帝一樣，有權發號施令，只要有品質或可信度問題，就可要求工廠停止出貨，甚至要求改變製程，以解決問題。

有一次我要求部分品質可能有問題的產品暫停出貨，當時的記憶體事業部總經理卡司登氣沖沖跑來質問我說：「你知不知道這樣會造成公司營運多大的損失？」我心平氣和的解釋說：「如果現在就出貨給客戶，我們得花更多的錢來回收，或重新測試，這對公司會是更大的損失。」同時強調：「我們公司的政策是：明知品質有問題的產品，就不可以出貨。」

他顯然不同意我的看法，我們辯論愈趨激烈，所有的祕書都四散走避，以免波及戰火。但由於英代爾授予品管部門很大的權力，他最後只得同意。我認爲這是百分之百正確的作法。

這也是來自於摩爾與葛洛夫的理念，他們從一開始就打定主意，要使英代爾產品代表世界一流的品質。而二十多年來，我們也確實在客戶心目中建立起品質可靠的口碑。像一九九五年三月《財星》雜誌在評估全美五百大企業聲望時，英代爾在產品或服務品質一項就高居第三位。

脫線戰役

有個例子值得一提。有一回我們的客戶突然發現有一些封裝會引起電路板短路，這下非同小可。我們上上下下徹查一番，才發現原來是裝配工人不小心將一些剪掉的電線，留在封裝晶片內，因而造成潛在的電路中斷危機。

面對問題解決之道，第一步得先清除生產線上所有不要的電線，接下來還得克服更大的麻煩：如何通知客戶有些已出貨的封裝產品中，存在著不良的電路？我們又要如何找出這些不良品呢？

在會議中大家絞盡腦汁，後來才想到我們可以簡單地搖動這些封裝晶片，再以超音波偵測，如果晶片內有電線就會產生噪音。這個方法試了一下，果然奏效。於是我們訂了一部大機器，讓晶片可以在其中搖動以偵測出電路板上的不良品，再以正常的晶片替換。

可以想見，受到影響的客戶會有多難看的臉色，葛洛夫與我只好親自拜訪，以顯示我們解決問題的誠意。爲了打這場硬仗，我費盡心血準備會議演講資料。而我們的客戶也全公司嚴陣以待，由電腦部門總經理親自領軍，等著我們的報告。

會議中，我詳細說明造成短路的原因，分析我們如何想到用機器來偵測出不良品，並保證現在的電路板穩定度不會再有問題。隨著講解漸入尾聲，我可以感覺到一開始會議室內劍拔弩張的緊崩氣氛，慢慢有些好轉，甚至到最後有些人還露出了笑容。對這樣的結局，客戶似乎還算滿意。

爲了解決這次危機，整個工程部門簡直日夜無休、昏天暗地的工作，彷彿歷經一場浩劫。事件結束後我們辦了一場慶功宴，以慶祝劫後重生。還送每個人一片塑膠管，裡面放著引起這場風暴的短路晶片，並且刻上：「脫線戰役，永誌留念，一九七五年六月」，到現在我還保留著這塊闖禍的電路板。

回想起來，在品管部門累積的工作經驗，至今仍讓我受益許多。而當時費哲羅、派克與我三人組成的強力拍檔，似乎也足以對抗所有的艱難與挑戰。

管理妙故事

七四年間，費哲羅因爲工作太累，決定自英代爾退休。派克接替他的職位成爲品管部門總監，我則負責所有的品管工程部。這也是我在英代爾公司首度昇任爲中級主管，我更積極學習管理祕訣，也就是組織所有的人力，善用他們的優點，以創造最好的部門整體表現。

其中還有一段小插曲。有一次我們新來一位自命不凡的傢伙，自以爲「上通天文、下知地理」；但在到任後的第一項工作，卻弄得一團糟。我與他溝通問題癥結所在，希望他能按部就班，逐漸改善，不要妄想一步登天。不料他只是作情緒化反應，一味掩飾過錯，整個問題毫無解決的跡象。一番折騰之後，我只好放棄，請他另謀出路。

沒想到這麼一來，他反而非常感激我，令我大爲驚訝。原來他也覺得千頭萬緒，不知如何是好，這下子終於獲得解脫了，可以說是「置之死地而後生」。這也是我第一次覺得：做人不能太鄉愿，有時候解聘一個人可以迅速扭轉大局，這時就要有「壯士斷腕」的氣魄。

我重新找來幾位剛畢業的新人，他們都適應得很好，許多人後來都成爲英代爾的資深幹部。品管部門各種疑難雜症，在我們的通力合作下，無不「藥到病除」。派克與我更是難兄難弟，成了最好的朋友。現在他也是英代爾的資深副總裁，主管所有技術發展與生產事業。

矽晶技術重鎮

在品管部門一年多的歷練之後，所有的工作已是駕輕就熟，我又開始想嘗試更多新挑戰。剛好主管所有產品工程的副總裁維達斯，希望我來負責技術開發小組，讓我又有了學習的機會。

我的新任務是發展領先的矽晶技術，第一批應用的產品包括：「靜態記憶體」、「可擦可改寫唯讀記憶體」（EPROM, erasable and programmable read-only memory）以及「雙藕合元件」等。而DRAM則由另一位經理周尚林主導。

周尚林是新加坡人，在麻省理工學院完成學士與碩士學位後，於六八年加入快捷半導體，與我在同一部門，因此我們相當熟稔。他在快捷工作的同時，也完成史丹福的博士學位，是位很認真的工程師，也比我早一年加入英代爾公司。

在開發DRAM的技術上，他面臨日本廠商的嚴重威脅。當時有一家叫Mostek的公司，由於設計出接腳數目更少的晶片，因此一度讓英代爾緊張萬分，可以說是到了草木皆兵的地步。但周尚林埋頭苦幹，很快就開發出新產品，讓我們重新揚眉吐氣。

這時我們記憶體產品最大的客戶是鼎鼎有名的IBM公司，不過他們並不喜歡標準化的記憶體產品，卻要求我們開發有藍色巨人特殊標幟的新產品。我們爲他們開發了一種將二顆晶片疊在一起的特殊產品，不過期間遭遇許多困難，也浪費了二家公司許多寶貴資源。

我常常會想：這樣的作法是否真有意義？如果他們考慮用同樣功能的標準化產品，很多精力可以發揮到更有創意的地方。

EPROM與微處理器

開發創新技術的商品、並且儘快上市，一直是我夢寐以求的目標。而記憶體產品與矽晶技術，正是當時英代爾公司的最大法寶，有機會在此一展身手，我那有不全力以赴的道理？

擔任品管工程經理的經驗，讓我深刻體會到組織唯有適才適用，建立堅強陣容，才能成功地完成任務。賽貝利在EPROM領域表現不凡，我就由他負責召集其他精英。賽貝利後來在英代爾表現優異，職位扶搖直上，不過他最後還是選擇離開，成爲Seeq

半導體公司總裁。

這時雖然DRAM占我們量產的最大比例，營業額也最高，可是真正獲利最豐厚的，還是EPROM。EPROM是一種全新的記憶元件，一九七○年由法羅門（Dov Frohman）博士所發明。他也在快捷半導體工作過，所以我與他相當熟識。法羅門是很有見解的物理學家，對自己想做的事一點也不肯妥協。許多金屬氧化半導體的特性，就是出自他的傑作。

法羅門喜歡不按牌理出牌。有一次他要去非洲探險，於是留職停薪，帶著新婚妻子到非洲待了一年，才又束裝返回工作崗位，是一位百分之百的「性情中人」。

加入英代爾之後，他獲得充分的禮遇，可以隨心所欲開發新產品。一九七○年間，他發現如果設計一種具備流通閘門的元件，就可以永久地保存資訊，除非經過紫外線照射，才能再重新記憶，這就是EPROM的原理。事實上，約在同一時期，史諾和我也在快捷發現了相似原理，只是我們無福目睹它商品化成功。幸運之神與我們擦身而過，卻選擇了在法羅門身上降臨。

不到一年的工夫，法羅門就獨力設計出第一個產品：一七○二，採用現有的矽晶製程，一九七一年產品正式上市，開啓了EPROM應用的新頁。

由於具備可永久儲存資料的特性，配合當時第一顆微處理器四○○四的問世，將應用程式放在這個唯讀記憶體內，就可以製作出一個低成本、架構簡單的控制系統，而且用途廣泛。從來沒有人預先想到過微處理器與EPROM會同時誕生；事實上，它們就像二顆行星在浩瀚宇宙中偶然碰撞，卻激盪出現代微電腦科技的眩目火花。

在《意外的電腦王國》（*Accidental Empires*）這本書中，作者曾經提到英代爾「就像地球上的高科技天堂，催生個人電腦事業功勞最大。」四〇〇四與EPROM的結合，可以說是這項催生工作的開始。

教父法羅門

不過法羅門成功的開發出一七〇二後，還是決定到以色列去闖蕩，在大學裡教書。一九七四年他回到英代爾公司，鼓吹在海法成立設計中心；一九八一年又在耶路撒冷建立晶圓廠，直到今日都還被尊稱爲「英代爾的以色列教父」。

他和我的技術開發小組合作無間，一九七五年以前，EPROM是英代爾公司營運的重頭戲，我很慶幸在品管部門學到的技巧，有了發揮的餘地。

事實上，在我主導技術發展與唯讀記憶體產品期間，我們也開發出嶄新的方法，有效改善唯讀記憶體的品質穩定度。又由於我在生產部門待過，因此可以讓我們發展出來的製程，很快就讓生產單位接手採用。所有過去看似不相干的部門歷練，這下全都派上用場，令我深深體驗到職務轉換對個人成長的重要性。

許多企業喜歡找空降部隊，也就是靠挖角來充實自己的陣容。在英代爾則完全不時興這一套，我們習慣運用內部人力來解決所有問題，也讓員工有更好的成長機會。這就好像是教人游泳，「只要是有潛力的人，將他丟到海裡，很快就可以游上岸。」

EPROM技術的問世，以及它前所未見的量產速度，讓英代爾再度創下一馬當先的紀錄。後來我們更進一步推出二七一六產品，由於可以搭配新一代微處理器八〇八〇，更為英代爾帶來傲人的利潤。只不過當時為了避免出現競爭者，因此一直處於保密狀態，多年以後才對外流傳開來。

雙藕合半路出局

雙藕合元件是我接手的第二項產品，在一九七五年看起來，是成本很低的記憶體元件。雖然我在快捷時，與爾力在這方面看法有所出入，不過這也是我在技術開發小組職責的一部分。我召募了由克倫、辛可領導的一組人，著手開發六十四K（kilo，一K為二的十次方，約等於一千）位元組的雙藕合記憶體。

這個小組同樣也有很不錯的成果，不久後就推出可以上市的記憶體產品。只是沒想到它的成本與動態隨機存取記憶體相去不遠，而且由於種種原因，使用途大受限制，我們只好半途而廢。

「高科技公司在開發新產品時，有時總會押錯了寶，很難避免這種風險。」我安慰他們說。更何況我們的血汗也沒有白流，部分研究結果可以應用在微處理器與唯讀記憶體的發展上，算是失之桑隅，收之東籬。

其實在英代爾成立初期，原先想開發的產品也沒成功，但卻發展出往後相關的產品技術，這一點也是外界很難想像到的。當初諾宜斯、摩爾、葛洛夫與維達斯等四人離開快捷時，原本想開發的產品是：㈠用金屬氧化半導體技術，製作成記憶體元件；㈡以雙載子技術做成介面功能；再將這二顆單獨的晶片合而爲一，成爲一塊積體電路。可是由於一直無法開發成功，後來才決定改變方向，分別以雙載子與金屬氧化半導體技術，發展出記憶體。它與ＤＲＡＭ的最大分別，是記憶的資料不會因爲電源中斷而消失。

突破、突破、再突破

這時期我們最大的成就還在靜態記憶體上，英代爾在一九七二年搶先推出第一顆靜態記憶體：二一〇二，立刻獲得市場好評。我接手後，聘用剛獲得加州理工學院博士學位的白時利，著手開發新一代的「靜態隨機存取記憶體」（SRAM, static random ascess memory）技術。

白時利積極進取，而且很有頭腦，是新一代研發人員中的佼佼者。有一次他說：「我發現只要縮窄金屬氧化半導體閘門的寬度，就可以讓速度加快。」這個想法很簡單，但要證明可行卻大費周章。他先做了一些實驗，顯示可以讓金屬氧化半導體的運作速度比雙載子記憶體更快。他的發現可以說又是一項突破。

我很快理解到：這種技術未來不僅可用在SRAM上，更可作為微處理器與其他邏輯元件的催化劑。「我們可以藉著這種技術，發展出同時具備高性能與高密度的超大型積體電路。」我說。於是我們決定將此技術命名為「高性能金屬氧化半導體」（HMOS, high-performance metal oxide semiconductor）。

由於縮窄電路閘門最大的隱憂，是這一小片晶片的品質穩定度，因此我先前的經驗再度有了用武之地。幸運的是，我們的品管部門很能了解此晶片的物理機制，為了增加穩定度，試遍了各種可能的狀況。生產部門很慎重的控制縮窄的矽晶閘門，我們也為生產線開發出簡單的控制方法。

白時利只有五個研究人員，卻以出人意表的速度，在不到一年的時間裡，同時發展出新的矽晶製程以及SRAM產品。一九七六年我們推出二一四七，成為當時速度最快的SRAM，由於可以作為電腦的「快取記憶體」（cache）之用，很快又在市場上造成轟動。

在爲這個偉大成果慶賀的同時，我們也協助設計微處理器的小組，將此技術應用在第一批十六位元微處理器——八〇八六與八〇八八上。七〇年代末期，八〇八八成爲微處理器市場的主流；到了八〇年代初期，更發展成爲IBM個人電腦的心臟。現在回想起來，我們所開發出的高性能金屬氧化半導體技術，對隨後微處理器一日千里的進步，實在具有舉足輕重的影響力！

微處理器小兵立大功

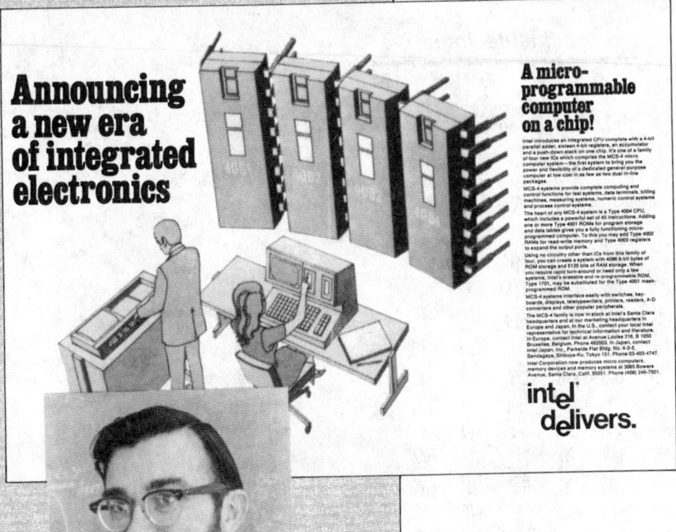

這是第一張關於微處理器的廣告，出現在一九七一年十一月十五日的《電子訊息》(Electronic News)上。右上角的文案是「整台電腦都在一片晶片上！」照片則是微處理器的發明者霍夫。

這種新的經營理念也需要完全不同的行銷手法。微處理器是全新的業務，一切只有靠實驗摸索，有人說：「這眞是冒險到了最高點。」

七〇年代，矽晶半導體技術多項突破性的進展，除了讓記憶體產品不斷推陳出新以外，它的另一項主要應用乃是在微處理器上。只不過一直到了一九八一年，隨著ＩＢＭ推出第一台個人電腦，它的影響力才完全爆發出來。

「從海砂到黃金」，是對微處理器最貼切的形容。矽晶是從海砂提煉出來的，而矽晶製成晶圓，經過加工蝕刻處理才產生微處理器。較少接觸電腦產業的人，可能無法體會微處理器有多貴重。事實上它的身價和同樣濾取自砂粒的黃金不相上下，有時候單顆微處理器的價格比一兩黃金還高。許多電腦公司曾經有微處理器失竊的紀錄，有人甚至戲稱：「不愛黃金愛微處理器。」

微處理器雖然和記憶體一樣，同樣衍生自矽晶半導體技術，可是二者有一項基本上的不同。記憶體的功能非常簡單，我們純粹拿它作爲儲存資料之用，就好像是空白的筆記本可以記載資料；而微處理器則由於程式化方式不同，因此可以有各種不同應用。相形之下，微處理器就像是內容豐富的書，其中包羅萬象，就看需要的人如何應用它。

將電腦濃縮在一顆晶片上

如同許多重要的發明一樣，微處理器的發明也是出於偶然。早期在快捷實驗室裡，就有許多研究計畫圍繞著如何作出具備計算功能的積體電路，以及如何進一步改進電腦架構等問題打轉。

這時候，由於積體電路的技術日新月異，許多人開始夢想如何將整個電腦設計在一顆晶片上，可是究竟該如何進行，還沒有人找到明確的答案。直到一九六九年，日本一家名爲Busicom的計算機公司找上英代爾，希望爲他們程式化的計算機開發幾顆特製晶片，才意外促成微處理器的誕生。

摩爾原先對這類客戶訂製晶片的業務，一向興趣缺缺，他一直堅持英代爾應該走標準化產品路線，才可望創造數以百萬顆計的銷售量。他的邏輯很簡單，卻也是千古不變的生意經。「我們只爲某一特定客戶發展特製晶片，投資是固定的，但回收卻受限於這家公司；如此一來，我們等於是將自己的命運交到別人手中。」他說，如果我們生產的是標準化的產品，就可以賣給許多客戶，投資是相同的，但回收卻多了許多倍，同時也不會因爲只倚賴一家公司，而將自己的未來前途孤注一擲。

從生意的觀點來看，Busicom的提議並不太受歡迎，但這畢竟是自己找上門來的客戶。於是摩爾就交給霍夫（Marcian Hoff），看他是否可以製造出來，最好還可以成爲標準化的產品，賣給其他更多公司。

霍夫早先在史丹福大學就做過電腦程式化的研究，經驗豐富。他看了Busicom的要求，發現可以用簡單的方法完成邏輯功能，製作成一個可程式化的機器。其程式可儲存在唯讀記憶體中。由於計算機的功能大同小異，每一個不同品牌的計算機，只需要使用不同的唯讀記憶體，其他的邏輯電路都是一樣。如此一來，也能符合摩爾的願望，製造一些標準化的產品。微處理器的觀念就這樣意外地萌芽了。

於是，加上EPROM，英代爾便擁有兩種標準化的產品，客戶只要將EPROM程式化，就可以設計自己的計算機。而這種標準化產品的用途還可以有無限多種，例如控制紅綠燈，或者控制家電，微處理器都可以幫得上忙。

發展到這個地步，對英代爾來說，已不只是技術上的突破，更是生意上一大進展，於是摩爾請費根接手領導設計這種晶片，而霍夫則負責設計架構。

費根是義大利裔，智慧過人，曾經在快捷實驗室研究過矽閘金屬氧化半導體技術。他很快就設計出編號四〇〇四的晶片，成爲全世界第一顆微處理器，當時這顆晶片上的電晶體零件數目約為二千多顆；這和今日Pentium處理器上超過三百萬顆電晶體相比，真是小巫見大巫，但在當時已是很大的突破。

晶片全員集合

費根同時還開發出另外三顆晶片：四〇〇一、四〇〇二、四〇〇三，分別是隨機存取記憶體（RAM, random access memory）、唯讀記憶體（ROM, read-only memory）以及「暫存器」（register），四顆晶片組合起來即可達成微電腦功能。這組產品在七一年正式上市，當時廣告寫著：「宣告積體電路新紀元：微電腦濃縮在單顆晶片上。」由於這時候一般人對電腦的認知，還停留在冷氣房裡的龐大機器，因此這則廣告相當受到矚目。

不過四〇〇四只是一顆四位元的晶片，當時的迷你電腦與大型主機分別是八位元與十六位元，因此必須繼續開發八位元微處理器，才能追上迷你電腦，具有市場價值。費根很快在一九七二年交卷，開發出八位元的八〇〇八晶片。

八〇〇八誕生的時機，正逢英代爾的一一〇三記憶體大受歡迎之際，整個廠房都為一一〇三而忙碌，這時微處理器的產量真是微不足道。而八〇〇八也只是很粗糙的八位元晶片，速度很慢，作為微控制器還差強人意，但要處理類似電腦的功能就力有未逮了。

費根與西瑪很快就開發出下一代的微處理器八〇八〇，其中包含電腦處理所需的記憶體功能，而且採用較快的矽晶製程生產，因此處理速度也比四〇〇四快上二十倍。他們的研究小組雖然一共只有五個人，但個個都是高手，不但經驗豐富，對產品開發方向也掌握得絲毫無誤。

舉例而言，記憶體的量產良率經常爲了達到所需的零件密度，而受到線路寬窄的限制。但是在微處理器方面，線寬就不是問題。費根他們花了許多心血在加寬線路與線路之間的距離上，使量產良率大爲提高。經過三次嘗試後，費根對於開發出真正具有電腦功能的微處理器，顯然已經胸有成竹，有一次他說：「我們確信八〇八〇會改變整個電腦產業的歷史！」沒錯，八〇八〇在一九七四年正式上市，隨後由於軟硬體產業相互配合，果真建立起個人電腦產業全新的紀元。

萬事俱備，只欠軟體

多數人並不知道，這時期也是微處理器軟體的黎明時分。爲了讓四〇〇四與八〇〇八展現功能，必須將它們「程式化」，也就是爲它們寫許多程式，才能發揮功用。但這時期會寫程式的只有少數人，而且他們往往優先爲大型主機與迷你電腦寫程式。爲了讓更多人能採用英代爾的新微處理器，我們必須先吸引他們替這些晶片寫程式。

雖然微處理器在當時是全新的行業，不過英代爾已充分了解到，要讓微處理器的應用領域更寬廣，得先提供許多輔助程式與系統設計的工具，才能鼓勵人們採用這些新晶片。於是英代爾很快成立一小組人專爲客戶開發「發展系統」（development system），以幫助他們將程式放在EPROM中。同時也開發硬體電路板與工具，以協助客戶設計出放置微處理器的電路板。沒想到這種經營模式就這樣延續下來，直到八〇年代中期都沒有改變。

當時負責行銷與業務的副總裁吉貝克（Ed Gelback），特別從惠普迷你電腦公司找來戴維得（Bill Davidow），負責這些開發作業。

戴維得認爲：要想靠微處理器維生，英代爾必須提供完整的產品方案，除了微處理器晶片外，還包括支援此晶片與電路板上其他晶片相接的介面，以及輔助設計電路板的發展系統與各種軟體工具。這對當時的半導體產業而言是全新的觀念，即使是十年後的八〇年代初期，許多人對此都還沒有百分之百的正確認知。

當然，這種新的經營理念也需要完全不同的行銷手法。微處理器是全新的業務，一切只有靠實驗摸索，有人說：「這真是冒險到了最高點。」

可是，戴維得毫無懼色，他很快爲微處理器發展系統小組找來一些有迷你電腦經驗的人，讓英代爾在很短的時間內充實迷你電腦方面的知識。他同時也招募許多人撰寫諸如PL／I、福傳（FORTRAN）等的編譯程式（compiler），讓客戶除了用組合語言（assembly language）外，還可以用高階語言寫程式。

這時期英代爾新的微處理器主要還是應用在工業控制、機器控制，或者是控制紅綠燈以節省人力等方面。戴維得經常絞盡腦汁，思考如何爲微處理器找出新的應用方向。剛好這時候出現幾位大師級人物，憑著他們的衝勁與膽識，帶動微電腦產業的興起，也爲微處理器開拓往後的廣大市場。

微軟與蘋果的崛起

首先是蓋茲（Bill Gates）。這位因創辦微軟而成爲全美、甚至全球首富的新貴，至九〇年代儼然已是電腦產業的代言人之一。不過在八〇〇八問世的時候，他還只是個二十歲不到的程式設計師，利用學校的迪吉多電腦寫一些程式。

蓋茲第一次見到八〇〇八，就深深入迷，毫不猶豫的和朋友亞倫（Paul Allen）花了三百七十六美元買了一顆晶片，動手設計出一塊電路板，寫起程式來。他花了許多精力爲八〇〇八撰寫程式，但實在有些懊惱八〇〇八功能太簡單了，無法和迪吉多電腦相比。亞倫建議爲了讓程式化的工作更簡化，應該先爲它發展出BASIC語言的編譯程式。蓋茲照辦，但最後由於晶片功能不夠強而作罷。

一九七五年，一家位於新墨西哥鎮的小公司，以八〇八〇設計出第一台微電腦：Altair。以現在的標準來看，只能說它僅具電腦雛型而已，但它代表「個人電腦」時代的來臨，每個人可以擁有自己的電腦，不用大老遠跑到電算中心去排隊使用大型電腦。這在當時已稱得上是「獨領風騷」。

蓋茲與亞倫這二位電腦迷，當然不願錯過這大好機會。這一年他們合作在新墨西哥鎮開了一家軟體小公司，後來發展成微軟，用全副心力爲這個微電腦開發軟體。

他們首先爲八〇八〇寫了ＢＡＳＩＣ編譯程式，並授權給許多剛開始生產微電腦的小公司。這些軟體後來成爲市場標準，人人都在使用。後來許多微軟軟體都在英代爾微處理器上執行，就是由八〇〇八開始結下的因緣。

與此同時，傑伯（Steve Jobs）同樣也發覺這大好時機，和他的好友烏茲尼克（Steve Wozniak）共同開發蘋果二號（Apple II）電腦，在一九七六年間吸引許多電腦迷搶購。但他們採用的是摩托羅拉的六五〇二晶片，並且也以蓋茲的ＢＡＳＩＣ編譯程式作爲蘋果電腦上第一個高階語言。至此很明顯可以看出，微電腦舞台上微軟、蘋果電腦、英代爾與摩托羅拉電子，已領先別人一步嶄露頭角了。

藍箱子竟是第一台微電腦

正當外界許多人意氣風發的以八〇八〇來製作個人電腦時，英代爾卻走上完全不同的路。事實上，英代爾的「發展系統小組」早就以八〇八〇作微處理器，設計出最早一代的微電腦，只不過他們將它稱爲「藍箱子」，並不叫作「微電腦」，而且只賣給客戶作輔助開發軟硬體之用。對英代爾來說，公司目標是銷售微處理器，這些藍箱子只是幫助銷售的工具罷了。

由於發展小組中許多人具有迷你電腦的背景，他們很快就開發出自己特有的電腦系統，其中包括特殊的匯流排（bus）、以及命名爲ＩＳＩＳ的作業系統等等。ＩＳＩＳ是特別委託數位研究公司（DR, Digital Research）的基爾道（Gary Kildal）代爲開發的作業系統。基爾道還保留模擬的權利，後來將類似的產品稱爲ＣＰ／Ｍ（control program for microprocessors），幾乎每一家生產八〇八〇電腦的公司都買來作爲作業系統。不過英代爾站在保護商業利益的立場，一向都採用自己專屬的作業系統，因此發展系統從未採用ＣＰ／Ｍ。

七〇年代末期，英代爾的微處理器業務還在起步階段，但發展系統的銷售業績卻是欣欣向榮。事實上，有一次有位行銷經理還給我看一份資料說，「你瞧，我們還入選爲第七大的迷你電腦公司。」

其實這時期英代爾內部對許多市場發展也還沒有清楚的概念。舉例來說，我們初期也沒想到EPROM居然會大發利市，後來才發現客戶願意花更高代價，只因爲EPROM有相當大的彈性可以程式化，所以用途廣泛。可程式化的功能，等於是英代爾無意間掘到了一座金礦。

同樣的，英代爾也爲藍箱子大受歡迎而興奮萬分，以爲客戶是因爲想爲微處理器開發新應用方式而買的，這十分符合我們的期待。但事實上，客戶最先是拿它來作發展系統，但很快的他們卻將它當作微電腦來用。就這點來看，英代爾其實是世界上最早開發出個人電腦的公司，只是連自己都不知道。如果當時在經營策略上略作調整，也許後來全球個人電腦產業的發展，會因此而改寫。

颱起微電腦旋風

藍箱子其實是一台完整的微電腦，定價雖然比當時多數的微電腦都要高些，可是卻很暢銷。它專屬的作業系統與當時的產業標準CP／M，只有些微的差異。它比一般的微電腦，還多出一些特殊功能，可以協助開發硬體架構。由於英代爾看上的是微處理器的生意經，腦袋裡打著另一種算盤，因此錯失了眼前這大好機會。後來的發展也驗證：

個人電腦真是有史以來最誘人的市場大餅，而且十多年來成長驚人。一九九四年間它的銷售量已超過汽車，直逼電視與錄放影機；而且預計在二十一世紀以前，年產量將達一億台，這將是多大產值的生意！

由於八〇八〇一砲而紅，費根在英代爾公司內的地位也跟著水漲船高，成爲微處理器的領導者。他精明幹練、風度翩翩、加上賣命的工作，儼然是當時產業界的新貴。

費根帶領實力堅強的一大組研究員，同時負責許多研究計畫。其中有一位名爲安則曼（Ralph Ungerman），很有商業頭腦。當時許多重要產品同時都在開發中，他們二人認爲：「如果同時將EPROM與微處理器整合在一起，就可以開發出一顆單晶片的微電腦控制器，不但成本很低，而且可以創造許多新用途。」

一九七六年，英代爾果然成功開發出八七四八，成爲世界上第一顆可程式化的微電腦控制器，不但創造無限商機，也對提昇人們生活品質很有貢獻。現在我們到處都看得到「微電腦控制」的字眼，從汽車引擎、抽水機、冷氣機到錄影機，都強調微電腦功能，就是因爲加了這種控制器。

當時霍夫還有另一個奇妙的想法：「我們何不試著用雙載子技術，開發更小片的微處理器，可以用在超高性能的系統上。」蔡華泰負責將這個靈感付諸實踐，後來在一九七七年間推出編號二九一〇的微處理器，果然在市場上備受好評，產量一直供不應求，和以金屬氧化半導體技術發展的微處理器，同樣是集客戶「三千寵愛在一身」。

遠渡回台

這一組裡還有一位華裔工程師，他是和我同樣來自台灣的苗豐強。苗家在台灣鼎鼎有名，擁有聯成石化、聯華氣體工業……等許多關係企業，他的父親苗育秀是知名的企業家，也被視爲是山東幫的重要成員。

苗豐強自加州柏克來大學畢業後曾一度創業，雖然沒有一砲而紅，卻從此和矽谷高科技產業結下不解之緣，並且日後成爲台灣資訊產業的拓荒元老。

當時原本國民半導體希望能延攬他加入，但他卻寧可選擇薪水只有一半的英代爾公司，理由是：「英代爾非常強調創新技術，在這裡可以親身參與，和一流人才共同切磋。」於是他成爲開發八〇八〇的五人小組之一，並且設計出八二五一，可搭配微處理器共同使用，是一顆非常複雜的周邊控制器。

八二五一賣了好幾千萬顆，可以說是比八〇八〇還更多。苗豐強後來在台北的辦公室，也一直掛著當時的線路設計圖。由於他很早就作好自己的生涯規畫，準備要自行創業，因此後來要求轉調至行銷部門，晚上並到加州大學修企管碩士學位。

開發出八二五一之後，苗豐強決定回台灣接手他父親的事業，他也認爲微處理器潛力無窮，希望能在台灣代理英代爾的微處理器業務。一九七七年，苗豐強成立台灣自動化公司，將英代爾所有產品引進台灣，也成爲英代爾在美國以外地區的第一家經銷商。

一九七八年間我回來台灣，他特別讓我看看新公司在台灣推廣微處理器應用的各種活動。我特別印象深刻的是：他還試驗以八七四八作紅綠燈控制器。另外他也嘗試將英代爾的發展系統，也就是「藍箱子」，拿來作中文輸入的研究。在微處理器方面，他無疑是先知先覺的專家。後來他創辦神通電腦，也是在台灣雄霸一方的電腦集團。

英代爾微處理器雖然是全新業務，可是業績蒸蒸日上，很快就在業界掀起熱潮。許多家半導體公司——包括國民半導體、德州儀器、快捷與摩托羅拉等——不約而同的跟進，讓我們很快就體會到市場競爭的一面。

首先是國民半導體從英代爾的以色列設計中心，挖走了一位資深設計工程師，而且也在以色列成立設計中心，開始生產先進的微處理器。而當時最大的半導體公司——德州儀器，則對產量更大的微電腦控制器情有獨鍾。連快捷也改變策略要加入微處理器業務。

至於英代爾一向的競爭對手——摩托羅拉電子，則是微處理器與控制器二者都有所斬獲。他們積極和通用汽車發展業務關係，在汽車開始採用微電腦控制器之後，也跟著大發利市。

一九七五年，繼第一顆微處理器問世短短幾年後，英代爾的微處理器業務已經營得有聲有色，約占全公司營業額的二〇%。其中，藍箱子大為熱賣，創造巨幅利潤；八〇八〇各種新應用相繼出籠，隨時都有新發展；另外還有許多新產品開發上市。顯然，英代爾前途看漲。

競爭風起雲湧

不料，一夕之間情勢急轉直下，讓英代爾首度面臨嚴重的人才外流危機：費根突然宣布將率同安則曼與西瑪另創新公司，由於他們等於是微處理器領域的舵手，這消息震驚了英代爾每位員工。費根和我很熟，我很清楚他的明快作風，一旦下定決心，絕對會貫徹始終。

事實上，雖然他在英代爾主掌著最有潛力的新事業，可是仍無法抗拒來自艾克森（Exxon）企業的誘惑。艾克森企業是由石油鉅子艾克森公司新成立的創業投資公司，這也是當時的潮流所趨，許多財團都開始對微電腦相關行業展露興趣。艾克森企業希望物色適當人選，以創辦一家微電腦方面的新公司。

費根投效艾克森集團後，很快決定將新公司命名為「Zilog」，這是他自創的新字，代表邏輯電路產品的最後一個字，也許他認為新公司雖然不是「空前」，但一定要

「絕後」，成爲積體電路產業上最後一個盪氣迴腸的高音。我們爲他們舉辦離職晚宴時，我不禁回想起摩爾、諾宜斯與葛洛夫決定離開快捷、創立英代爾的那一幕。

也許，這就是高科技行業的迷人之處，技術變化很快，有才能的人很容易闖出自己的一席之地。像費根就對新公司的未來發展充滿憧憬，大有從此平步青雲的架勢。相形之下，英代爾同仁目睹他們突然變節，也無可奈何，只有暗自惴測微處理器業務前景不明。

費根很快讓我知道他對新公司的期許：「我要開一家可以賣所有跟微處理器相關產品的公司，從晶片到電路板再到電腦系統。」野心還真不小呢！

由於背後有財團撐腰，他大肆招兵買馬，很快就找到一羣研究人員，而且陸續推出一系列驚人之作：包括新的微電腦控制器Ｚ八、Ｚ八〇（英代爾八〇八五的改良版）、全新的十六位元微處理器Ｚ八〇〇〇，以及許許多多以這些微處理器發展而成的電路板和系統。基本上，他把在英代爾所發展的十八般武藝，通通搬到Zilog另起爐灶。

費根第一砲就推出功能更強的Ｚ八〇，可以應用市場現有的八〇八〇軟體，無須再費心從頭經營市場，實在是明智之舉。而Ｚ八〇也確實是對英代爾致命的一擊，等於將大好河山拱手讓給自己一手培植的競爭對手。

Zilog很快就在微處理器市場上頭角崢嶸，後來甚至也遠來台灣拓展業務。傳播媒體本來就愛渲染新公司的傳奇故事，Zilog很快成爲媒體爭相報導的新歡，一時之間人人爭相傳誦它的成功故事。相形之下，英代爾被視爲強弩之末，聲勢慢慢走下坡，我想這是我們微處理器業務第一次面臨真正的危機。

新人接班

不過，羅馬畢竟不是一日造成的，英代爾在微處理器領域的技術根基，像金字塔般堅固不可動搖。維達斯立即提拔幾位較資淺的經理，讓他們接手開發微處理器業務，也讓研究工作不至於斷線。

這正是英代爾最有利的優勢：管理與技術人才濟濟，任何個人或小組另謀他就，都不會對公司造成致命傷。同時，英代爾一向不吝於提供新人出頭的機會，甚至常常在新人還未完全準備就緒之前，就先賦予重大使命。由於新人上台沒有包袱，同仁也都樂於提供他各種真誠的見解，因此成功的機率遠遠高於失敗。這種直接開放的工作環境，往往可以加速員工的成長，而且很快就作出一番成績。

像新接手的微處理器小組，很快就完成第一項任務——亦即八〇八五的設計，這是一顆難度很高的晶片，整合許多功能，用在電路板上搭配八〇八〇，成爲高度整合的微處理器。英代爾在一九七六年正式推出，與Z八〇在市場上短兵相接。雖然初期Z八〇給英代爾帶來很大的殺傷力，但以長遠的眼光來看，競爭反而為英代爾帶來更多利益。往後，英代爾面臨數不清的市場競爭，但往往因此而有突破性的成長。

主要的理由是，當時八位元微處理器市場雖然還不到「百家爭鳴」的地步，可也是爭食者眾。由於英代爾和Zilog的產品適合使用同樣的軟體，購買微處理器的客戶只要考慮選英代爾或Zilog，不必再分神去想更多的品牌。而同時有二家供應微處理器的公司，也讓客戶更有保障。

同樣的道理，寫軟體的人也寧可為我們二家公司的微處理器寫程式，因為投資一次的開發資源，卻可回收二倍的業務，這是所有生意人都不會錯過的選擇。事實上，當時最重要的二項軟體：即數位研究公司的CP／M作業系統與微軟的BASIC編譯程式，也都是應用在這二種微處理器上的。

Z八○和英代爾的八○八五很快就在市場上熱賣，七○年代末期第一批微電腦開始出爐時，幾乎都是它們的天下，競爭反而加速它們成為市場標準，這是過去大家從未想到的。這時除了摩托羅拉在八位元微處理器市場，還占有一席之地外，其他如國民半導體、快捷與德州儀器，都只是二流的角色，對英代爾來說，並不構成威脅。

在Zilog方面，Z八○確實是值得驕傲的成績，但也僅此曇花一現，其他二項產品都慘遭敗北。Z八和Z八○○○由於是全新的處理器架構，市場反應冷淡，更缺乏足夠的軟體支援，始終無法刺激需求量。

創造新架構的風險

高科技產業的管理階層，經常小看創造全新架構的困難度與複雜性。類似Zilog的教訓，在往後的微處理器產業裡一再重演。以前有句話說：「想害一個人，就讓他去辦雜誌。」在高科技產業可以改成：「想害一個人，就讓他去創造市場新標準。」

像費根不惜投下鉅資，希望培植Z八和Z八〇〇〇成為市場新標準，但最後連靠Z八〇賺來的營業額都賠上了，還是無法讓它們的市場起死回生。如果他不是一心一意要創新標準，而是延續原來架構開發更先進產品的話，那這場競爭遊戲的結果，可能是另一番局面。

後來艾克森企業對Zilog營運的連連失利，逐漸失去耐心，費根最先被迫掛冠求去，緊跟著安則曼也差事不保。費根一度因此而懷憂喪志，甚至對微處理器業務敬而遠之。還好往後他在人工智慧市場上東山再起，又開了一家新公司。

八〇年代中期，有一次週末，我們在帕洛奧圖的一家書店中不期而遇，當時我們都在翻閱電腦書籍。他看來神采奕奕，顯然已經走出昔日的陰霾。他提起新公司時，興高采烈的說：「「人工智慧領域裡，有更多值得投入的商機。」眼中的光輝，彷彿是當日開創Zilog時的再版。

安則曼則走上另一條路，他相當成功的開了一家傳播公司，後來還賣給坦登（Tandem）電腦，算是功成身退。

Zilog公司方面，艾克森企業後來派自己的人接管，但對此行業完全外行，因此已經很難再有昔日費根他們所創下的格局。當時艾克森企業投資許多新成立的公司，不過最後都是有去無回，沒有一家讓他們揚名立萬的。連Zilog後來也是緊縮編制，成爲倚賴特殊利基存活的一家小公司。Z八〇顯赫一時的銷售神話與成功傳奇，從此也就「往事只能成追憶」了。

誰是十六位元的最後贏家？

英代爾以八〇八五與Z八〇正面迎戰大有斬獲後，儼然已是八位元微處理器市場新秀。然而Zilog推出的Z八〇〇〇以及摩托羅拉的六八〇〇〇，強調是最新一代的十六位元架構，這等於是將戰場延伸到十六位元的新領域。沒有人可以保證八位元的市場冠軍，同樣可以穩坐十六位元寶座，英代爾只得馬不停蹄繼續搶攻十六位元市場。

事實上，無論Zilog或摩托羅拉都希望藉十六位元的新機會，一舉搶下英代爾的市場寶座。這也是高科技行業的特性，產品快速改朝換代，讓有心角逐市場的人有較多的機會。只是英代爾當然不會坐視他們的野心而不顧，維達斯早就作好準備，隨時可以推出十六位元的祕密武器。

當時英代爾已了解到，八〇八〇主要是控制器架構，並不具備電腦的處理性能。這時期的微電腦幾乎都是十六位元架構，因此新的微處理器必須符合十六位元微電腦的要求，才會有市場競爭力。

此外，由於這時市場上已有許多針對八〇八〇開發的八位元軟體，英代爾對十六位元新產品還有另一項基本要求，就是必須能與這些軟體相容，讓用戶不必更改舊有的使用習慣，就可以繼續採用新的微處理器，這樣可以提高用戶對新產品的接受意願，也才有較大的成功機會。

「軟體相容性」在這時還是很新的觀念，但英代爾在微處理器發展策略中，已經注意到、並且特別強調這一點。事實上，這也是對電腦用戶的最佳保障，因爲這樣一來，他們不必擔心因爲微處理器更新，而必須重新購買軟體重複投資。在往後的發展過程中，我們經常面臨是否要創新架構的問題，還好我們堅信這項政策，始終沒有動搖。

維達斯大膽地讓年紀輕輕的波曼（Bill Pohlman）挑起大樑，負責開發新的十六位元微處理器架構，而他也以宗教般的狂熱奉獻在工作上。一九七八年，英代爾正式推出十六位元的八〇八六微處理器；隨即在次年又推出成本更低的八〇八八版本。

八〇八八基本上與八〇八六相差無幾，只是將八位元匯流排獨立設計，因此包裝上接腳數目較少，成本自然也較低廉，又能配合當時現有的零組件在八位元電路板上運作。匯流排是微處理器與外部元件傳送資料的通道，功能類似公路，所有的資料都要在這條公路上流通。

我們原本預期八〇八八應該很受市場歡迎，可是最初反應卻是平平。顯然摩托羅拉、Zilog與國民半導體的新產品已占有較早上市的優勢，加上他們紛紛吹噓新架構具有神奇威力，讓英代爾在競爭上備感吃力。

七七年，一家當時新成立的小公司——蘋果電腦，選擇摩托羅拉六五〇二，作爲它相當暢銷的蘋果二號（Apple II）電腦之微處理器。另一品牌Commodore電腦也跟進，選用摩托羅拉的產品。摩托羅拉電子因此聲勢更爲壯大，占據原本即已有限的新興電腦市場。還好英代爾發動一次成功的行銷攻勢，才挽回了市場競爭劣勢。

行銷先鋒

豪斯（David House）是這場行銷戰中最大的功臣，他爲英代爾建立起「應用工程師」（field application engineer）制度，在各地分公司設置工程師以就近支援客戶，這制度沿用至今。

大學畢業後，豪斯原本在南加州的一家迷你電腦公司工作，是很優異的工程師，有迷你電腦設計的經驗。在一次偶然的機會裡，他見到英代爾八〇八〇處理器，感覺迷你電腦的未來已沒有希望，於是就在一九七四年進入英代爾，擔任產品應用經理。

外表看來英俊瀟灑的他，天生就是行銷高手，具有很強的說服力，行銷專長不容埋沒。當時負責行銷的戴維得求才若渴，於是將他納入旗下。豪斯初試啼聲，很快就一戰成名。

一九七九年秋天，英代爾在十六位元微處理器市場已經岌岌可危，戴維得召集擔任微處理器行銷總監的豪斯、負責企業行銷的卡斯同等人，用腦力激盪的方式希望找出絕招。他們絞盡腦汁一再開會，終於決定發動一項盛大的行銷活動，命名為「致勝」計畫，由豪斯領軍，目的就是要贏回十六位元的市場。

他們認為每家電腦公司決定要採用哪一種微處理器，都是深思熟慮後的結果，而且需要各部門積極介入。舉例來說，由於選對微處理器可能發展出驚人的業務量，因此總經理必須親身參與，才能為公司規畫長期策略。工程人員必須將微處理器設計成產品，因此也免不了是參與的一分子。而採購部門花在採買各種晶片、電路板、發展系統的金額可觀，因此最好也能事先了解將選擇那種微處理器架構。

客戶的這種作業模式，其實也符合當時微電腦公司的營運現況。七〇年代末期，微電腦應用還在起步階段，豪斯思考致勝計畫的行銷活動，必須能將所有人一網打盡，才可能杜絕競爭對手的覬覦。

由於每家公司決定採用微處理器的時間都不相同，而且決策過程通常很長，讓我們的行銷計畫很難有具體成果。豪斯於是想到以「採用英代爾的設計」（design win），作為早期的評估標準，並在一九八〇年設定以二千家客戶為目標。他的理由很簡單，「如果客戶開始採購英代爾的發展系統，並且確實以它來開發配備微處理器的新產品，那八九不離十，這家公司很快會推出他們的新產品，而他們會大量採購英代爾微處理器也是指日可待的。」

目標設定明確後，豪斯對不同職位的客戶問題一一擊破。首先，公司的總經理會要求了解英代爾微處理器未來發展的里程碑，知道英代爾未來將繼續供應哪些產品，也相信英代爾將持續不斷的技術創新，以確保他在軟體與硬體的開發投資不會功虧一簣，才敢將公司未來前途押注在英代爾設計出來的架構上。

除了要了解里程碑外，工程師還要知道更詳細的微處理器技術進展，會有那些支援晶片，又有多少軟體與發展系統作後盾，讓設計工作更容易進行。第三，採購人員必須了解未來的定價策略與供貨趨勢，才能讓採購作業依計畫進行無誤。

開風氣之先

豪斯和他的工作小組計畫將所有需求照單全收，以豐富的說明資料讓客戶對英代爾信心十足，客戶自然也就不會投入競爭者的懷抱。

他先準備好未來英代爾微處理器的發展里程碑，除了已上市的八〇八六與八〇八八外，還有高度整合的八〇一八六、以及後來在八二年上市、具有記憶體管理功能的八〇二八六微處理器；連當時祕密開發中的三十二位元架構，赫然也列名其中。這些里程碑編號均刻在木頭材質的牌子上，木牌上的訊息單純有力：「英代爾提供自晶片至系統完整的產品線，掌握未來契機，請加入英代爾陣營。」客戶可以將它掛在公司牆上，顯示對未來發展的堅定承諾。

這對英代爾公司也是一大賭注，過早讓未來的產品曝光，可能使我們成爲競爭對手明確的攻擊靶子。同時木牌上斬釘截鐵的寫著：英代爾將在哪年推出怎樣的產品，好像也是對公司信譽的挑戰。然而，英代爾如果不將前瞻性目標揭諸於世，又如何建立起客戶長期的信心？

「致勝」行銷活動的重頭戲還在後面。英代爾爲全球各地的公司總經理、採購與工程師們，舉辦多場不同的技術研討會。反應空前熱烈。從沒有一家公司如此明確的提供對未來發展的藍圖，也沒有公司主辦過這麼大手筆的客戶行銷活動，可以說是開創微處理器產業的行銷先例。

在「致勝」計畫之前，沒有人想到微處理器這種高科技產品，也要靠大手筆行銷活動來推廣。沒想到英代爾在無前例可循的情形下，居然會有出人意表的成績。後來英代爾許多行銷計畫都以此爲圭臬，其他公司在很多年後才領會其中奧妙。同時，「致勝」計畫也爲英代爾的微處理器業務，訓練出許多獨當一面的行銷人才，成爲另一收穫。

一九八二年英代爾公司營業額已達九億美元，其中一半是拜微處理器業務之所賜，顯示「致勝」行銷計畫確實奏效。但當時無論英代爾內部或外界人士，都還沒意識到英代爾已是微處理器市場的小龍，多數人仍將英代爾視爲記憶體公司。

二八六性能三級跳

這時，微處理器小組依照「致勝」計畫揭示的里程碑，繼續埋首發展新的微處理器產品。當時最重要的下一步是推出二八六，由希爾（Gene Hill）負責，他在加入英代爾以前曾在幾家晶片公司待過。

英代爾八〇二八六微處理器，可說是野心勃勃。不但性能較八〇八六提昇三倍，也把當時重要的電腦功能例如記憶體管理、保護等都囊括在內。這時電腦輔助設計

（CAD, computer aided design）工具還在初期發展階段，所有作業都須仰賴人力，因此，二八六的線路設計圖可以說是人工一筆一畫描出來的。

希爾和他的工作小組希望二八六晶片上可以放入十萬顆電晶體，這在當時是晶片設計的頂尖之作。他們整整花了三年才完成設計，在一九八二年間推出產品，讓英代爾的成長又躍升至另一新階段。

摩托羅拉因爲六八○○曾經輸給英代爾的八○八六，這時寄望新一代的六八○○○反敗爲勝。英代爾適時推出八○二八六，等於是強力反擊。往後這兩家公司就這樣你來我往，以產品在市場上展開較勁，我想直到二十世紀結束，大概都不會停止。

而這場戰爭因爲ＩＢＭ的出現，使戰場更擴大到個人電腦的領域。ＩＢＭ——這家大型電腦的龍頭老大，在一九八二年正式發表第一代ＩＢＭ個人電腦，開始進入個人電腦市場。雖然起步較晚，可是挾著豐富資源，卻讓其他電腦公司望塵莫及。

原本微處理器的應用相當廣泛，微電腦只是其一。但在ＩＢＭ個人電腦登場以後，很快就成爲微處理器最大的市場。而英代爾在微處理器科技的創新，也推動個人電腦技術持續前進，使得微處理器和個人電腦的發展相輔相成，從此密不可分！

微電腦開路先鋒

八〇年代初，IBM決定採用英代爾的八〇八八微處理器來生產個人電腦，是讓我們快速成長的關鍵之一，因爲這樣一來，八〇八六及八〇八八架構成爲了市場標準，陸續發展出X八六系列產品。圖爲IBM當年推出的個人電腦，右下角則是二八六處理器。

我終於了解到：聰明人應該借助產業標準，形成自己的競爭優勢。順水行舟絕對會比逆水行舟更省力，也更快抵達終點。新公司最好的策略就是以更好的產品進入現有市場，才可能一砲而紅。

有一位資深的電腦產業觀察家曾經指出：「個人電腦行業其實是從半導體工業成長茁壯而來，個人電腦不是小型化後的大型電腦，而更像是令人難以置信的大晶片。」英代爾正是生產這顆大晶片的公司。

七〇年代初期，幾家大型電腦公司，如ＩＢＭ等，本身大型電腦的業務已經做得有聲有色，在他們看來，微電腦是難登大雅之堂的小玩意，而且有可能影響到原先的業務，所以他們一點也不感興趣。ＩＢＭ對微電腦漠視的態度，持續將近十年，直到七〇年代末期才有了一百八十度的轉變。

倒是有些人因爲特殊淵源，成了個人電腦領域的先鋒，其中一部分人不是在英代爾待過，就是在矽谷其他的公司歷練過。這些人有共同的特性，多半都是工程師或有科技背景，基於本身專長與興趣，在閒暇之餘將晶片拼拼湊湊，組裝自己的微電腦。對這些業餘高手來說，微電腦不是機器，而是私人玩伴，因此也沒人想到要大量生產。

一九七五年一家叫作MITS的小公司，以英代爾八〇八〇微處理器發展出第一台微電腦Altair，才有了比較像樣的規模，也刺激更多科技精英投入這個領域。

接下來的故事很多人都耳熟能詳，傑伯和他的夥伴烏茲尼克創立了蘋果電腦公司，一九七七年推出蘋果二號電腦，廣泛引起電腦迷的重視，微電腦產業總算是真正的萌芽了。傑伯不愧是產業界的行銷奇才，在一九七七年舊金山的電腦大展上，他將蘋果電腦的攤位擺在入門的正前方，所以每位參觀者對蘋果電腦都留下深刻印象。

用戶也瘋狂

傑伯也是第一位將電腦定位為「個人」可以擁有的工具，就像汽車一樣，可供每個人使用。這在當時可是破天荒的觀念，因為對一般人而言，過去的大型電腦簡直是頭巨型怪物，供奉在電腦中心的冷氣房裡，只有少數受過專業訓練的人，才可以接近並利用它來做點事。

一般人居然可以擁有電腦，在當時是很震撼人心的訴求。事實上，許多程式設計師也是看準了電腦可以走入尋常百姓家，將帶來數以百萬計的生意，才願意去買蘋果電腦來寫軟體。這是蘋果電腦早期所以風行的真正理由，它靠的是一羣程式設計師的捧場，而不是一般的使用者，這時候根本還沒有「用戶」（end user）這樣的名詞。同樣的道理，英代爾早期依賴「藍箱子」大賺一筆，也是因爲許多人爲了開發微處理器系統，而利用它來寫程式。

蘋果電腦另一高明之處，是它最先洞悉包裝的奧妙，爲了成爲真正人人可接受的個人電腦，傑伯把蘋果二號包裝成白色塑膠外貌，設計優雅美觀，極具親和力，一點都不像傳統電腦帶著一大堆插頭開關那樣，令人望而生懼。

蘋果二號堂堂上市後不久，許多軟體公司就紛紛推出應用軟體。其中一種稱爲Visical，是電子試算表軟體的開山宗師。一時之間，許多對電腦還只能算略懂皮毛的財務人員，也被吸引用它來作財務分析，從此省得到電腦中心去大排長龍，也不必再看電腦操作員的臉色。他們成爲第一批獲得自由的電腦「用戶」。

早期在華爾街有位羅森（Ben Rosen），對微電腦的發展一直興趣高昂。他從加州理工學院畢業，曾經當過電子工程師，後來覺得無趣改去華爾街闖天下，終於靠半導體產業分析闖出名號。他在《摩根史丹利》（*Morgan Stanley*）週刊上發表「半導體新聞」專欄，是當時業界人士必讀的文章，很有一番影響力。

羅森很有「新聞鼻」，是華爾街最早嗅到微處理器應用的分析家，他也抗拒不了蘋果電腦的誘惑，買了一台來作分析，認爲潛力無窮，大爲傾倒。他的瘋狂很快感染了華爾街其他的分析師，人人拜倒在蘋果二號的石榴裙下，爭相傳誦個人電腦的神奇魅力。

IBM個人電腦發飆

不過看在藍色巨人IBM的眼裡，這一切可就不是滋味了。IBM靠大型電腦起家，個人電腦吸引它的忠實信徒走出電腦中心，從此大型主機與迷你電腦豈不是要乏人問津？

更令IBM氣憤填膺的是：領導這股個人電腦風潮的都是些初出茅蘆的小伙子，像蘋果電腦的傑伯、微軟的蓋茲、數位研究公司的基爾道、以及推出Visical的布里克林，都是二十出頭、乳臭未乾的小孩子而已。IBM是電腦界的老字號，可不能坐以待斃，就此砸了自家招牌！

一九七九年，IBM先在佛羅里達的波克鎮，成立了一個研究小組，專責開發新的個人電腦，以與蘋果電腦相抗衡。這個小組還獲准「特赦」，可以不顧IBM平時必須採用內部技術的禁令，愛研究什麼就研究什麼，充分擁有自主權。結果這個嶄新政策，不但開啓了IBM通往個人電腦世界的大門，也讓其他半導體與軟體公司有機會與IBM結盟，共同開創個人電腦的新天地。

這時候，英代爾也由於「致勝」計畫而走訪波克鎮，打算向IBM發表英代爾微處理器的未來前景，結果很能獲得這個研究小組的認同。其實ＩＢＭ本來就是英代爾記憶體業務的老客戶，採購量一直很穩定，雙方保持密切的業務往來。

對於他們所肩負的畫時代任務，波克的研究小組因爲時間緊迫，直接了當就作了決定：採用市場上現成的微處理器、作業系統，以發展低成本、高品質、與ＩＢＭ形象相吻合的微電腦，並提供諸如Visical之類的幾種重要應用軟體。

關鍵之一是選擇適當的微處理器。雖然蘋果電腦採用了摩托羅拉的六五〇二，但是ＩＢＭ可不想隨波逐流，他們希望開發出十六位元的電腦，以便後來居上超越蘋果的八位元機器。他們對處理器要求的條件還包括：成本低廉、而且有豐富的軟體可以應用。英代爾的八〇八八簡直就像爲他們量身訂製的。

由於當時真正十六位元的八〇八六已經上市，許多人趨之若鶩，因此英代爾正打算調降八〇八八的售價，以吸引買主的青睞。事實上，二者只是匯流排的不同而已，八〇八八與八〇八六同樣都是十六位元的核心，因此如ＣＰ／Ｍ、ＢＡＳＩＣ與許多其他的軟體都可以適用。

在週邊控制方面，英代爾也提供輸出、輸入、鍵盤控制晶片等完整產品，來配合八〇八八，因此整台電腦的硬體設計變得非常簡單。此外，英代爾還有發展系統與支援工具，來輔助系統設計；並且派專人到場作技術支援協助設計；對於未來，英代爾已經有一套技術發展藍圖，可以預見三十二位元的下一個里程碑。

這些優勢讓ＩＢＭ毫不猶豫的選擇了英代爾的八〇八八，並且立即著手設計系統。這使英代爾在一九八〇年再度贏得一次重要的勝利。當時很少人體會到：波克鎮的這一小組人即將改寫全世界的歷史。

微軟打開財富之門

ＩＢＭ緊接著的大事是作業系統的採購。在八〇八〇與Ｚ八〇等八位元電腦上大受歡迎的ＣＰ／Ｍ，當然是他們的首要目標。波克鎮研究小組馬上走訪在加州蒙特利的基爾道，也就是ＣＰ／Ｍ與英代爾ＩＳＩＳ作業系統的作者。基爾道對這送上門來的生意當然充滿興趣，不過這次他顯然沒弄清楚狀況，只想依往常慣例對每套ＣＰ／Ｍ收取二百美元的權利金。

ＩＢＭ另外也走訪了微軟的蓋玆，這時他剛把公司搬回家鄉西雅圖市，以ＢＡＳＩＣ編譯程式爲主要業務，ＢＡＳＩＣ幾乎已成爲產業標準，包括蘋果電腦在內的多數電腦公司都已採用。蓋玆可比基爾道清醒許多，他很快警覺到：眼前正是千載難逢的大好機會，ＩＢＭ電腦可以輕易超越蘋果電腦，成爲真正人手一台的個人電腦。只要躋身ＩＢＭ的陣營，未來前途無可限量。

爲了拉攏IBM的生意，蓋茲開出很誘人的條件：不但配合IBM規格的需要，以及對品質的要求，特別設計磁碟作業系統（DOS, disk operating system）；而且要價很低，只對每位用戶收取不到五十美元的權利金，對IBM則幾乎是免費服務。不過他要求未來可以對其他客戶銷售略作修改的版本，這就是日後PC—DOS與MS—DOS的由來。

蓋茲的條件聽在IBM人的耳裡，真是順耳極了。雙方各打各的如意算盤，簡直是一拍即合。IBM的人萬萬也沒想到，蓋茲這種「吃虧就是占便宜」的生意經，其實已經爲微軟敞開進軍IBM個人電腦的大門，不但日後作業系統銷售量可觀，微軟還可以得先天之利，開發更多應用軟體，這可是數不盡的財富。

事實上，微軟這時候根本沒有磁碟作業系統，蓋茲隔天跑去找朋友趕緊買了一套以應急，沒想到日後卻成爲微軟的搖錢樹，蓋茲真不愧是最高明的生意人。他很了解搭上IBM便車是這輩子最快的成功之道，因此對此業務可說是全力以赴，不敢鬆懈。

卓別林的電腦

IBM的研究小組很順利的完成任務，一九八一年推出嶄新一代的微電腦，其中採用了英代爾八〇八八微處理器，爲了增加擴充能力也設計了匯流排以插卡，更讓用戶可以加裝顯示卡自行選擇彩色或黑白的螢幕。它的名字就叫作：「ＩＢＭ個人電腦」（IBM PC, IBM Personal Computer）。

ＩＢＭＰＣ新上市時的廣告很有創意，用一個卓別林式的小丑象徵這款電腦是為小人物設計的，人人都可以使用，一掃傳統電腦尊貴不容侵犯的形象。它適用三種作業系統，除了ＣＰ／Ｍ和ＰＣ－ＤＯＳ外，還有一種名不見經傳的系統：Ｐ系統。當時幾種重要的應用軟體包括Visical等，它都可以支援，也就是說用戶有許多現成的軟體可以使用。挾著ＩＢＭ的威名以及宣傳財力，這種個人電腦很快就虜獲用戶的心，在市場上大為風行。

我在一九八二年買了我的第一台ＩＢＭＰＣ，花了四千美元。雖然以同樣的價錢，在九五年已經可以買到二台Pentium電腦，而且處理速度大約提高了四十多倍，可是當時我對它看起來非常科技化的外形，與整個系統的感覺，實在十分滿意，至今我仍印象深刻。它的操作手冊寫得清楚簡潔，鍵盤的手感也很不錯，比起蘋果二號實在進步許多，我開始用它來跑Visical軟體。

還記得我有一片ＤＯＳ作業系統，因為它比較便宜，同時文件上也顯示這是正式的ＩＢＭ軟體。但我沒有ＣＰ／Ｍ，一方面是因為它太貴了，另一方面也是Visical需要用ＤＯＳ，而無需ＣＰ／Ｍ。從這個簡單的邏輯就可以看出二者後來的發展大相逕庭：

ＤＯＳ成了軟體的產業標準，而ＣＰ／Ｍ卻逐漸沒落，甚至現在許多人已很難想像它當初的盛況。

關鍵在於蓋茲了解ＤＯＳ的成本很低，但它卻和應用軟體息息相關，因此能成爲產業標準。他雖然在每片磁碟上只賺得蠅頭小利，但積沙成塔，幾年下來已累積成巨大的財富。相形之下，基爾道每片收取的權利金較高，因此自然無法擊敗ＤＯＳ成爲市場標準，基爾道的發財夢最後也就成了泡影。他不幸在九四年七月因爲頭部外傷而去世，享年只有五十二歲。

ＩＢＭＰＣ大受歡迎，對英代爾來説，也是日後發展的一大關鍵。整個「致勝」計畫贏得許多客戶的支持，而ＩＢＭ無疑是其中最舉足輕重的。英代爾當然不敢怠慢這位大客戶，很快就成立了一個稱爲「特殊客戶部」的小組，專門服務ＩＢＭ公司。

就像微軟可以另外銷售和ＰＣ—ＤＯＳ有些微差異的ＭＳ—ＤＯＳ給其他客戶；英代爾也可以將相同的微處理器賣給其他公司。許多反應敏鋭的人已經理解到，只要買英代爾的八〇八八與微軟的ＤＯＳ，就可以設計出和ＩＢＭ相容的個人電腦，用戶還是可以使用所有的應用軟體。

雖然ＩＢＭ在其個人電腦內，設計了專屬的「基本輸出入系統」（BIOS, basic input output system），但很快的鳳凰科技（Pheonix）等公司也用逆向工程原理，推出了基本輸出入系統，讓其他的電腦公司無貨源之憂。一九八三年間，ＩＢＭ「相容」ＰＣ突然興起，而且聲勢看漲，很快就發展成極其興盛的新興產業。

蓮花與康百克誕生

華爾街的蘋果電腦迷羅森一直在密切觀察微電腦產業，他看好這個時機，立即決定成立一家創業投資公司，頭二件投資案就是蓮花（Lotus）與康百克（Compaq）電腦，可以說是搭ＩＢＭ便車成功的最佳典範。

蓮花的第一個產品是針對ＩＢＭＰＣ十六位元的特性，推出功能改良許多的試算表軟體，稱爲「蓮花一二三」（Lotus 123）。它不僅具有計算能力，而且提供簡單的圖表以顯示計算結果，還有簡單的資料庫功能。我也是蓮花一二三的早期擁戴者，每天都要花數小時與它爲伍，它的功能真的比Visical強大許多，幾乎十年內沒有其他的試算表軟體可以淩駕其上。直到一九九○年代初期，才讓微軟公司的Excel趕上。

康百克是由康尼恩（Rod Cannion）夥同其他幾位德州儀器工程師一起創立的公司，他們希望設計出比ＩＢＭ外型更精巧、圖形功能更強的個人電腦。康百克也是第一家特別強調與ＩＢＭＰＣ「百分之百相容」的電腦公司，以確保用戶所有的應用軟體都可適用，不會因爲很小比例的不相容，而犧牲原有的部分軟體。

由於IBM電腦有時需要排隊等待交貨，價位也略高一籌，康百克電腦很快便竄起成爲替代貨源，逐漸獲得用戶的擁戴。後來在開發三八六電腦時，康百克更憑藉著小型公司的衝勁與彈性優勢，領先推出新一代的三八六電腦，從此奠定康百克在個人電腦產業上屹立不搖的地位。

七〇年代末期，在美國掀起的微處理器與IBM個人電腦熱潮，很快就感染到世界各個角落。其中又以台灣的發展最爲興盛。由於台北等於是我的第二故鄉，我對這裡資訊產業的發展也最爲關切。

更讓我意外的是，往後微處理器與個人電腦在台灣的發展，居然和美國依循相似的軌跡，也就是先有微處理器的應用，然後才發展出個人電腦工業。

資訊奇蹟創業維艱

七〇年代中期苗豐強返回台灣，由於對電腦產業情有獨鍾，自然而然就成了早期的拓荒者之一。

苗豐強還在英代爾工作時，就因政府推動十大建設，準備建立石化工業，奉父命返台籌備聯成石化而回台灣。不過他念念不忘微電腦的發展，因此向英代爾公司要求代理台灣的業務。可惜已有人捷足先登，比他早二個月與英代爾簽下代理合約，於是他回台灣的第一件事反而是先找上神通電腦，和侯清雄、李振瀛等創辦人一番長談，結果把他手上原有的英代爾股票賣掉，向神通公司原出資者買下股份，成了神通電腦的董事長。

一九七七年，苗豐強透過父執輩呂鳳章的引薦，極力向當時擔任政務委員的李國鼎以及擔任電信總局長的方賢齊，遊說電腦科技的重要，因而助長了台灣資訊工業的萌芽。李國鼎被尊稱爲「台灣資訊業之父」，也是肇因於此段歷程。「當時爲了一台傳真機的搬動，都還要國防部、電信局等三、四個單位的同意，可見對資訊科技有多大的恐懼和排斥。」爲此苗豐強還替李國鼎批過公文，越殂代庖一番。

「我們當時最主要的工作就是洗腦，除了主動向相關政府官員解說外，甚至很長的一段時間都在跑立法院。」爲了推動資訊工業的發展，苗豐強等人極力倡導引進創業投資觀念，並且建議政府提供種種獎勵投資方案，鼓勵民間投入資訊工業，這種模式和矽谷高科技公司的興起，也大同小異。

由於政治敏感性，當時神通進口微處理器至台灣常需大費周章。苗豐強常常形容說：「那真是要過五關斬六將。」不僅要填一大堆登記表格、問話、還得通過美國外交部、國防部、中央情報局……等單位重重審核，過程真可說戰戰兢兢。「因此，有時乾脆就放進手提箱直接帶進來。」

同樣的，台灣早期對微處理器的應用也是大海摸針，沒有固定的用途可循。神通將英代爾的微處理器與發展系統，賣進中山科學院與電信研究所，因而開發出軍事與通信用途。同時也說服國科會撥出預算，委託交通、清華等大學開始作基礎應用研究。

不過最早採用微處理器發展而成的，居然是用在嘉義朴子農會的毛豬拍賣系統，讓毛豬像選美般的一隻隻走過，以進行自動秤重標售交易。後來神通還發展出自成一格的專案系統控制業務，陸續完成高速公路的交通管制系統、中鋼煉鋼控制系統等，甚至也爲刑事警察局開發前科犯資料處理系統，成了打擊犯罪的幕後英雄。

除了神通以外，宏碁電腦也是早期在台灣開拓微處理器市場應用的先鋒，宏碁於一九七六年成立，施振榮和其他六位創業夥伴很早就引進各種微處理器，並以耕耘者的身分自許，定期發行《園丁的話》，以作爲微處理器的推廣應用，他們的創業故事在台灣許多人都耳熟能詳。

一九八二年，苗豐強進而在新竹成立神達電腦，開始生產各種電腦及相關設備。有一次，由李信麟負責的奎茂（Qume）公司，將大筆終端機的委託代工（OEM, original equipment manufacturing）訂單轉給宏碁與神通，對兩家公司在創立初期有莫大的幫助。藉著OEM業務站穩腳步後，台灣的電腦公司一步步摸索出量產技術，進而推出自己的電腦系統，創造台灣的資訊奇蹟。

我的微電腦冒險之旅

七〇年代微處理器應用的狂熱，從矽谷跨越太平洋到了台灣。我置身在發明微處理器的英代爾公司裡，很難對這場熱潮無動於衷。摩爾在快捷時所發表的摩爾定律指出，自一九五九年積體電路的雛型問世以來，矽晶技術即持續以穩定的速率更新演進，例如晶片上的電晶體數目每隔十八個月即增加一倍，晶片的性能也依固定速率而成長，未來究竟如何呢？我在快捷時就經常思考這個問題。

爲此，我在一九七一年還特別與加州理工學院的米德教授討論一番，結論是矽晶技術在當時還只是起步而已，很難看出未來發展是否會有極限，也就是說它很可能會無止境的發展下去。我們認爲電源供應可能會是技術瓶頸，所以預測未來可能需要降低電壓，這也和現在電腦普遍從五伏特電壓，降至三．三伏特的趨勢完全一樣。

這對我是很大的鼓舞。我一向對探索未來充滿興趣，記得小時候即使因病臥床，身體受到束縛，我的思想也從未停止，總是不斷幻想未來，甚至思考生死之類的問題；而現在在我的專業領域裡，居然有如此的新挑戰，我自然不會輕易放棄。

所以在一九七五年間，我負責的技術發展部門雖以EPROM與SRAM等產品爲主，但我也和微處理器部門的費根、苗豐強、蔡華泰、戴維得與豪斯等人時常來往，對於微處理器的神奇威力和應用領域之廣，早已深深入迷。

那時候我就認爲，微處理器的功用與性能若持續增加，未來幾年內它的功能必將凌駕大型電腦之上，這在當時是很難令人置信的說法。同時我也想到，由於矽晶製造能力大幅提昇，雖然在一九七五年間英代爾僅生產數萬顆微處理器，但日後每年的產量絕對是數以百萬顆計。我曾經多次和摩爾討論這個有趣的現象，我想其中關鍵在於半導體產業的激烈競爭，帶動技術革新永不中止。

這也是個基本的物理現象，只要矽晶體積縮小，什麼都好辦：速度可以更快，所需的電力也更少。在磁碟機產業中，也可看出類似「小就是好」之情形，體積愈來愈小，記憶容量卻愈來愈大。不過有趣的是在汽車或飛機等產業，小就不一定是好，摩爾定律也就不適用了。摩爾經常在想：晶片愈來愈小，功能卻愈來愈高，而我們又能用它來做些什麼？

我對此問題也很感興趣，MITS公司在一九七五年推出第一台微電腦，一九七六年又有人用簡單的微處理器發明了第一代電視遊樂器：「Pong」。我突發奇想，認爲微處理器最大的潛在市場應該是「家用電腦」，這是每個家庭都能接受的產品。全球有數十億人口，這也可以解決數百萬顆微處理器與記憶體的出處。喔！我直覺地以爲我找到了答案。

家用電腦夢

我和公司內部的一些人討論這個想法，不過他們多半不感興趣，一九七六年時，多數人仍將微處理器視為控制元件，不太認同微處理器有更多嶄新的商業用途。許多外界的人希望利用微處理器發展成微電腦，就像蘋果電腦、Commodore等，都是在這個時候誕生；不過似乎沒有人想到要做家用電腦。

憑什麼期望人人會買家用電腦呢？它能提供哪些功用，使它能像電視機一樣家家必備呢？我的一位朋友感染了我的狂熱，我們開始利用週末作腦力激盪，在腦海中編織我們的家用電腦夢。

我們理想中的家用電腦應該具備一些簡單的程式，儲存在唯讀記憶體中，就好像電視遊樂器的卡匣一樣；有些跳棋遊戲軟體，還能提供數學或英文字母的教學功能，也寫簡單的程式語言如BASIC和C語言，可以作財務管理，也可以和當時還在起步階段的電腦資料庫相連。以現在的眼光來看，這些似乎都是很稀鬆平常的電腦功能，但在七〇年代末期，這些還算得上是神話。

由於對家用電腦的使用者來說，影像品質是極為關鍵的因素，而且還要具有易學易用的特性，因此我們希望開發一些特殊的圖形晶片以控制影像處理，並且可以利用家家戶戶現有的彩色電視作爲顯示螢幕。就好像許多技術人員一樣，我夢想著以此來嘗試創業，而且獲得許多創業投資家的支持，其中之一正是我的岳父查濟民先生。他在香港經營紡織業與房地產相當成功，對我的創業理念也相當認同。我很順利的籌到一百萬美金，雖然不像英代爾在創立時，摩爾與諾宜斯等人只花了三十分鐘就籌到二百五十萬美元的資金，不過也相當令人滿意。

我面臨兩難的抉擇：一方面渴望實踐創業理想，另方面必須離開已工作多年的英代爾，也不免有些難捨。這時我正負責技術與記憶體產品，不僅工作勝任愉快，也相當有成就感。不過內人非常支持我自行創業，最後我還是在七七年一月作下決定，離開英代爾另闖天下。

還記得我很難過的向葛洛夫提出辭呈，「我覺得離開英代爾，就好像離開家一樣依依不捨。」我也告訴他心裡的創業念頭，而且保證不會和英代爾競爭。他勉爲其難的接受我的去職，同時也很懷疑是否真有家用電腦的市場，警告我最好步步爲營。

歷史上第一部家用電腦

我的新公司很快就誕生了，我們將它命名爲「VideoBrain」，代表能控制影像顯示的大腦。我們在業務發展方面也有積極的計畫，不但要在一年半之內生產圖形晶片、製造電腦，還推出十種家用電腦程式卡帶。

我們也創先採用出版業的觀念來發行卡帶，找到許多位「作者」來寫軟體，再依卡帶銷售數量支付他們權利金。其中有位森密爾（Samuel）博士，是史丹福大學電算系的退休教授，也是全世界研究電腦跳棋的先驅。我們邀得他親自下海，爲我們執筆寫跳棋軟體。其他幾項軟體的創作者，也都是名震一時的高手。

程式創作在當時還是挺艱難的任務，由於BASIC幾乎還無法使用，他們多半只好使用組合語言。當時，微電腦用來儲存資料的軟碟機也還沒問世，我們將錄音帶轉換成儲存數位資料的工具，將寫好的程式儲存其中。現在想起來，我們居然可以利用這些簡單的工具，完成了十多種軟體，還真的有化腐朽爲神奇的味道。

我們的心血結晶在一九七八年六月的芝加哥消費性電子展中，首次曝光。我們將它定位爲「有史以來第一部家用電腦」，售價四九九美元。蘋果電腦也在這次展覽中展出他們的電腦，不過卻定位爲電腦迷的新寵，我們彼此打量了對方的產品。

這也是我第一次遇見傑伯，他看起來文質彬彬，似乎不像傳說中那麼不修邊幅。我也和蘋果電腦的董事長馬庫勒（Mike Markula）聊了一下，他曾經在英代爾待過，離開後加入蘋果電腦，成爲他們早期主要的創業金主，也是負責行銷的頭號人物。

有趣的是，當時在矽谷最有名的行銷顧問麥金納（Regis McKenna），由於曾經替英代爾作顧問服務，因此與我熟稔，我特別請他也幫我們VideoBrain處理廣告與公關業務。沒想到傑伯也耳聞麥金納是行銷高手，於是特別請他出馬幫忙。於是在後來一年裡，麥金納就同時爲我們兩家公司的行銷掌舵，成爲見證我們這兩家公司往後不同命運的最佳人選。

這兩類電腦有著很大的不同，蘋果電腦是針對程式設計師的需求而設計的電腦，而我們的VideoBrain則是訴求於一般用戶，他們只希望使用其中功能，不需要進入處理程式的領域。在展覽會上，我們收到不少訂單，市場反應超過預期。事實上，梅西（Macy）百貨的採購就慧眼識英雄，對我們的產品相當有信心，待展覽結束後，就在他們舊金山的門市裡闢出一個展覽室，特別向用戶推薦這有史以來的第一部家用電腦。連葛洛夫也親自參觀了我們公司，我也興緻勃勃的展示了VideoBrain的功能。

不料在後來的幾個月內，早期創業的熱情逐漸褪色後，我們也不得不向現實低頭，因爲好像沒有人知道家用電腦是什麼，更沒理由去買一台VideoBrain，用戶也要求更多的軟體，遠比我們所能提供的十種更多。工作之餘，我還義務到梅西百貨的櫃檯前站崗，花了許多時間推銷產品，以獲得第一手的市場反應。當然也不免有些挫折，似乎只有少數人肯掏腰包買我們的家用電腦。

與此同時，號稱爲「第一部個人電腦」的蘋果電腦，卻受到電腦迷的熱情捧場。許多程式設計師買來寫軟體，結果刺激出更多的商用市場。我們的電腦卻由於限制太多，而家用市場也還不夠成熟，用戶無福消受。從此第一部個人電腦與家用電腦的際遇，宛如天壤之別。我們覺得似乎資源不足以創造一個新的市場，於是與Radio Shack打交道，他們有意請我們另爲他們生產一部家用電腦。

與蓋茲打交道

Radio Shack是有幾千家連鎖店的行銷通路，專賣電子產品，對消費者的喜好也摸得一清二楚。當時負責採購的薛力（John Shelly），和我們談妥了交易細節。我們用八〇八五設計了一台新的電腦，採用CP／M作業系統，還特別提供程式設計師開發繪圖軟體的功能。薛力建議我們找蓋茲模擬他的BASIC程式，以提供可製作彩色圖形的指令，稱爲color Basic。

因而在一九七八年間，我和蓋茲有了面對面的「第一次接觸」。他這時大概只有二十三歲，不過卻顯得胸有成竹，已經很像個精明的生意人。他除了向我們收取一筆增加圖形指令的費用外，還要求我們付微軟權利金，然後由Radio Shack賣電腦。另外，他也坦白要求保留BASIC銷售的專利權，也就是說我們無法買斷這項產品。由於他是附近唯一在八〇八五上寫BASIC的人，我們沒多少談判籌碼，只能照單全收，會議很快就有結果，蓋茲接著就走出會議室了。

後來很妙的是，蓋茲乾脆把薛力找來作微軟的總裁，從此蓋茲就專注於技術領域，並負責和IBM這類的大公司打交道；而薛力在市場行銷與採購方面，也為微軟立下汗馬功勞。他後來自微軟退休，九四年間又出任電腦輔助設計公司「明導資訊」（Mentor Graphics）的董事長。

我們和Radio Shack的生意後來無疾而終，讓我更體會到家用電腦市場根本還不存在的事實。Radio Shack的家用電腦賣不出去，連帶也使我們財務負擔沈重。我們最後只有放棄，雖然是痛苦的決定，但還是要有壯士斷腕的勇氣。拖泥帶水只會讓損失更加慘重，還不如儘早回頭是岸。

家用電腦古董

有趣的是，從那以後還是不斷有人想打家用電腦的主意，而且全都鎩羽而歸，直到一九九二年以後，家用電腦市場才略有起色。最先繼我們之後想打入家用市場的就是德州儀器公司，結果也是難逃挫敗的命運。事實上，台灣產業領導人張忠謀，也是現任台灣積體電路製造公司董事長，當時正負責德州儀器的消費性產品部，由於我們在史丹福大學為前後期同學，經常保持聯絡，我就曾經與他分享VideoBrain的失敗經驗，不過似乎於事無補。IBM也曾在一九八四年間，針對家用市場推出「小個人電腦」（PC Jr），同樣也是很快就銷聲匿跡，害得藍色巨人的金字招牌一度黯然無光。

一九九二年，由於個人電腦具備多媒體功能，許多光碟軟體也相繼上市，家用電腦市場才算略有規模，往後更是愈演愈烈。目前在美國百分之三十以上的個人電腦是賣給家庭用戶，九四年美國的家用市場銷售量約爲一千萬台。

現在我也很驚訝看到各種遊戲、教學與財務管理的光碟軟體紛紛出籠，就像我們當初所規畫的一樣，連出版軟體就像出書的觀念，也和我十八年前所企畫的如出一轍。有一次我和麥金納在會議中不期而遇，他還開玩笑的說：「現在家用電腦的發展，果真如你當初所預期的，只可惜你早了近二十年。」我只能以家用電腦市場先知自我調侃一番。現在我家裡還有一部功能完整的VideoBrain，以及全套的軟體卡帶，也許以後可以送進博物館當古董陳列。

智者依標準而行

我的家用電腦創業經驗，雖然冒險到了極點，卻也頗值得回味。除了剛開始和微軟、蘋果與Radio Shack等公司往來有些體驗外，這時也正是個人電腦擴展經銷通路的破曉時分，電腦專賣店才在起步階段，百貨公司都還在摸索著如何銷售電腦，我卻有機會和通路的採購打交道，以了解他們需要些什麼。這些第一手經驗，對我往後的發展同樣有許多助益。

我最大的收穫，還是學會了不可能一夜之間創造出市場，就好像羅馬不是一日造成的，市場需要多年醞釀、長期教育才能形成。新公司最好的策略就是以更好的產品進入現有市場，才可能一砲而紅。許多人到現在都還想不通這一點，如果不是曾經試過自行創造市場，我也不會有這麼深刻的體驗。

回想起來，當年英代爾就是靠開發較好的記憶體，進入現成的電腦記憶體市場才起家的。蘋果電腦的策略也是在微電腦市場略具雛型後，推出讓電腦玩家動心的個人電腦才成功的。其他如：昇陽以較強的UNIX系統，在工作站市場占得一席之地；迪吉多電腦用較低成本的迷你電腦，躋身於大型電腦市場；以及康百克、宏碁等公司利用現有的IBM相容個人電腦市場，以物美價廉的產品取勝，都是最好的範例。

我終於了解到：聰明人應該藉助產業標準，形成自己的競爭優勢。順水行舟絕對會比逆水而行更省力，也更快抵達終點。

一九七八年間，我已體會到運用諸如CP／M、BASIC以及英代爾微處理器等標準架構，可以很快創造出新事業。這些產業標準架構絕非個人可以閉門造車、靠一己之力創造而成。企業成功與否的關鍵，就在於利用現有的標準架構創造附加價值，例如針對企業或家庭開發實用的軟體，這也是許多知名軟體公司包括微軟、Word Perfect、寶蘭（Borland）、蓮花、網威與甲骨文等，所以大發利市的原因。

台灣資訊業界同樣也是善用開放的產業標準，以創造完整的產業結構。英代爾自一九八五年在台灣成立分公司，在第一任總經理陳朝益的安排下，我多次回到台灣，即發覺台灣追隨產業標準的腳步愈來愈快，這對台灣是極有利的局勢。

還記得自從新竹科學工業園區初創之後，我曾幾度應邀前往參加國際級技術會議，並以微電腦及其應用爲題發表演說。我總是建議聽眾：採用開放的產業標準，提高產品附加價值，是高科技產業成功的不二法門。同時也提醒他們：要創新，就別怕承擔風險，這也是我的經驗之談。

由於早已預見微電腦將成爲巨大的產業，當時我建議台灣政府可以進入許多領域，螢幕監視器就是其中之一。後來許多台灣廠商真的進入監視器市場，而且表現優良，現在已成爲世界級的領導廠商。事實上，早期ＩＢＭＰＣ所用的就是台灣製的監視器。這樣的成績真令人刮目相看。

與此同時，台灣半導體產業也有長足的進步，張忠謀在台灣積體電路製造公司籌備期間，曾經獨排眾議，強調半導體製造技術對台灣發展資訊工業的價值，由於他的遠見，往後台灣個人電腦產業的發展確實因而受惠不少。

赴大陸另闖天下

雖然有了一次嘗試失敗的經驗，不過我血液裡的冒險分子可沒有從此消失。我想我一直是勇於冒險的人，從大學轉學申請學校，我放棄赫赫有名的麻省理工學院，而寧可選擇當時被視爲較爲偏僻的加州理工學院，大概就可以看出我勇於嘗試的精神。我一直相信：「只有停止的失敗者，沒有永遠的失敗者。」只要往前進就會有希望。

我確實是繼續勇往直前。一九七九年，中國大陸剛開始施行開放政策，我認爲機不可失，於是隻身前往北京與廣州一探究竟。這是我自一九四八年離開上海後，第一次走進中國的大門。

這時正是尼克森訪問大陸行之後，傳播媒體還熱絡於中國旋風。這也是大陸自文化大革命以來，首度揭開它的神祕面紗，冀望藉由與外界接觸以展開經濟改革的步伐。

我踏進大陸的第一眼，所見之處都是灰黑的色調，真是令我大吃一驚。可能由於冬天天冷，每個人都穿得肥胖臃腫，行動遲緩，讓我覺得時間的步調好像變慢許多。我想他們可能一眼就看出我是外地人，全都很好奇地瞪著眼對我直視。

我岳父在大陸有很多朋友，他們倒是對採用微電腦顯得興致高昂。由於大陸過去很少使用大型主機或迷你電腦，和美歐等地相比，不會有大型系統資料轉換的負擔，因此我認爲這是微電腦的大好市場，而且是個還未開發的全新市場。

當然軟體仍然是主要關鍵。硬體的價位很快就會下跌，問題不會太大，但缺乏中國大陸所需的應用軟體卻會成爲致命傷。所以我很快就想出生意之道：不僅賣微電腦，也開辦訓練班，以教育大陸的人民學會用電腦寫程式。這工程真是巨大！

軟體有價

當時大陸的官方人員很能接受微電腦，他們很快就體會其功用，但要他們認識到軟體的重要，並說服他們軟體有價，訓練也必須付費，就需大費唇舌。智慧財產權的觀念在大陸仍然是天方夜譚，他們認爲軟體既然是無形的，怎麼還要花許多錢去買？我們大費周章解釋一番，並且以他們未來也是寫軟體的人來勸服他們，總算讓他們半信半疑首肯一試。

爲了大陸的微電腦業務，我選了「克隆曼可」（Cromemco）的電腦，它採用八〇八五微處理器、CP／M以及BASIC等軟體。該公司總裁是梅倫（Roger Mellon），他也是史丹福的畢業生。Cromemco是Crothers Memorial Company的簡稱，梅倫很有巧思的以他在史丹福住過的宿舍名字克魯法斯堂（Crothers Memorial）爲公司命名，湊巧我唸史丹福時也在那裡住過。

梅倫同時也在史丹福授課，他請一些研究生幫克隆曼可作研究發展工作，使公司成本降低，真是很聰明的作法。他所生產的大台微電腦性能相當穩定，相當適合大陸市場。我同時也說服英代爾公司讓我作大陸的代理商，將英代爾的發展系統賣到大陸，希望刺激大陸民眾開始學習微處理器的應用。

當代理商的滋味

從英代爾員工轉變成代理商這樣的角色，對我來說也是很有趣的經驗。所有爲代理商而召開的會議我都出席，並且認真提出問題，有時甚至還考倒了主講者。後來他們乾脆找來工廠的人直接與我對話，總要讓我獲得滿意的答覆爲止。以客觀的立場來看，和英代爾公司打交道的感覺還真不差。

另一方面，在規畫大陸電腦訓練課程上，我聘請了一位華裔的麻省理工學院教授擔綱，在許多位研究生的協助下，開始教大陸人寫程式與微電腦應用等課程。所有的課程都是特別針對大陸的工程人員重新設計的。我也數度到北京、西安與廣州等地洽談業務。

後來我們總共在大陸召募了二百名用戶，並且特別在香港成立訓練中心讓他們上課。除了提供大型的研討教室教課外，還設置許多小型研究室，讓學員可以自行利用系統寫程式。由於過去在中國大陸從沒有接觸微電腦的機會，他們的學習意願高漲，幾乎就像小孩留戀玩具店一樣，整天待在研究室的機器旁不肯離開半步。

我很慶幸他們很快就認識到微電腦的潛在無窮威力，也開始了解軟體的重要性，讓他們可以作許多實際的應用。由於這是第一次在大陸舉辦有系統的微電腦訓練課程，這些學員成了中國大陸的微電腦先鋒。爲期一個月的訓練課程結束後，他們將五百台的微電腦帶進大陸，並且繼續從事研究應用。這五百台微電腦成了播種的種子，在大陸許多重要的大學研究機關扎根，散發出電腦的光和熱，直到多年後我還在許多地方看到這些系統。

重回英代爾

我的大陸微電腦業務，除了賺到錢足以彌補前次家用電腦的虧損外，最大的收穫還是將微電腦引進大陸。眼見西方的高科技可以在中國國土上落地生根，無疑是很有成就感的。

不過多次從美國到大陸漫長的飛行，讓我漸漸有些厭倦，於是在一九八一年春，我開始找人接手大陸的生意，自己則希望在美國再試身手，以避免和電腦的發展脫節。

這時有幾項新的機會，可以讓我選擇。其中之一是作ＵＮＩＸ的微電腦系統，後來這也非常流行。事實上，我也參觀了史丹福大學的電腦科學實驗室，有位研究生伯道斯海姆（Andy Bechtolsheim）剛開發出一套跑柏克萊UNIX作業系統、擁有多重視窗的工作站，性能一流。後來他和柏克萊UNIX作業系統的發明人載意（Bill Joy）合創昇陽微系統（Sun Microsystems）。而SUN這個名字其實就代表史丹福大學網路（Stanford University Network），因爲他們將工作站連在史丹福大學的網路上。

與此同時，葛洛夫也與我連繫，希望我重回英代爾擔任品管部門總監。我仔細的考慮良久。雖然我對微電腦業務充滿興趣，也學得許多經驗，很不願就此放棄；但另一方面，我也希望就這陣子所學，對英代爾再作貢獻。

舉例來說，當我同時銷售克隆曼可與英代爾的發展系統時，覺得它們基本上大致相同，只是由於英代爾是專屬系統，就比克隆曼可的開放式標準系統要貴許多。這是爲什麼？沒有任何英代爾人可以回答我。於是我想：無論是大陸的生意或UNIX系統業務，都很容易另覓高明，自然會有人去做，而我則應該回英代爾去找我的答案。

第五章

管理第一部曲

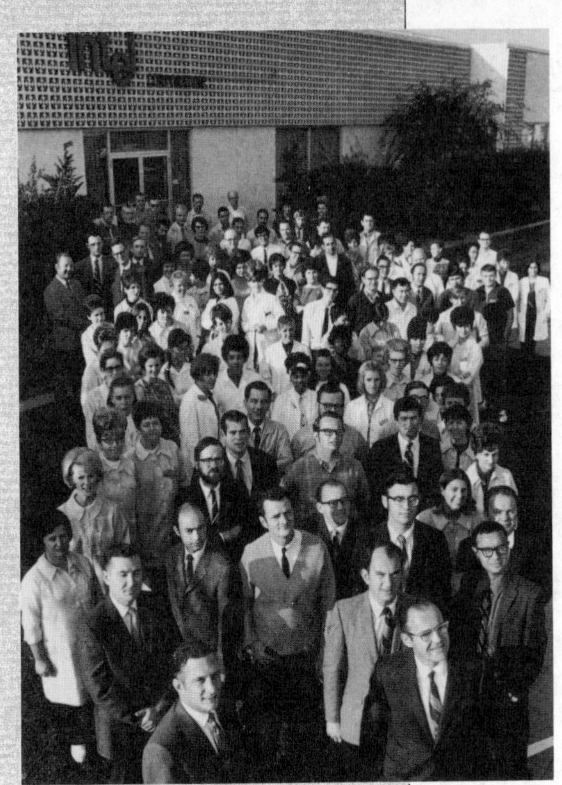

這是張很有紀念價值的照片：一九六九年，英代爾首次擁有自己的家。全公司一百零六位員工在山景市的新公司大門外留影。但當我在一九八一年重回英代爾時，公司已成長許多了！

勇於嘗試風險的另一妙用，在於有助個人成長。事實上，一個人往往在冒險並盤算著該做什麼時，成長最快。許多成功的企業，潛在著最大的問題就是，因爲過於耽溺現狀而停滯不前。

一九八一年三月，我重新回到英代爾公司。我的頂頭上司依然是法雷斯，他是我初次加入英代爾時的上司，不過這回我可沒忘記將應聘書拿到手。我的新頭銜是品管工程總監，前任總監在到任不久後就請長假。品管部門不可一日無將，於是我就走馬上任。

雖然離開英代爾四年，不過我卻沒有什麼生疏的感覺，就像遊子歸鄉那般的親切自然。許多老朋友依舊都在，加上我不在英代爾的那段期間，我們也經常在各種社交場合聚會，因此時間並沒有造成彼此的隔閡。

而英代爾也依然是各路英雄好漢大展抱負的天堂，開放的企業文化中，瀰漫著濃厚、與時間競爭的壓力，在這裡我真是如魚得水，「樂在工作」這句話深獲我心。

像貝瑞特（Craig Barrett）原本是史丹福大學的副教授，已經獲得終身職，等於拿到許多人羨慕的鐵飯碗。可是在他接觸英代爾之後，很快就下定決心辭去教職，成爲公司裡的一員，他的選擇就是認同英代爾最好的證明。現在他是我們的管理長（COO，chief operation officer），是重要的決策主管之一。

品質背水一戰

不過，當我再度回到英代爾時，經濟景氣並不很好。一九八一年，對英代爾來說還眞是艱困的一年。日本財團以政府支援爲後盾，挾著財力優勢進入DRAM市場，激烈的市場競爭讓英代爾營運開始走下坡，雖然沒有裁員，但已發起「一二五%奉獻」計畫，鼓勵每位員工付出較平日多出二五%的時間與心力，以加快新產品開發速度，並推動許多重要的專案。

惠普一位工程師曾經在一九八〇年發表一篇論文，指出日本所生產的DRAM，品質比美國更高，引爆了美日半導體戰爭。他提出明確的統計數字，許多人深受震撼，因爲這顯示日本半導體公司不但已經追趕上來，而且還有一舉超越我們的野心。底特律的汽車工業才剛因爲價廉物美的日本車大舉入侵，而束手無策，英代爾可不能步他們的後塵。我決心爲品質一戰！

首先我讓每個人知道我將致力於解決品質危機。接著我蒐集所有與品質相關的文件，逐一仔細查證，希望找出可能的解決之道。我的初步心得是：這大部分是認知上的問題。資料顯示英代爾DRAM的穩定度較高，尤其在使用壽命超過二十年以上時，品質比日本產品更爲穩定。我們一向以優異的品質與穩定度自豪，但爲什麼日本產品反而能讓用戶覺得以品質取勝呢？

我發現第一個理由是：日本廠商花更多心思在產品的外觀與包裝上，文件清楚詳盡，出廠前的檢驗更爲詳細，而過去英代爾比較疏忽這些細節，覺得無關緊要。但事實上，這些都是客戶對產品品質的第一印象。日本企業藉此發動行銷攻勢，大作文章，將品牌定位爲高品質的產品，很快的美國廠商就只有招架的份了。

同時，日本廠商也很聰明的將他們汽車品質較佳的形象，移轉到記憶體上。他們借助公關造勢，在媒體上大肆吹捧其管理體系多麼注重品管，一時之間日本的品管理念風靡全美，各地的管理大師與企管顧問爭相發表日本的品管圈、零缺點等高論，產業界坐困愁城，似乎連大和民族的月亮都比較圓了。

對症下藥

上任兩個月，我已有腹案。首先，我強調英代爾必須設定品質指數，衡量標準包括產品外觀、出廠前的缺失、在客戶生產線上的故障率等等，我們稱之爲DPM （defects per million，每百萬顆晶片中的不良品數目）指數，用確實可以評估的方法來改善品質，而不是口頭上說說而已。

其次，我們必須設定品管的目標，也就是令人滿意的DPM指數，以大刀闊斧提高產品品質，達到較高的品管標準。我們的目標，是在幾年內將DPM指數降低至十分之一。同時也定期與客戶開會，以了解客戶的立即反應。

第三個步驟，是再度在管理體系中呼籲對品質的重視，並且堅持必須盡一切可能持續進行品管。一味抄襲日本的品管作法是無濟於事的，英代爾必須用自己的方法來解決問題。

最後也預作計畫，在達成我們的品管目標且超越日本產品後，推出另一波行銷攻勢，讓客戶了解英代爾優越的產品、極佳的穩定度，遠非日本公司所能提供，也是客戶最好的選擇。

這些計畫進行起來每件都是大工程，品質問題又迫在眉睫，單靠一己之力恐怕會曠日費時。最後，我靈機一動，爲求儘快有立竿見影的成效，我們應該在英代爾現有的管理體系中加入品管精髓，而非再創立新的管理程序，否則又要等上一年半載的。

於是我發起「品質至上」資深經理人會議，用二天的時間集合公司五十位資深經理，共同參與解決品管問題。我先以半天的時間說明英代爾目前所面臨的品管問題，剩下來的一天半則在各部門高級主管的領導下，針對不同問題討論明確的解決方案。當時負責開發系統部門的戴維得，就提出許多該部門提昇品質的個人經驗。

我們還在會議中提議，將品質指數列入員工分紅專案中，這是激勵每位員工自動自發的最有效方法，同時也可以確保作業流程中，負責每一環節的員工都會注重品質。此外我們還設立「品質大使」，由資深主管拜訪公司內每位員工，溝通可以提升品質的實際作法。這樣一來，整個英代爾從上到下都活動起來，參與我們在品管上的創新理念與種種措施。

不久後，貝瑞特接手零組件裝配與測試作業，我們合作無間，務使每件出廠的零組件都是最高品質。當時我們最大的工廠位於馬來西亞檳城，也是推動品質至上專案最具成效的地方，幾年內它就躍昇至世界級水準，成爲許多工廠仿效的對象。

十億美元的迷思

一九八四年，我們的DPM指數已經從八一年的四千大幅降爲四百，這是足以傲人的成績。曾經困惑我們的日本品質領先問題也煙消雲散，英代爾的產品品質再度獲得市場的肯定。這無疑是全公司上下一心共同努力的結果，我也很自豪能成爲英代爾的品質鬥士，發起一次成功的品質戰役。

這時距離我離開快捷、初次加入英代爾，剛好是十二年的時間，等於是中國人輪完一次十二生肖。我對這點印象特別深刻，因爲我的小兒子在我進入英代爾那年出生，而八四年他已經要小學畢業了。英代爾同樣也走過漫漫的成長道路，八四年春，我們統計出前一年的營業額已突破十億美元。

當然這部分也是拜半導體科技迅速成長之賜。可是比英代爾更早生產半導體的公司並不少，繼快捷之後，光是矽谷一地的半導體公司至少就有五十家；與快捷同時期的半導體公司也有十多家。這些公司的發展多數就不像英代爾這麼幸運了。

我思考著英代爾的成功之道。爲何它總是能夠創新技術，以至於許多人稱它爲「半導體業創新之王」？又是什麼原因使它能維持高成長？它爲何總能在危機出現時化險爲夷呢？我想，從英代爾的基本企業文化與管理體系上，可以找到答案。

危機就是轉機

七〇年代的美國產業界，普遍都爲經濟景氣低迷所苦。但英代爾卻反而利用這個時機，累積堅強的技術實力，同時也建立完整的經營管理體系，以及獨特的企業文化，爲往後的營運奠下穩固基石。

一九七三年秋天，英代爾首度舉辦管理訓練研習營，將公司內最高階層的主管共約三十名，集合在蒙特利的凱悅飯店內，進行爲期三天的管理訓練課程。

這種內部管理研討會，在今天來看極爲稀鬆平常。但在七〇年代的早期，還真稱得上是創舉。尤其難得的是，我們以集體參與方式進行，所有經理人集思廣益，共同討論對策，而不像許多公司的管理會議，通常只是由上層向下層作政策宣達。

由於大家對這次研討會寄望很深，我們還特別禮聘外界的企管顧問出席指導，以提供我們基本的管理理念，並在分組討論時輔導。

沒想到在研討課程剛開始的一小時內，這些純粹理論派的專家教誨讓我們很難受用，大家聽得索然無味。葛洛夫見苗頭不對，接手要我們討論如何因應現時環境的挑戰，使英代爾能度過不景氣的難關。

這麼一來，大家反而興緻盎然的參與。葛洛夫先提出一些棘手難題，我們分成小組討論，再報告討論後的解決方案，同時也接受現場其他小組的質詢，回答各種相關問題。這種會議方式在當時也是創新的發明。

目標式管理

這三日經過層層考驗的研討成果，後來過濾成爲我們實際應用的準則。其中英代爾著名的目標式管理（iMBO，Intel Management by Objectives），就是此時所創，我們也仍襲用至今。

英代爾的「目標式管理」，是以制度來要求每一事業羣、每一部門、甚至每一位員工，每一季都設定工作目標與主要成果，每項工作也都有明確的評估方法。在每季結束後，我們都會評估每位員工是否確實完成每項工作，達成本季的目標。這也有助於爲下季再設定目標與主要成果。

在目標式管理中，最重要的是要有「成果管理」的觀念，也就是強調確實、可量化的方法，説明個人希望在何時以前、配合何人、達成如何的目標，否則目標式管理就只是空談。這種實際的作法，也鞭策英代爾每位員工專注於應該達成的目標，不要因爲沈迷於過程中瑣碎的事件，而疏忽最終結果，犯下「見樹不見林」的毛病。

在這次研討會中，我們也提議設立長期固定的部門會議，成爲此行一大收穫。會議由每個工作團隊報告目前的工作內容、提出所面臨的問題，以及解決方法等。重點在於説明工作進度或沒有進度、提出可預見的成敗因素、以及爲達到目標所需的具體步驟。

第三項重要結論在會議中經過激烈辯論才產生，也就是功勳的褒賞原則，何時該賞、何時該罰，完全以員工表現爲判斷標準，並不以他們的資歷或過去歷史來評斷。

這三點管理原則雖然很簡單，可是卻讓我們逐步建立起以結果爲導向的企業文化，後來更擴充爲六項準則：即以結果爲導向（results oriented）、著重紀律

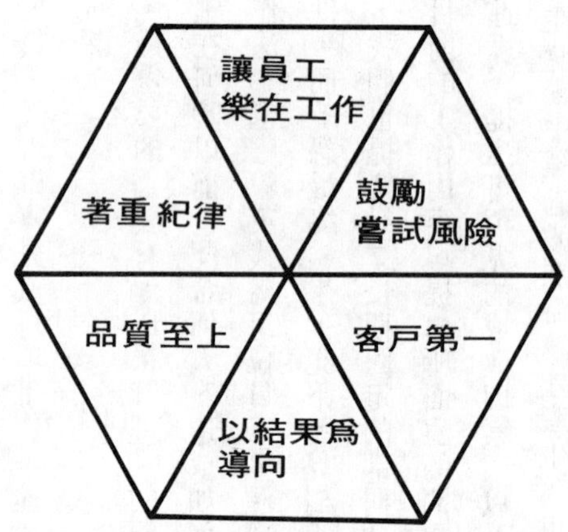

經過三日的管理訓練研習營，我們歸納出三點簡單但重要的管理原則，逐步更建立起英代爾獨特的企業文化，而這正是公司高成長的秘訣之一。

（discipline）、鼓勵嘗試風險（risk taking）、品質至上（quality）、以客戶爲導向（customer oriented）以及讓員工樂在工作（great place to work）。

以結果為導向

其中「以結果爲導向」是相當重要的基石；從英代爾多年來的成長，也可以驗證「以結果爲導向」確實發揮了具體成效。

不過這個管理理念雖然廣受認同，在日常工作上還是可能產生一些問題，比方說，如何在通常很殘酷的現實環境中，準時達到預期成果？如果你的上司觀念不對，使你不能很快獲得成果，該怎麼辦呢？如果與你一起工作者觀念不對，而他又個性敏感不願接受指正時，又該如何？

傳統的作法比較委婉，例如你可能會告訴你上司的朋友，希望他將意見轉達給你的上司。你也可能會選擇將你的看法用比較含糊、半開玩笑的字眼，來化解你和同事之間的分歧。這些方式有效嗎？有時候可能有效，有時候也不盡然。不過可以肯定的是，將會浪費許多時間。

英代爾公司則寧願用更直接的方法：你可以直接告訴上司說：「我覺得你的想法可能影響我們新產品上市時間，理由是……」，請注意這裡強調的是他的想法，而非針對個人。如果措詞一不小心，用攻擊性的字眼，像「你全弄錯了……」之類的，很容易使對方產生防禦心態，就會徒勞無功。

另外很重要的一點是以客觀數據來支持你的理由，例如：「你的想法可能使良率下降百分之二十，這裡有數據可以證明……」，在快速變遷的環境中，這種直接的訴求，可以更快也更有效解決問題。當然前提是你必須小心進行，如果處理不當，可能會引起對方負面的反應，或情緒反彈。

這種採取直接訴求的方式，與中國「人和爲貴」的傳統觀念，似乎有些出入。甚至我已在英代爾公司多年，有時要在公開場合表示與老闆相左的意見，也會有些猶豫。私底下時我就比較不會有所顧慮，勇於提出與老闆相異的意見。整體來說，我認爲英代爾公司算是相當能夠實踐這種直接訴求的溝通方式。

三八六溝通事件

我也經常提醒部屬們說：「如果我有那些想法不對，或不切實際，希望你們直接了當的說出來。」因爲只有公開交換意見，採納各種觀點，才能激盪出最好的解決方案。一九八四年，當我們開發八〇三八六的作業正如火如荼的進行時，就出現過最好的例子。

原本三八六的設計目標是要加入快取記憶體，但工程部門在處理上有些困難，由於我們認爲快取記憶體是提升處理器性能很重要的因素，我對這樣的結果很不滿意，因此堅持這一小組無論如何要找出解決的方法。

然而有幾個人不同意我的見解，跑來找我，於是我們辯論放入快取記憶體的優劣得失。有個人說：「由於摩托羅拉現在已經領先發表三十二位元的產品，我們應該儘所有可能趕快讓三八六上市，以免喪失商機。」如果我們堅持要加入快取記憶體，會延誤發表的時間，三八六晶片的體積也會更大。更糟糕的是，由於過去從沒有將快取記憶體放入微處理器的先例，我們得花更多的時間去說服客戶採納。如此一來，等於是提供競爭對手更充裕的時間，去取得市場占有率。

在聽完所有意見後，我很快同意他們的建議，並決定將三八六的快取記憶體拿掉。後來事實證明這是明智的決定，三八六較原先計畫更早上市，而英代爾也因此在三十二位元微處理器競賽中，讓摩托羅拉瞠乎其後。

由於這一組人勇於表達他們的不同見解，清楚的陳述他們的理由，將最終目標謹記在心，我們終於能作出最正確的決定。如果當時他們不敢提出不同於上司的見解，那我們可能延誤商機，這段與摩托羅拉較勁的歷史可能就要改寫。

紀律之美

葛洛夫從早期就在企業文化中，提倡「紀律」的重要，後來許多討論企業經營管理策略的學者，也一致認爲紀律是促使英代爾成功的一大關鍵。

從創立初期，葛洛夫就認爲製造部門必須加強管理、重視清潔，才能有效率的生產。後來他將這種觀念擴充到所有的部門，要求所有的辦公桌、檔案櫃都要整整齊齊，才能表現出公司的「紀律之美」。

他的道理非常簡單。公司就像部大機器，各部門必須同步作業，無論製造、工程、行銷或財務部門，都必須遵守相同的紀律，才能讓機器運轉最順暢，產能也才最高。

我們還特別設立「清潔大使」的檢查制度，由資深經理人巡視各辦公區域，就其清潔程度予以評分。如果那個人的評分成績不太理想，就得立刻清理，並在下週獲得較高分數，以洗刷前恥。

檢查清潔的觀念來自軍隊，事實上，軍隊也是將紀律分明貫徹得最徹底的地方。紀律等於是軍隊中第一要務：每天準時開始一日的作息、按計畫進行、以及隨時保持武器的清潔等等。新兵往往在報到後第一件事就是服從紀律的訓練，這是軍事訓練中最重要的一環。

俗話說：商場如戰場，戰場上如果沒有紀律，就別奢想要克敵制勝。英代爾常常面臨嚴酷的市場競爭環境，而紀律正是我們致勝的最佳憑藉。

紀律下的創意

從公司發展的軌跡來看，六〇年代時，英代爾還只是初創的小公司，而德州儀器可以說是市場老大，紀律的管理理念讓英代爾可以一舉超前。七〇至八〇年代間，英代爾再度面臨日本NEC的強烈競爭壓力，也是靠紀律才打贏最後的仗。

想想看：如果工程部門毫無紀律，如何期望他們準時發展出高品質的產品？如果行銷部門組織鬆散，又如何要求他們完成產品上市計畫？這也是快捷半導體的一大問題：工程師開發新產品毫無明確目標，也沒有時間表；行銷部門對產品上市毫無計畫，公司作業陷入一片混亂。

七〇年代，我們每周定期召開「GYAT」（get your act together）會議，參加者包括工程、行銷、製造與財務部門，分別報告每人進度、現況，以及部門間配合事項。非常令人驚喜的是行銷與工程部門人員，很快就能像製造部門一樣，遵守同樣的紀律工作，所以大家步伐一致，方向相同。

許多人都同意，高科技人才在管理上有一大挑戰，就是要激發創意，又要能維持紀律。以前有個似是而非的說法：有創意的人不能受到紀律的束縛，需要享有特別待遇。英代爾的發展經驗讓我可以斬釘截鐵的說：事實不然。法羅門就是最好的例證。

沒有人會反對法羅門是個很有創意的人，早在快捷時大家就有這種認同。爲了表示對他的尊重，當時從沒有人規定他該開發什麼產品，事實上他也享有特別待遇，可以隨心所欲做任何想做的事。他發表了幾篇很不錯的論文，但就僅止於此。

加入英代爾公司，他發現了浮動閘門的儲存效應後，就承受極大的壓力，必須如期設計出新產品，後來證明他也能不負眾望的辦到了。在設計一七〇二的時候，他與製造部門遵守同樣嚴格的工作規定，但他還是能發展出許多創新的技術，創意有增無減。

一九七六年時，我們還發生一次意外事件，也能證明紀律與創意可以並存。當時有位客戶發現（他們的電腦採用我們的DRAM），有些DRAM會突然失去作用，但過一會兒通常又會自動恢復。這有些離奇，沒有人可以想到原因。但如果不儘快解決，無疑會對我們以及我們客戶的公司帶來很大的財務災難。我們每天開會，面臨著極大的壓力。

摩爾個人對此現象十分好奇，有次開會時他半開玩笑的說：「這些DRAM失去作用好像是『軟性失誤』，無規則可循，時斷時續，讓我想起宇宙線。」沒有人會異想天開，將宇宙線和記憶體失去作用扯在一起。但當時由於已無計可施，我們還是作了一些實驗，希望能證明這就是原因，但很快的就發現並不其然。

不過他的想法觸發了另一位年輕工程師的靈感。梅儀很快就發現：如果在陶瓷封裝內放一小片含輻射性的材料，輕微的輻射就會導致這種失誤。他很快做了一些實驗，證明這就是癥結所在。一旦清楚了原因，要找出解決方案就相當容易：那就是避免在陶瓷封裝內留有任何會產生輻射的材料。

這次「軟性失誤」事件，是在極端壓力甚至可說是危機的情況下，發揮創意解決問題的例子，我稱之爲「紀律下的創意」，也就是說往往大量的創意會在嚴謹的紀律或極端壓力下誕生。事實上，我常常私下替我們的工作小組定下許多最後期限，以迫使他們產生最佳表現，而每次也都奏效。

嘗試風險

在英代爾的企業文化裡，另一項讓我體驗深刻的，就是勇於冒險。不過這裡指的是「計算過」（calculated）的冒險，而非盲目的一頭跳進死局裡。

讀書時學過的一項定律：「非絕對禁止者，就有可能發生」，我奉之爲畢生的座右銘，因爲這代表著無限的可能性。從本質來看，創建新公司必須承擔許多風險，但諾宜斯與摩爾二人卻試過二次：而且都相當成功。沿襲他們勇於嘗試風險的精神，英代爾文化中也允許相當的冒險空間。

諾宜斯生性瀟脫，對未來充滿幻想。他是很優秀的飛行員，他有一張坐在一架古董飛機裡的照片，上面寫著：「凡塵俗事不沾身，海闊天空任我遊」，可以說是他的最佳表白。每當我與他說有新點子時，他總是雙眼發亮，像小孩子看到新世界般的快樂。他熱愛新想法，總是鼓勵我們去發掘更多新事物。他最常用的口頭禪就是：「別擔心，只管去做。」這對旁人總有不可思議的鼓舞力量，也正是他領導上的特殊魅力。摩爾也經常說：「改變是我們的摯愛。」希望我們勇於改變，不斷創新。

然而嘗試風險，難免就會有失敗。英代爾很難得的一點是，不會看輕「敗戰將軍」。七〇年代中期電子錶開始盛行的時候，英代爾就有一次失敗的冒險經驗。

那時正值電子錶將要取代傳統機械式手錶之際，組成電子錶的基本數位電路非常便宜，而英代爾是主要的供應商，無限的商機中隱藏的風險似乎是有限的，因此英代爾決定嘗試發展消費性電子錶的事業。

可是由於英代爾一向以技術取勝，對消費性市場或流行風尚毫無概念，因此最後是徹底的失敗。不過因爲這次擴充業務而召募進來的人，卻沒有因此受到責備。如此一來，員工的冒險意願也不會受到影響，往後英代爾順利發展記憶體、微處理器事業，更進而進入新的通訊事業，許多重要的里程碑就是在風險中創立的。

風險成長論

勇於嘗試風險的另一妙用，在於有助個人成長。有限度的承擔風險，可能會帶來二種結果：成功或失敗。如果你獲得成功，你可以提升至新領域，顯然這是一種成長。就算你失敗了，你也可以很快學會那裡出錯了，不應該做些什麼，這也是一種成長。事實上，一個人往往在冒險並盤算著該做什麼時，成長最快。

以我個人經驗爲例，我在史丹福唸研究所時，決定提早參加博士班資格考試，就是一次冒險經驗。當時由於我輕忽考試的困難度，沒有特別準備，因此在第一次口試時無法過關。可是這次失敗經驗，讓我終身受用，從此我再也不會對任何事情掉以輕心。

在我決定加入英代爾的那一刻，原本也對以後將做些什麼不太有把握，這也是一種風險，可是我從嘗試風險中卻學到不少寶貴經驗。事實上，我有一套理論就是：人在失敗時比成功時成長更快。當一個人成功了，他往往因知足而保持現狀，即使外在環境改變了，他還是在做同樣的事情。莊子有句話說：福兮禍所倚，除非你仍然繼續嘗試風險，將知識擴充至新領域，否則「生於憂患，死於安樂」的道理，很快會應驗。

這同樣也是企業成功或失敗之道。許多成功的企業，潛在著最大的問題就是，因爲過於耽溺現狀而停滯不前，ＩＢＭ與迪吉多電腦就曾經出現過這種狀況。這二家曾經顯赫一時的公司，一度就因爲過於安逸而忽略外在環境的變遷，以致出現經營危機。

葛洛夫有句至理名言經常掛在嘴邊：「唯具有憂患意識，才能永遠長存。」（Only the paranoid survive）他是猶太人，在二次大戰烽火中逃離故鄉匈牙利，也許因此危機感較一般人更爲強烈，這也使他的市場敏銳度能更高於常人。

英代爾大學

一九七五年，爲了進一步提升經理人素質，並且做好經驗傳承，我們特別成立「英代爾大學」（Intel University），教授最新的技術與管理課程，其中多數講師都是英代爾自己的經理人。英代爾大學的設立，無形中也讓我們的管理體系更爲充實。

我們強調採用目標式管理，就要先讓經理人了解如何設定正確的目標，以及如何將主要成果在特定時間，依特定條件予以評核，這成爲英代爾大學的授課重點。舉例來說，「我們將在九四年三月三十一日以前，完成這項產品的設計，並出貨一百萬顆。」就是明確可測量的目標。但如果我說：「我將召開三次會議來討論行銷計畫。」就是錯誤的示範，因爲這只是活動過程的描述，並非最後結果；而且如果缺乏最後目標，很有可能開了無數次會議，卻產生不了任何具體可行的計畫或成果。

在公司規模漸漸擴大之後，另一項關鍵是如何結合不同部門的目標式管理，以產生對公司最好的成果。事實上，採用目標式管理確實有助於使組織內各部門行動一致，以達到最後目標。例如：工程部門也許希望多用二個月時間，讓P八的設計更完美；行銷部門希望在六月推出產品；製造部門表示要到十二月才能量產……類似的對立情形，我相信在許多公司都經常會發生。

然而如果我們將公司目標設定爲：「在今年十二月三十一日以前，P八出貨一百萬顆，使它成爲下一代微處理器的主流。」上述的三個部門就可以分別調整他們的目標，以符合公司目標。像行銷部門可能就要將上市發表的時間訂在十一月，但在九月間就先部分出貨給主要客戶。工程部門可能要從別的小組調來人手，以加速開發工作。製造部門可能提早作實驗性的量產。爲了配合公司目標，勢必要作一番取捨，或將資源重新分配調整。我認爲英代爾目標式管理是驅使不同工作團隊，同步分頭進行的最佳方法。

績效評鑑

除了與上司及同事的溝通之外，每位經理人也需要對屬下作績效評鑑，這是經理人員的天職，可是很少人深入思考這個問題。我們在「英代爾大學」就特別開了這門課程，教導經理人如何對部屬的表現作評估、如何主動輔導他們、以及如何適時給予部屬建議，讓他們的表現更爲傑出。

一般來說，要告訴部屬：「你的表現很好。」對所有經理人來說都相當容易。但要讓員工知道他們的表現不好，而且使員工心服口服，而不會產生防衛心態，就要困難許多。

我的經驗是應該提供部屬明確的範例，讓他們知道表現好不好的實際差異爲何。舉個例子：「你的演講讓許多人都聽不懂到底要表達什麼：約翰說他不十分明白你要他如何去做；金恩也問我，你的想法究竟如何。同樣的情形，讓我們看看麥克的作法。他用一張簡單的投影片，寫不到十個字，就讓所有人都了解他的意思。你應該也這麼做，甚至可以更好。」但如果我說：「你的演講糟透了，也許你並不善於表達。」可能就會刺激這位員工，作防禦性的辯解，這就是很不好的評鑑方式。

建設性的對立

很多企業經理人，可能疏忽「廣納眾議」的價值，讓企業在不知不覺中成了「一言堂」。事實上，「最佳的結論應該是爭議後的產物」，並且真理是愈辯愈明的。而部屬的辯論也不是在向主管的權威挑戰，這是管理者應有的胸襟。

有時候我們的討論可能太過直接，讓外界不知情的企管博士都感到震驚，曾經就有一位知名的企管顧問說：「我真無法想像，你們怎麼能這麼公開的直指自己公司的錯誤，這在別的公司是絕對不可能發生的事。」但在英代爾，這是我們學會管理的唯一方式。

這就是英代爾特別強調的：「建設性的對立」，我們在英代爾大學還設立了這門課程。重點是在爭議發生時，如何就事論事，而不牽涉到個人，甚至作人身攻擊。這種管理理念，讓英代爾有一種特別開放的企業文化，不會隱瞞問題，因此能在問題發生時，很快就能找出癥結所在，繼而迅速解決。我想沒有任何企業可以保證自己永遠不會碰上問題，只有鼓勵員工誠實面對，才可以確保企業能儘早發現問題，並徹底解決，這正是英代爾足以自豪的企業文化之一。

情境領導

英代爾開放型的企業文化，還有一大好處就是能夠保持學習熱忱，我們經常將最新的管理理念，率先導入我們的管理體系之內，再由內部衍發自我變革。像赫賽（Paul Hersey）博士著名的情境領導法（situational leadership），英代爾就是最早請教受益的公司。

早在一九七〇年代，我們就邀請赫賽到公司來主講情境領導法。還記得他特別將管理者表現出來的行爲，歸納爲「職責行爲」（task behavior）與「關係行爲」

（relationship behavior）兩種。前者是指由領導者指定一個人或團體的職責，他的行爲包括告訴人們做什麼事、如何做、何時做、何處做，以及由誰去做等等。而關係行爲的定義則是：領導者對跟隨者採取雙向或多向溝通，其行爲包括傾聽、鼓勵、輔助、澄清，以及社交情感上的支持。

赫賽認爲，由於情境隨時都在變化，管理者必須適時運用這兩種不同的行爲模式，才能作最有效的領導，這十分符合高科技產業多變的特質，因此很快就打動我們的心。他依這兩種行爲模式表現的程度，歸類出四種不同的領導風格：

風格一：高職責，低關係

風格二：高職責，高關係

風格三：低職責，高關係

風格四：低職責，低關係

並且播放一段影片來解釋何以不同情境要用不同的領導風格。影片中描寫一位新任指揮官，在戰爭中剛接管一組士氣低落的部隊。一開始，這位指揮官的作爲類似獨裁者，要求軍隊嚴格執行紀律，走出自艾自憐的低迷情緒，展開實際行動。這代表他在展現第一種領導風格，也就是重視職責，但很少關心個人情緒的領導方式。

然後，在軍隊成員漸漸重拾信心，而且也開始有自己的想法之後，他慢慢將自己轉

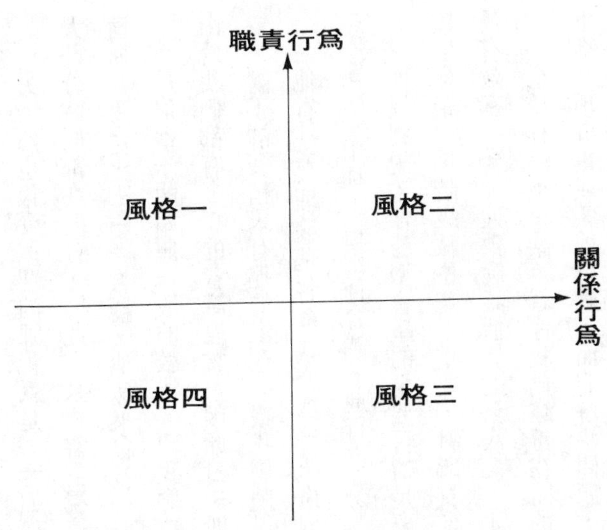

赫賽將管理者表現出來的行爲歸納爲「職責行爲」以及「關係行爲」兩種，進一步將情境領導分類爲四種領導風格。用這個座標圖來表示，四種風格的關係便很清楚明瞭。

換成較爲「參與」的角色，也就是開始採用第二與第三種管理風格。影片最後，由於軍隊平時已能自動順利運作，只需偶爾適時給予指導，因此他改用第四種領導方式，扮演幕後支持者的角色。

這門課程讓我們深受衝擊，因爲在公司成長過程中，我們經常感覺到情境在變，可是卻習慣於個人特定的領導模式，很少想到改變自己的風格讓管理更有效率。後來我們也根據這項理論，發展出英代爾自己的情境領導課程。

會議哲學

另一門也很受歡迎的課程就是：「如何有效的開會」，由於英代爾的經理人員每天大部分時間都在開會，因此大家相當重視這門會議的學問。還記得第一位請來的是丹尼爾斯（Bill Daniels）教授，他後來很長一段時間都擔任我們的顧問。

丹尼爾一開始照一般的教法，和我們這些高階主管談：「如何開有效的會議」。但由於我們都有多年的會議經驗，因此對一般性的內容並不感興趣。不過，他很能隨機應變，講了許多精采有趣的主意，讓我們聽得興趣盎然。

他有一套理論是將會議分爲「任務型」（mission meeting）與程序型（process meeting）兩種，這兩種會議的進行方式必須截然不同。

他提到說，任務型會議的主要目的是要集思廣益，或藉腦力激盪以解決問題。在這類型會議中，階級職位並不重要，對所有參與者都應一視同仁。爲使任務型會議進行得最有效率，參加人數應該低於七至八人，才能讓彼此意見充分溝通。

至於程序型會議，就像我們經常在開的部門會議、董事會等等，其目的是要報告或批准某項計畫或某種行動，而非解決問題，因此它的進行方式就與任務型完全不同。我想，只要澄清會議的性質，就可以幫助會議產生更大的效率。由於開會在英代爾公司實在非常頻繁，後來我們也就將「如何有效開會」，變成內部常設的管理課程。

在我們自設的「會議效率」課程中，我們針對任務型會議與程序型會議的不同特性，深入探討如何有效進行。我們也會要求在會議之前，就先公布會議議程與目的。同時也要注意參與者，是否都是恰當的人選。通常我們會在會議結束的前十分鐘，作成最後結論，也讓每個人知道自己的下一步行動該作什麼，這在英代爾公司稱爲「ＡＲ」（action required，應採取的行動）。

我個人的習慣作法是，在出席會議之前，不論身在何地，都先花五至二十分鐘準備。在會議結束後，我也會要求公布結論，讓每個人清楚了解自己該在何時以前，完成哪些行動事項。

在英代爾內部有個笑話曾經廣爲流傳，那就是由於我們重視會議之後的行動，所以經常在與別的公司開會時，也具體列出對方應做的事項，有時其他公司成員就會被我們的積極表現給嚇了一跳。許多離開英代爾的人員，也經常將這種「ＡＲ」文化帶到他們的新公司中。

高科技人才管理

除了設立「英代爾大學」以外，我們在管理上還有一大創舉，就是很早就注意到

「多重文化的整合」。

打從創業初期，英代爾就決定要發展成跨國企業，因此在一九七三年時，就在馬來西亞檳城設廠，後來也在以色列海法設立設計中心，並赴愛爾蘭設廠。而在全球各地設立的分公司，至今也有三十處。因此英代爾聖塔克拉總部有時就像是小型的聯合國，永遠有來自世界各地、不同文化背景的員工，在同一目標下爲它效命。

其中，中國人一向在英代爾的工程設計部門占有很高的比例，像蔡華泰是資深設計經理，周尚林是資深技術專家，都有相當優異的表現。另外，由於在檳城設廠，經常也可看到從檳城派來的中國工程師。至於以色列籍的工程師，則多半來自設在以色列的設計中心。

基本上英代爾對員工一視同仁，強調人人平等，不會因種族文化不同而有任何歧視。不過八二年一次大規模人才外流事件，卻意外促使公司重視不同文化的融合問題，因而使英代爾在管理體系內，建立起良好的多重文化整合制度。

當時正值八〇二八六設計完成，原本全公司氣氛應該是歡欣鼓舞的，沒想到卻有多位工程人員選擇默默的離開。人才是高科技公司經營的血脈，不論技術創新或管理理念，都要仰賴人才來推動，英代爾當然不能坐視不顧，依照「目標式管理」的作法，很快就採取行動，分析各種主客觀因素。

首先是外界的誘因實在太多了。這時矽谷發展已更具雛型，許多新公司繼英代爾之後創立，例如：Cypress、昇陽電腦、MIPS、蘋果電腦……等等。新公司如雨後春筍般的興起，提供無數更新、更具挑戰的工作機會；加上傳播媒體推波助瀾，挖角跳槽成了對個人工作能力的肯定，於是更讓許多年輕工程師選擇離去。

其次，英代爾內部在剛完成八〇二八六大型計畫後，許多人正處於過度狀態，還不清楚自己的下一步該做什麼，情感好像特別脆弱，就更難抗拒新公司的秋波頻送。

中西文化整合記

在更深入了解後，我們很驚訝地發現：在離職的工程師中，中國人占很高的比例。這對英代爾真不是個好消息，因爲大家都已認同，華裔工程師頭腦靈敏，是英代爾不應錯失的優異人才。

在一次私下的聚會裡，葛洛夫跟我說：「你們是同文同種，也許你可以幫忙解決這問題。」於是我和另幾位華裔經理人像王紀樑、馬光顯、劉曉明、雷民遠、陳志寬等，一起討論這個問題。我們決定分頭拜訪一些仍在職的華裔工程師，以及一些離職的人，以了解事情真象。

有些人告訴我們：「英代爾這種開放、直接、有時甚至允許衝突對立的企業文化，似乎和傳統中國文化大異其趣，因此很難適應。」也有些人反映：「我們會受到英語溝通能力的限制，結果賣力的工作卻未獲得應有的認同。」

我們開始腦力激盪，後來想起：爲何不舉辦一個小型研討會，來探討英代爾企業文化和中國文化之間的差異？並建議同仁們如何克服這種差異。爲了達到互動的效果，參加人數不能太多，大約二、三十人，而且邀請三位華裔經理現身說法，與大家分享在溝通問題與生涯規畫上的經驗。

一九八三年春天，我們在一家中國餐館試辦這種研討會。許多同仁在平日工作百忙之餘，特別爲此次課程貢獻他們的時間與精力。我也相當投入，花了許多時間準備資料，在研討會中提供我的建議。

起先由於是第一次主辦，大家都心存觀望，不知道會出現什麼情況。但過了二十分鐘，開始比較英代爾文化和中國文化的衝突時，全場氣氛立即活絡起來，你一言我一句的爭相發表意見：「喔，原來你也這樣，我以爲只有我是……」過去一直壓抑著的心情頓時獲得解放。

三位演講者都是第一次公開自己的工作經驗，有點像「個案研討」，將切身經歷與他人共享，現場也熱烈的討論許久。在最後的晚餐時間裡，大家已經像老朋友般的閒話家常，甚至互開玩笑。我簡直不敢相信這次的「文化實驗」會這麼成功！

學員們希望我們舉辦一些訓練課程，來協助他們提升英語表達與寫作技巧。也有人希望與我們保持這種互動關係，甚至成爲他們的「英代爾生涯導師」。我們將許多很不錯的主意集合起來，成立了「多重文化整合委員會」，在定期的聚會中舉辦形形色色的活動。這些都是我們在工作之外義務性的付出，但大家都樂此不疲。

一九八三年秋天，當聖誕氣氛逐漸轉濃之際，我們決定盛大慶祝農曆新年的來臨。一九八四年二月，我們第一次舉辦中國新年晚會，席開十桌，近百名英代爾員工自費出席了這項盛會，大家玩得不亦樂乎。包括葛洛夫、摩爾、維達斯等高級主管，也都親身與會。

另一方面我們也將活動的意義，由單純的幫助華裔員工適應英代爾文化，擴展至讓經理人也能了解他的華裔部屬。後來，我們也將「多重文化整合」的活動對象，擴充到日本人與以色列人等等。近十年來，這項計畫已嘉惠四千名以上的英代爾員工。

而我也很高興發現，類似一九八二年的大規模人才外流現象，從此在英代爾沒有再發生。

Inside Intel

第 六 章

第一次轉型成功

這是英代爾的三位創辦人：從左至右為諾宜斯、葛洛夫及摩爾。每組照片中，上方為一九六八年剛創辦公司時攝，下方則為十五年後（一九八四年）拍攝的照片。

英代爾正式對外宣告退出DRAM市場！在拖延數年之久後，英代爾終於作出策略性轉型的正確決定。這次經驗也讓我充分體會：「面對現實」是企業進行策略性轉型的先決條件。

一九八四，曾經是被預言家奧威爾（George Orwell, 1903-1950）所咀咒的一年，也是英代爾公司發展上的重要轉捩點。

自一九六八年成立，先後成功發展出記憶體與微處理器產品，至八三年締造一一．二億美元的營業額，英代爾可說是順利的走過第一階段。八三年間，英代爾每股股價達一二．三美元，和七一年上市時每股〇．三美元相比，在短短十二年內增加了四十倍，這是經營成功的最佳證明。

與此同時，英代爾的管理成績同樣也獲得外界認同。八四年五月間，一本名爲《美國一百家最值得投入的公司》的書（*The 100 Best Companies to Work for in America*），就將英代爾列名其中。同年十月的財經雜誌上，英代爾也入選爲最能創新科技的八家公司之一。

可是就在我們首度攀上營業高峯之際，外界環境卻起了變化，無論是記憶體或微處理器業務，英代爾都面臨前所未有的挑戰。後來回想起來，這一年我們好像站在波浪頂端，除非順勢前進，否則一不小心就要被海水吞沒了。

首先是記憶體方面，日本廠商自七○年代末期開始入侵這個市場，並且挾著政府投資、財團支持的優勢，迅速擴充產能。八四年間我們已感受到潛在威脅，果然八五年後日本公司由於產能過剩，只好發起降價促銷，使記憶體的市場價格迅速滑落。

最初是EPROM價位直線下降。我們發現，日本公司幾乎是以不到成本一半的賣價在作傾銷；後來美國政府也發起一項調查，發現日本公司同樣也以低於成本的價位，在美國境內銷售DRAM。這很明顯違反了美國貿易法案，於是英代爾與多家半導體公司聯手向美國政府遊說，要求以三○一報復法案制裁日本傾銷行爲；並且在八六年推動制定著名的美日半導體貿易協定，對往後全球半導體工業發展有莫大的影響。

策略失調

雖然美國半導體公司表現難見的團結，援法令以規範日本的商業惡性競爭；可是已經於事無補，大部分客戶已被日本搶走。英代爾原本是記憶體技術的先鋒，七○年代初期，英代爾幾乎享有九○%的市場占有率；後來因爲另一家美國公司Mostek介入，英代爾在中期市場比例降至約四成，不過由於整體市場成長，我們的營業額還算不錯。但進入八〇年代，日本公司大手筆的削價競爭，卻使英代爾占有率很快降至二成以下，甚至更低……

八四年底，記憶體占英代爾公司營業額的比例，已幾乎不到二〇%。這讓仰賴記憶體起家的我們，在情緒上很難接受這個事實。由於DRAM是英代爾發明的，公司內部簡直將它視同「骨肉」，很難割捨。因此我們在幾次內部會議時，都爲記憶體業務該何去何從，展開激烈辯論。

剛開始大家仍將記憶體視爲公司生存的主要命脈，支持繼續投資作研究發展，同時也大手筆擴充工廠產能，希望力挽狂瀾，奮力一搏。可是由於公司資源有限，將大部分資源投入記憶體以後，在微處理器發展上的投資就變得微不足道。

這形成一個有趣的現象：幾乎公司四〇%的營業額與百分之百的利潤，都來自微處理器，但八〇%以上的研發費用卻花在記憶體上。我將這現象稱爲：「策略失調」（strategic dissonance），代表經營策略與投資重心都與現實脫節，主要原因是我們自己的認知失調，這時我們已經是以微處理器爲主的公司，可是在認知上，卻無法擺脫記憶體市場老大的自我期許，因此即使記憶體業務已嚴重虧損，我們還是無法壯士斷腕，完全捨棄。

葛洛夫察覺情形不妙，幾次提出是否該結束記憶體業務這個問題。可是管理階層心裡有莫大的壓力。要英代爾被迫將自己全力打下的江山讓賢，真是難嚥這一口怨氣。八○年代上半，英代爾就在該不該砍掉記憶體業務之間掙扎，陷入經營危機。

微處理器大勢所趨

不過儘管大家議論紛紛，莫衷一是，我心裡其實早有明確的答案。從一九七五年起，我就對微處理器深感興趣，以記憶體和微處理器相比，前者有天生的限制，只能記憶儲存資料，因此應用較爲有限，它的未來發展只是容量增加，速度更快；而微處理器則包羅萬象，可以寫入各種資訊，其應用是無止境的，未來發展更是無法想像。因而我深信：微處理器可以讓英代爾走出更寬廣的路！

我也相信：人生是無止境的奮鬥，就如同商場上永不止息的競爭。於是在品管作業已上軌道之後，我希望能回到最前線上，爲英代爾的微處理器事業衝鋒陷陣！

一九八四年年初，我走進葛洛夫的辦公室，開門見山的說：「我希望能進微處理器事業部。」葛洛夫並不覺得驚訝，他知道我是閒不下來的人，在擔任品管部門總監三年多的時間裡，我已經訓練出許多能獨當一面的品管尖兵，英代爾也重新奪回品質第一的寶座，現在是我另闢疆土的時刻。

葛洛夫欣然接受我的提議，他希望我與當時的微處理器事業部總經理豪斯好好談一談。

由於微處理器業務千頭萬緒，豪斯此時正恨不得自己是八爪章魚，好應付形形色色的各項事務。也因爲微處理器業務的涵蓋層面實在太廣，光是應付眼前的各種狀況，就已令他分身乏術，更無法奢望作長期規畫。因此他認爲，如果我能當他的資深幕僚，負責產品策略分析，無疑是助他一臂之力。

雖然以前我從未擔任過幕僚性質的角色，但這次機會讓我可以馬上躋身進入微處理器產品與業務的核心，我就毫不猶豫地接受了，這對我來說又是一次全新的挑戰。從一九六七年我進入快捷，十七年來我已作過研究發展、製程設計、品質管理等各項工作，也曾自創微電腦公司，累積市場行銷經驗，因此我有相當把握可以勝任。

二次大戰期間，英國前首相邱吉爾奉命統率盟軍出戰德軍之前曾經說過：「我這一生都在爲此刻作準備。」我想，此刻我也爲微處理器作好了準備！

共創百年大計

八四年四月，我正式加入微處理器事業部，首要之務，就是得了解豪斯的行事風格，以及他對微處理器業務的想法。豪斯自一九七四年加入英代爾，他的辦公室與我只有數門之隔，可是過去我們並不熟稔。他建議我們用晚餐時邊吃邊談，並且希望我這識途老馬帶他去嘗嘗中國佳餚。

我選擇了一處安靜的中國餐廳，讓我們可以靜下心來討論公事。這也是我和豪斯認識多年來，第一次單獨面對面的深談。豪斯告訴我，他畢業於密西根州立大學電機工程學系，本來在南加州一家迷你電腦公司設計新的中央處理單元。後來看到英代爾率先推出八〇〇八微處理器，覺得自己的差事似乎變得可有可無。「所以，有一天當吉貝克跟我說，你何不加入英代爾？我毫不猶豫就答應了。」豪斯笑笑說，「就這樣，我成了英代爾負責記憶體和微處理器設計應用的經理。」

雖然豪斯說得輕描淡寫，其實他在行銷方面很有兩把刷子。他花許多時間與客戶溝通，因此很能掌握市場動向；而且他一手建立應用工程師的制度，訓練多位傑出的銷售人才，可以說是「強將手下無弱兵」。他在戴維得麾下受益良多，很快就成爲世界級的行銷高手。產品定位與行銷策略就是他的拿手好戲。他同時還擅長演說，是英代爾有史以來最好的演講人才之一。

豪斯在一九八二年升任發展系統部門總經理，八三年很快又獲擢升爲微處理器事業部總經理，可以說是竄升最快的紅人，前途一片光明。他看起來年輕有爲，英俊瀟灑，尤其特別的是他很講究穿著，有幾分明星架勢，不認識的人在外面看到他，可能會誤以爲他是有名的公子哥兒。

他還有一大本事，就是永遠都從從容容，很少緊張失控。有時我們一起出差，他總是在飛機起飛三分鐘前才出現在機場，儘管旁人爲他捏把冷汗，他還是一派悠閒名士作風。後來我們逐漸熟識，我才體會到他非常自律，而且很有定力，顯然他的成功不是偶然的。

在正式上菜之前，我們已迫不及待談起英代爾的微處理器業務。豪斯雄心萬丈的描繪他的遠景：「我要將英代爾的微處理器事業，發展成萬世興盛的王朝，一代接一代的微處理器將成爲市場標準，而我們無疑也將是產業的領導人。」這真是英雄所見略同。

由於幾年前我自己做微電腦生意，和英代爾打過交道，有機會以局外人身分來看這家公司，因此可說是旁觀者清。在我看來，英代爾有很強的技術背景，銷售能力與推廣應用也是一流，這些都遠非其他公司可以比美，「致勝」計畫一鳴驚人就是最佳例證。

然而，英代爾微處理器業務這時面臨嚴重的威脅。一九八四年一月，蘋果電腦推出新一代的麥金塔電腦，率先採用圖形介面的軟體觀念，也就是用戶可以用滑鼠和游標選圖形來玩電腦，創造個人電腦易學易用的新典範，市場反應相當熱烈。

圖形介面的觀念，原本是全錄研究中心的產物，誰知蘋果電腦捷足先登，在市場上商品化成功，使麥金塔的銷售熱潮從一開始就居高不下。由於這型電腦採用摩托羅拉六八〇〇〇處理器，因而讓摩托羅拉也沾光不少，同時他們還領先我們推出三十二位元架構，讓我們相形之下有些見絀。

另一方面，英代爾在八二年推出二八六微處理器，對內仍有許多量產問題有待解決；對外則要加強行銷推廣，與我們的「第二貨源」——也就是超微半導體與NEC等公司又互相競爭，因此該做的事情還真不少。同時由於公司未將經營重心放在微處理器領域裡，這時在管理上也是問題重重。

首先我發現，英代爾微處理器產品線應用太廣，也就是必須符合太多不同市場的需求，例如作嵌入式控制器或其他應用等等，這使產品發展無法傾全力專注於微電腦領域，偏偏這時正是個人電腦興起的時刻，而這正是最誘人的市場大餅。

微處理器事業部另外兩個重點，是系統與軟體。可是，從英代爾的開發系統與其他CP／M電腦都不相容，就可以想見公司策略並不太重視這兩個問題。

分工方可合作

就著餐廳裡昏黃的燈光，我們很快描繪出未來發展的藍圖，而且作好二人之間的分工：因應眼前的業務危機，豪斯必須將大部份精神放在解決目前的難題上，也就是為「生存」（survive）而奮鬥，每天得和IBM這類的超級客戶週旋，以成為他們優秀的供應商；而我的職責則是爲「長存」（thrive）而努力，負責作長期策略規畫，以確保我們的微處理器事業能永續經營。

在往後七年裡，這樣的分工運作得宜，雖然我的職稱由特別助理一路升到總經理，但和豪斯配合可說是七年如一日，於公於私我們都是最佳搭檔，而我對微處理器事業的參與程度也日漸加重。

顯然這是一頓豐盛的晚餐，而這家對我們而言具有歷史意義的中國餐館，位於卡布提諾，隨後雖然改爲供應加州食品的餐廳，我和豪斯仍經常光顧，即使它離蘋果電腦總部其實很近！

推動組織轉型

人生際遇有時相當微妙，短短一餐飯的光景，卻決定了我往後十年與微處理器密不可分的命運。我成了第一位在英代爾推動微處理器策略的人，或者也可說是幕後的主導者，並且積極推動微處理器部門的組織轉型。從公司的立場來看，我們在這個晚上的討論，也是往後微處理器事業發展重要的里程碑。

基於過去的管理經驗，我眼前第一要務就是組織精兵，以推動我的策略計畫。我在每一部門先設定一個人選，專門負責產品計畫，他們具有雙重身分，在向部門經理報告的同時，也要就策略性議題向我負責。

由於人力資源需要各部門的支援，我主動與各部門經理溝通，以獲得充分的配合。這時候我的幕僚角色，在英代爾還是史無前例，因此初期免不了在溝通上必須多花心思。在此過程中，我也得以了解各部門經理的想法與業務現況。記得母親在小時候，經常告訴我：「一定要先靜下心來聽聽別人所說的話，才能真正了解別人的想法。」這時可是派上用場了。

費了一番工夫了解各部門現況後，結果發現真的有許多問題。當時英代爾的微電腦事業部包括四個部門：高性能、高整合、發展系統與周邊。其中「發展系統」部位於聖塔克拉與波特蘭兩地，由於外界的個人電腦售價日益低廉，許多人買來作爲運算與軟硬體發展之用，因此過去以銷售藍箱子爲主的開發系統部，正逐漸縮減規模。

至於「周邊」部門的業務，原本是爲搭配處理器功能，以開發製造它旁邊輔助的晶片。這原本是英代爾生意的重頭戲之一，客戶通常在買處理器時，也會買周邊晶片；就好像買了手電筒會順便買電池，不僅馬上可以使用，而且不必擔心規格不合。

不幸的是，由於我們與超微半導體公司協議在先，超微將負責爲兩家公司開發周邊晶片，以交換處理器的技術授權，因此英代爾幾乎沒花多少精力在這個地方。偏偏超微在開發晶片上幾乎交了白卷，讓英代爾也遭池魚之殃，幾乎沒有新產品可以賣，平白辜負了大片市場。

這時候，也正當「特殊應用積體電路」（ASIC, application specific integrated circuit）開始在市場走紅之際，由於它能針對客戶需求提供特殊設計，且開發速度很快，讓許多電腦公司與半導體公司都頗爲心動，英代爾在這方面的生意因而更是一落千丈。

「高整合」部門的目的，顧名思義是以各種不同方法，爲微處理器增添額外功能，好爲客戶生產高度整合、低成本、也更簡化的產品。當時主要是爲八〇一八六處理器增加多種用途。事實上一八六本身，就是以八〇八六加上幾顆周邊晶片高度整合而成的。

遺憾的是，一八六晶片上面的中斷控制器，和一般IBM個人電腦內所使用的並不相同，這導致以一八六發展成的電腦無法適用IBM個人電腦的軟體。這真是個要命的錯誤！

個人電腦的基本概念之一，就是所有的電腦不論製造品牌，都可使用相同軟體。就好像人們買了錄影機，不管那種品牌，都可以拿來錄、放各種錄影帶。這會帶給用戶很大方便，可能由於早期大型電腦都是專屬系統，因此當時許多人還很難接受這個道理。

事實上，早期個人電腦多數都不是百分之百相容。許多電腦打著九九%相容的幌子，問題是一%的不相容已足以導致許多軟體不能適用，結果自然不能獲得用戶青睞。迪吉多、王安與Tandy這些知名公司都犯過這個致命的錯誤，只有康百克電腦一開始就強調百分之百相容，這也是它可以很快在市場上暢銷的原因之一。

八四年間，英代爾內部對完全相容的重要性，也還在半領悟的邊緣。但是由於我先前曾有銷售系統的經驗，而且花了許多工夫教育用戶如何使用電腦，因此早已絕對相信要完全相容。從過去的實務經驗裡，我了解到任何一點點不相容都會帶來嚴重麻煩。所以這時我已打從心裡質疑：既然一八六在電腦市場上並不相容，英代爾又何必浪費這麼多資源在它的整合上？

下錯賭注

最後剩下一個「高性能」部門，它應該是在微處理器事業中分量最重的，不過它連名稱都不甚正確，還有待「正名」。這個部門負責所有重要的處理器，但性能是高是低則值得商榷，這時已上市的產品有：八〇八〇、八〇八六、八〇八八以及二年前推出的二八六，後者在量產時還有些技術細節有待克服。此外，這個部門也擔負著開發三八六的重責大任，要爲英代爾發展最新的三十二位元架構。這其中又有一段多年往事。

除了一年半前在聖塔克拉開始設計三十二位元三八六以外，高性能部門的部分人力很早就開始開發另一種三十二位元架構：四三二處理器。四三二原先的計畫是要開發一種非常先進的產品，早在一九七五年時，就有人認爲八〇八〇架構並不適宜作大量運算，因此鼓吹發展這種新架構。

四三二產品計畫本來稱爲「未來系統」，在英代爾內部一直是贊成與反對的人都有，而且雙方壁壘分明，有些人認爲應該開發新架構，另一些人則堅持應延續八〇八〇架構繼續發展，兩種意見僵持不下。

摩爾後來召開會議，以決定四三二未來的前途。兩邊人馬都說得頭頭是道，各有各的道理。基於對創新技術的熱衷，摩爾最後作出決定：「以產品本身來看，四三二是值得投資的好架構，這個計畫仍應繼續進行。」四三二計畫由雷汀（Bill Lattin）主導，他在七七年將計畫移往波特蘭進行。

一九八一年，英代爾正式推出四三二，可是這項產品不但性能很糟，而且毫無軟體可用。四三二就像「大雜燴」，身上背負許多人對新架構的期望，但結果反而不如預期。

而當IBM在八二年間以八〇八八開發出第一台IBMPC之後，產業界將注意力全放在八〇八八與八〇八六上，使四三二成爲不太有人理會的孤兒。後來IBM再接再勵採用十六位元二八六架構，全世界已經明顯地以「X八六」（X代表二、三、四或更高的數字）架構為重心，更等於宣判了四三二的死刑。

這時候摩托羅拉已經搶先推出三十二位元處理器：六八〇〇〇，而且在市場上積極造勢，很有力爭上游的骨氣。英代爾的四三二無法與之匹敵，顯示我們多年來在新架構的賭注上押錯了寶。豪斯認爲事態嚴重，已經到了非下猛藥不能治重病的地步，我還記得他強調說：「英代爾必須立即推出新的三十二位元處理器，以爲因應。」

四三二還是三八六

我們對這個三十二位元架構的要求非常清楚：必須與十六位元八〇八六及二八六完全相容，使過去的軟體仍可適用；同時也必須是世界水準的三十二位元架構；還要儘快完成以抵禦競爭對手的侵略。這可真是高標準！

曾經獲得「英代爾技術大師」（Intel Fellow，爲英代爾內部針對技術人才頒發的一種榮譽頭銜，地位相當於副總裁）的柯勞福（John Crawford），負責爲三八六催生；而希爾延續過去設計二八六的經驗，則是實際設計小組的領導人。因此當我要了解「高性能」部門時，就面臨這樣的形勢：三八六的設計在聖塔克拉正昏天暗地的忙著；而四三二小組在較北的波特蘭，雖然氣勢已如江河日下，可是也還不放棄，希望發展更新一代產品。更糟糕的是，南北兩邊人馬箭拔弩張，彼此暗地較勁，毫無合作的意願。

我向兩邊的設計者都問同樣的問題：「誰能告訴我，究竟哪一邊的產品性能會較強？」沒有人有辦法用數據給我答案，我很快發現雙方毫無任何溝通基礎。更嚴重的是：兩邊的產品其實都面臨同樣的問題：即缺乏三十二位元應用軟體，可能就算產品出來了，也不見得會受用戶青睞。

除了缺乏三十二位元軟體，以及二八六量產的技術問題外，微處理器現有業務中，八〇八〇也因爲NEC拷貝英代爾的設計，推出他們的八〇八〇版本，導致我們市場占有率日益滑落。加上超微、西門子等多家公司都靠技術授權來分一杯羹，英代爾等於養大了一羣徒子徒孫，結果卻來和自己競爭。

整體而言，在我對微處理器業務略作了解之後，發現問題遠比我想像中複雜得多！

大刀闊斧

在對全盤局勢稍有認識之後，我決定立即採取行動，設定策略以實現我和豪斯的共同理想：逐步建立英代爾處理器的未來霸業。我釐清方向，首先就從最不切實際的「發展系統」開刀。

英代爾專屬的發展系統，基本上已悖離全球朝向開放式發展的趨勢，毫無理由繼續走下去。我決定立即回頭是岸，要求發展系統部門回到原來的出發點：開發各種軟硬體工具，以協助客戶儘快設計出英代爾架構的電腦爲目標，不要再開發專屬系統。

我明白地告訴豪斯：「英代爾銷售開發系統的業務，遲早會讓外界的個人電腦完全取代，我們應該儘快改採業界公開的標準，以發展各種開發工具，對微處理器的銷售才最有助益。」不過這似乎很難說服他，豪斯面有難色的回答說：「這幾年來，公司獲利最大的就是這個部門。」事實上，豪斯先前正擔任這個部門的總經理，對發展系統部門的表現還相當滿意。

於是豪斯仍決定要求發展系統部門，嘗試開發更低成本的電腦，以維持競爭力，可惜最後仍是回天乏術。我們在八六年終於將它併入波特蘭廠，並重新定位爲發展各種工具。這樣的改變雖然痛苦，可是卻已不得不然，決策者是絕不能讓情感超乎理智的。

第二步，我全力整頓周邊晶片業務。由於在設計微電腦時，周邊晶片也是關鍵要素，其中含有許多重要的系統架構，我認爲英代爾在此領域應該全力以赴。此一決策倒沒有遭遇任何阻力，我們將此部門遷到佛桑市，任命一位新的經理歐提里尼（Paul Otellini）積極著手進行。

歐提里尼是義大利裔，出生於舊金山，一九七四年加入英代爾，原本是財務人員，自一九八二年開始接手ＩＢＭ這個大客戶，慢慢也轉型到市場行銷上。他做事很有魄力，反應靈敏，見解深入，深具潛力，完全具備英代爾高階主管的人格特質。

他對周邊晶片的看法與我相同，他也明瞭英代爾不應該再仰仗超微供應周邊晶片，我們應該馬上開發自己的新產品。

在「高整合」這部分，我認爲一八六極適宜作爲嵌入式控制器，即整合在其他產品中，以產生微電腦控制的功能。我重新爲它定位在這個方向，市場反應非常成功。可是與此同時，我卻發現：其實英代爾應該以生意爲出發點，來定義這個部門。「高整合」的名稱代表以工程技術爲訴求的傳統想法，我們應該以它所創造的價值來衡量，而非以過程如何爲思考方向。一味執著於如何整合，只會使英代爾落入錯失商機、成本大增的陷阱中。

最後我的組織整頓計畫，還剩下最重要的「高性能」部門，其中的X八六架構是我們未來發展的重心。於是決定：就先由二八六開始吧！

撵不走的蜜蜂

IBM的二八六個人電腦推出之後，很快受到用戶歡迎，但我們的心情真是一則以喜、一則以憂。英代爾二八六處理器當然可望因此而開拓市場，但與此同時，我們也面臨大量交貨的壓力，才能滿足市場需求。可是製程技術的困難度，遠高於我們所能想像。英代爾必須儘快解決，否則就等於坐視白花花的鈔票付諸流水。

我極力向豪斯推薦調回柯耐特（J. C. Cornet），組成特別小組以解決這項難題。柯耐特原先就是八〇八六設計小組的負責人，後來轉往波特蘭主導四三二計畫，一度還回到他的祖國法國，爲英代爾成立新的設計中心。

柯耐特在技術方面很有天分，而且做事絕對貫徹到底，從不半途而廢，我相信他很快就能溯本清源解決問題。果然在他接下這個燙手山芋半年之內，所有難題一一迎刃而解。

隨著IBM二八六電腦上市之後，許多電腦公司緊跟著推出相容電腦，而且都頗受好評。其中康百克強調推出更「精巧」（compact）的二八六電腦，作爲創業第一砲，由於圖形能力更強，外觀也更討好，很快就受到矚目，後來的相容電腦也因此經常都強調精巧的特性。

英代爾的二八六處理器拜相容電腦暢銷之所賜，也成爲市場搶手貨，爲我們帶來很好的業績。柯耐特更因爲表現優異，很快就升任高性能部門的負責人。

不過，二八六市場熱賣也引來許多半導體公司虎視眈眈，希望取得英代爾的技術授權，以成爲二八六的「第二貨源」（second source）。「第二貨源」的觀念，來自我們與IBM在合作初期的協議，IBM希望除了英代爾公司以外，還能有別家公司作爲第二貨源，以免微處理器供應中輟。

八二年二月間，超微半導體以開發周邊晶片，與英代爾達成相互「交叉授權」，因而成爲二八六的第一家「第二貨源」，授權有效期限爲十年。西門子由於掌握英代爾在歐洲的經銷網，而且雙方密切合作開發四三二，因此也擁有二八六的技術授權。隨後另一家半導體公司哈瑞斯（Harris），也藉著爲二八六開發「互補金屬氧化半導體」（CMOS, complementary metal oxide semiconductor）版本爲籌碼，要求交換英代爾的技術授權。

最令人難受的是富士通公司，它們居然以要在日本市場銷售爲由，要求英代爾不僅提供幾乎是免費的技術授權，還要負責工程支援等問題。富士通的態度，好像一切都是理所當然的，完全沒想到自己的要求是否合理。我告訴同仁說：「這些公司的想法真是無法理喻。怎麼會以爲由於自己也在這個產業裡，就可以理直氣壯的要求免費授權？」如果大家都等著「白吃的午餐」，還有誰願意投下巨資開發商品？

我心裡很不高興，因爲只有實際參與開發過程，才能體會其中工程有多艱鉅，簡直可以媲美建造萬里長城。當初爲確保八〇二八六能與八〇八六完全相容，又要提昇性能，設計人員曾經分批二十四小時輪班趕工，簡直就是水深火熱的煎熬。

有些業界人士反映說：「這是因爲半導體產品常會出現缺貨現象，所以應該有第二貨源。」這也是似是而非的論調。如果我們仔細去想：微控制器經常就只有單一貨源；

通訊晶片或繪圖晶片也是獨家供應；軟體更是多半都來自一家公司，像ＤＯＳ屬於微軟，「一二三」屬於蓮花公司。第二貨源是爲解決出貨問題的說法，顯然很難自圓其說。

我個性雖然不是極爲固執，但對這件事態度卻相當堅持。於是我轉告哈瑞斯、富士通與西門子等公司，「如果你們希望獲得英代爾二八六的技術授權，就請付出合理的權利金，否則一切都是空談。」這幾家公司最後都同意了。

為三八六催生

我在高性能微處理器部門的第二大隱憂是三八六的開發計畫。負責架構的柯勞福和組員們，很快就激發出很不錯的構想：在三八六晶片內設有三種不同的模式，原來的八〇八六模式可以跑十六位元軟體，二八六模式則可以適用針對記憶體管理特性而寫的軟體，最後再增加一種三八六最新模式，讓晶片具有最先進的運算功能，就可達到世界級水準的要求。

柯勞福原本是寫解譯程式（interpreter，一種將資料轉化成電腦能閱讀的語言的程式）的作者，不過在技術上的天賦也不容埋沒，從英代爾三八六架構開始，到四八六、Pentium以及最新的Ｐ七架構，都是他立下的汗馬功勞。他還有極難得的過人之處，就是溫文有禮，天生的紳士風範。所有與他合作過的人，都會豎起大姆指稱讚。

另一方面，新的三十二位元模式也要有軟體配合，才能展現特有的威力，否則很難吸引用戶接受新架構。這時候，UNIX作業系統已經在市場上嶄露頭角，強調多工作業特性，頗受歡迎。我在八〇年代初期甚至也想自己開發UNIX電腦，可見得UNIX這時多麼盛行。由於摩托羅拉六八〇〇〇已搶先一步，讓UNIX移植成功，我認爲英代爾三八六也要儘快適用UNIX，才能在UNIX市場居領先地位。

我找來渥特（Richard Wirt）負責規畫三十二位元模式的軟體，尤其是要使三八六也能適用UNIX。渥特認爲：「英代爾也應該開發一批三八六電腦，提供給程式設計師以開發軟體。」與此同時，雖然理論上微軟的DOS作業系統可以自然的適用在三八六電腦上，但我仍希望渥特這一組人主動與微軟公司配合，以確保DOS可以在三八六上運用自如。

由於DOS其實是十六位元的作業系統，因此渥特建議說：「我們應該找幾家電腦公司，爲DOS開發附加功能，才能表現三八六的三十二位元記憶體位址能力。」他原本是學數學的，和柯勞福一樣是一流的技術人才，也是極容易共事的人。九〇年間，我也提名他爲「英代爾技術大師」，往後所有的軟體問題都由他操刀解決，目前他仍是英代爾內部所有解譯程式、作業系統與軟體領域的靈魂人物。

解決了軟體的難題之後，我更深入思考三八六計畫往後的發展。我覺得英代爾已不能再像以往的作法，只將三八六視爲一顆新的微處理器，而應該將它定位爲新一代的個人電腦架構，全力推廣。「我們應該在產品推出之前，就做好全盤規畫。不僅要想到技術細節，像周邊晶片、軟體的配合等等，還要思索如何定位，如何贏得設計階段的勝利，以及行銷推廣等等。」在一次會議中我如此強調。

我提出一項英代爾過去從未作過的嘗試，即設定一位「專案經理」以統籌與三八六相關的大小問題。這位專案經理必須協調各個相關人員配合策略運作，而且還要控制進度。這個想法獲得大家的認同。而原本擔任應用工程經理的白克哈特（Bruce Burkehart），由於具有技術背景，且熟悉應用與客戶需求，因而成爲英代爾第一位專案經理。

白克哈特有時扮演的角色，就像是英代爾的主要客戶，他經常說：「你們這裡出了問題，要怎麼解決？」爲了確保三八六策略正確無誤，有時候他乾脆站在客戶的立場，提出各種意見，當然他也要負責解決這些問題，最後才能讓客戶有滿意的解答。由於運作相當成功，自此以後，英代爾便經常採用這種「專案管理」的觀念。

技術挑戰

回到晶片本身。由於時間上的壓力，三八六開發過程必須儘可能縮短。我想到利用電腦輔助設計工具，以加速晶片設計過程。這時候，英代爾已成立電腦輔助設計小組，但用在微處理器設計上還需要一些創新的方法。

剛好原本在貝爾實驗室工作的魏素（Manfred Wiezel）這時加入英代爾。他開發出一套最頂尖的電腦輔助設計工具，讓最繁瑣的部分可以完全由電腦代勞。「我很高興可以趕上三八六的設計。」他說的這番話，讓我吃了定心丸。魏素非常擅長發展電腦輔助設計工具，目前他是P六設計小組中的一員大將。

三八六的設計，在技術上面臨雙重考驗。首先是匯流排的複雜度太高。匯流排是微處理器與外部溝通的介面，不容有絲毫差錯。原先爲了配合四三二，三八六也採用了四三二「先進」的匯流排架構，因而非常複雜。現在四三二在市場上失利，英代爾沒有理由再繼續採用這種匯流排架構。

由於豪斯對三八六設下的條件之一，就是要儘快開發上市。因此工作小組提議將匯流排改成較簡單的模式，類似二八六匯流排。這其實相當合情合理，不過四三二小組成員可能礙於面子問題，始終堅持不應放棄較先進的架構。有些時候，情緒經常成爲阻礙成功的絆腳石。英代爾內部爲此事展開多次辯論，結果總是不歡而散。不過，最後三八六改變匯流排架構終於成爲定局。

三八六技術的第二項挑戰是，晶片上加入第一層快取記憶體。早期快取記憶體都是用在大型電腦上，以儲存最近所使用的資料與指令，讓處理器可以就近取得所需資料，因此可以加快處理速度。有一天，一位同仁首度提出將這觀念應用在微處理器上，大家無不興奮的說：「這真是革命性的創舉，微處理器速度可以大幅提昇，三八六的性能將因此躍升一大步。」

魚與熊掌

不過，現實存在著難題。加入快取記憶體的設計，不但使三八六晶片體積變大，而且開發進度也必須往後延。這真令人坐立難安。我既不願放棄這次大幅提升性能的機會，也不願見到晶片設計進度落後。

我的幾位部屬極力主張英代爾必須捨得割愛，以設計進度和晶片大小爲優先考慮。我們再度在會議中將正反兩面意見都檢討清楚，由於晶圓若太大會使成本增高，且量產時成品數量也會同時減少。我不得不痛下決定：拿掉快取記憶體的設計。

這時專案經理白克哈特突然接口說：「爲何不另外生產一顆單獨的『快取晶片』，以配合三八六的運作，即可提升它的性能？」專案經理是最熟悉整個產品計畫的人，他以客觀立場提出這個建議，簡直是再好不過了。這也使大家原本低迷失望的氣氛，很快因爲創新想法的出現又熱絡起來，整個過程真頗爲戲劇化。

我原本也正爲周邊部門該開發那些新產品而發愁，外接式的快取記憶體正好可以讓他們一展身手。白克哈特隨後即調往周邊部門，接手快取晶片的開發計畫。後來，快取晶片成爲三八六時代最搶手的新產品。

突破了這兩大瓶頸以後，還有浮點（floating point）運算問題不能忽略。早期英代爾每一代的微處理器都配有專門的運算輔助器，以加強浮點運算功能。例如：八〇八六配備八〇八七、八〇二八六配備八〇二八七。習慣作法是在處理器旁邊空出一個插槽，可以在裝配電腦時插上輔助器，或是讓用戶自行安裝。

由於三八六初期仰仗四三二計畫以進入三十二位元市場，因此這個小組並未打算開發自己特有的運算輔助器。但在與四三二計畫分道揚鑣之後，就必須重新考量。而我認爲時間壓力與現有人力資源，都不容我們重新再開發新的輔助器，於是決定以四三二的浮點單元再作修改，以求與八〇八七及八〇二八七相容。這就是三八七的由來。

三八七除了搭配三八六的性能，市場反應也非常成功之外，對英代爾更有特殊意義，因爲這是四三二計畫第一次商品化成功的具體範例。許多人原本對四三二計畫不太看好，甚至有些提心吊膽，在多年投資之後我們總算見到第一次成果。

三八六提前誕生

三八六在設計過程中，還有另一項突破性的作法。由於三八六晶片上容納了二七五，○○○顆電晶體，測試過程變得非常複雜，於是我們想到如果在晶片設計時加入一些特性，就會較容易作測試。

事實上，我一直認爲測試方式會直接影響產品品質，於是一九八三年我還在品管部門時，就特別指定一些人作這方面的研究。其中有位年輕人叫季爾辛格（Pat Gelsinger），當時只有十七歲，才剛從高中畢業，就加入英代爾在品管部門擔任技工，非常聰明好學，我們曾經多次討論在晶片上建立測試特性的可行性。

季爾辛格花了一年多的時間，證明這個新想法可以付諸實踐。於是我建議他說：「你何不加入三八六設計小組，直接將測試觀念加入晶片的設計內？」於是他就進了三八六設計小組。

他是勤學苦幹型的人，一天工作二十四小時也不會喊累。在英代爾工作已十分繁重的情形下，還能抽出時間繼續求學，先後拿到聖塔克拉學士與史丹福碩士學位，這種進取心讓許多同仁打從心裡佩服。一九八四年間，季爾辛格就已經展現相當的潛力，往後英代爾微處理器的發展更少不了他的貢獻。

至八五年初，我對三八六開發計畫已經釐清頭緒，所有步驟循序漸進，不再像初期一片混亂，看來很快就可以達到豪斯「又好又快」的要求。果然，出乎所有人意料之外，在八五年七月四日美國國慶之後，三八六設計就宣告完成，比預定進度更提早兩個月。

這其實也是拜國慶假期之所賜，由於其他部門都放假，使電腦可以完全空出來作三八六設計之用。當然工作小組辛勤趕工，同樣也是功不可沒。爲了讓三八六儘早問世，許多同仁在五至七月這兩個月內，幾乎都沒好好睡上一覺。我們在架構上所作的明快決策，例如改用較簡單的匯流排架構、將快取晶片獨立出來，和以電腦輔助設計省下不少人力，也是使三八六進度超前的主要原因。

由於我們迫不及待的想親眼目睹這歷史性產品的誕生，幾位研究人員將生產線第一批出爐的晶片，親自開車護送回實驗室作測試，當時興奮的心情已超乎言語所能形容。稍後當我們以微軟的飛行模擬軟體（這是當時用來測試電腦性能最主要的軟體）測試後，一切運作正常，無絲毫差錯，大家更是高興得要衝上天了！

我尤其感到高興。由於豪斯賦予我爲英代爾「永續長存」而努力的使命，而好的產品無疑是未來發展的基礎，跨出這好的開始，讓我也有「勝券在握」的心理期待。

策略性轉型成功

與此同時，總部也傳來將退出動態記憶體市場，將所有資源集中在微處理器的說法。我初聽到這個消息，雖然心裡有些遺憾，但仔細去想，這未嘗不是明智的決定。英代爾內部顯然愈來愈多人同意我先前的看法：只有微處理器才能讓英代爾走出自己的路。

八五年年初，DRAM業務占英代爾營業額的比重，已經又下滑到不及五％，可是我們仍將三分之二的研發費用花在DRAM上。有一次葛洛夫實在忍不住問摩爾說：「如果有外界的人剛好在這時加入英代爾，你認爲他會怎麼作呢？」摩爾的回答也很乾脆：「馬上退出DRAM市場。」

二月間，英代爾開始計畫裁員，這是我們在十年內第一次裁員，經理人員心裡壓力確實不輕，每天花許多時間在溝通上。我們同時也計畫關閉位在聖塔克羅茲的廠房，以及位於聖塔克拉的工廠。公司組織因爲發展策略轉變，勢必重新作一番調動，許多人轉換工作性質，加入微處理器事業部。

十月間，英代爾正式對外宣告退出DRAM市場，葛洛夫在記者會上嚴肅地說：「這是很難作下的決定，我們一直希望能重振往日雄風，可是現在不得不承認：我們輸掉了這場戰役！可是相對的，這可能也是我們所作過最好的決定。由於我們從此將集中全力發展微處理器業務，因此可望成爲推動個人電腦工業前進的最大動力。現在投入正是時機。」

在拖延數年之久後，英代爾終於作出策略性轉型的正確決定。這次經驗也讓我充分體會：「面對現實」是進行策略性轉型的先決條件，企業如果不能勇於面對現狀，就永遠不可能轉型成功。

八五年十一月，我獲拔擢爲微電腦事業部副總經理。記得有一次我和葛洛夫在閒聊時談到英代爾的人事政策，我問他說：「英代爾是如何決定一個人是否該升職的？」葛洛夫一語道破其中奧妙，他說：「很簡單，在英代爾一個人只要盡了責任，職稱必然會隨之而來。」我想我轉到微電腦部門將近一年半的工作表現，應該可以受之無愧。不過，這時我心裡最爲掛心的，還是該如何爲英代爾逐步建立起微處理器的春秋大業？

Inside Intel

第七章

三八六的故事

著名的「紅色X」宣傳海報。爲了使電腦用戶明白二八六已經過時，應該改用三八六，我們在二八六上打上一個大大的「X」，而強調「三八六ＳＸ」的優點。右下照片爲三八六微處理器。

這倒激起我一貫勇往直前的鬥志：身爲產業領導者的英代爾，必須推動個人電腦一代比一代更好、更快，使技術永遠處在最佳的顚峯狀態，而且永遠追求創新！

三八六的問世，從某種意義來看，不僅象徵英代爾從此邁向嶄新階段，同時也代表了全球個人電腦新紀元的來臨。

因此從一開始，三八六就受到超乎尋常的重視，三八六晶片上有二七五，○○○顆電晶體，比二八六上面的一二○，○○○顆足足增加了一倍多。這完全符合摩爾定律的預測，當初對微處理器未來發展無可限量的看法，再度獲得驗證。

這也是英代爾第一次採用最新第三代「互補高性能金屬氧化半導體」（CHMOS, complementary high-performance metal oxide semiconductor）技術發展完成的產品；CHMOS結合了傳統CMOS技術低耗電量的特性，以及第三代HMOS技術高整合與高性能的優點，因此使三八六的速度不僅是先前二八六版本的三倍，也較當時市場上其他三十二位元的晶片快上二倍。

更重要的，三八六的功能幾乎可以滿足三十二位元系統設計的各種需求，例如：多工作業、內建記憶體管理單元、快取記憶體與軟體保護等等。而且它具有先天優勢，因爲在當時市場上所有的三十二位元晶片中，三八六是唯一能與原來的十六位元軟體相容者，這時X八六架構的軟體市場總產值已高達六十億美元。這也代表數百萬個人電腦用戶，不必改變原來的軟體和使用習慣，就可以直接升級至三八六，因此對用戶原有的電腦化投資而言，可說是最佳保障。

IBM拒絕升級

不過再好的產品還是要獲得客戶的採用，才能真正商品化成功。英代爾當然急於與客戶分享這項嶄新的科技成果，由於IBM在二八六時代一直和英代爾密切合作，因此我們將IBM列爲第一對象，希望他們儘快開發出三八六電腦。

當三八六微處理器還處於開發階段時，IBM一直抱著存疑態度，我們幾次與他們開會，IBM人似乎對此不太熱絡。不過英代爾同仁仍然樂觀的相信：「等晶片確實開發出來後，IBM的態度就會積極多了。」

沒想到，在豪斯等人手上捧著活生生的三八六晶片到IBM公司後，仍然碰了一鼻子灰，這才發覺IBM根本無意開發三八六電腦。我們不但大感意外，而且簡直是丈二金剛摸不著頭腦，想不出有任何理由。

豪斯當然不願就此打住，仍然繼續拜訪ＩＢＭ公司，希望他們能儘快了解三八六是畫時代的產品，ＩＢＭ應該儘快採用。不過ＩＢＭ的代表仍回答說：「我們只需要二八六再快一點，三十二位元軟體現在還不普及，所以根本不需要三八六。」

豪斯希望用最簡單的說法，來化解兩家公司對市場發展的歧見。最後我們想出一套說詞：「要讓二八六快一點，三八六是最快的方法。」爲了說服ＩＢＭ，豪斯更進一步解釋說：「三八六不僅比二八六快許多，而且未來即將登場的三十二位元軟體也可以適用，個人電腦的新時代即將來臨！」

不料這番說法絲毫改變不了ＩＢＭ人的想法。一九八六年間，ＩＢＭ仍然在二八六電腦上打轉，一點也沒有進軍三八六的跡象，更別指望他們來買三八六微處理器了。這對英代爾公司真是一大挫折，而且整件事好像是一樁無頭公案，我們希望找出合情合理的解釋。

答案後來終於水落石出：原來ＩＢＭ希望採用自己的微處理器，悄悄在內部成立一組人，應用ＣＭＯＳ技術開發他們的二八六。不僅如此，ＩＢＭ同時也在發展自己專屬的十六位元作業系統，稱爲ＯＳ／２，以用在它們的二八六電腦上。

由於當時大型電腦都是使用三十二位元架構，因此ＩＢＭ認定三十二位元是大型電腦的領域，如果發展三八六個人電腦，很可能會影響到原有大型電腦的生意，因此他們一心只想讓專屬的十六位元個人電腦，用來作爲連接大型電腦的基本終端機。他們拒絕採用三八六，原來是基於公司策略的考慮，這原本無可厚非，可是卻忽略了個人電腦的世界潮流，是不會因爲一家公司而中止的！

康百克全力以赴

果然，三八六雖然在ＩＢＭ碰了釘子，卻被其他幾家公司視爲珍寶。第一家就是康百克電腦。康百克一直強調要生產百分之百與ＩＢＭ相容、卻又比ＩＢＭ ＰＣ好一點的個人電腦，而且先前他們推出的二八六電腦，市場評價頗高。

康百克總裁康尼恩與工程經理史第麥（Gary Stimac）、白恩斯（Hugh Barnes）等人，一直都和英代爾保持連繫。從三八六還在設計階段，他們就很感興趣的說：「這真是令人興奮的微處理器。」由於對三八六深具信心，康百克在英代爾開發晶片的同時，也著手設計三八六電腦，成爲起步最早的個人電腦公司。

另兩家同樣展現積極意願的是：ＡＬＲ與台灣的宏碁電腦。ＡＬＲ的創辦人Gene Lu，也是中國人，他同樣看出潮流趨勢大有商機，因此也很早便推出三八六電腦。

宏碁電腦董事長施振榮同樣也深具市場眼光，而且積極培養技術人才。他也是早期在台灣開拓個人電腦與微處理器應用市場的先鋒，後來更成爲產業的意見領袖。

一九八四年，宏碁派了六位工程師包括施崇棠、陳漢清等人，在矽谷待了一年，專門研究三十二位元架構，所以在三八六微處理器一開發完成，宏碁也很快就轉到三八六產品上，而且在全球個人電腦市場開始嶄露頭角。施振榮有一次提起這段歷程，還特別強調：「這不僅是台灣的榮耀，更爲亞洲國家在個人電腦發展史上爭一口氣。」

一九八六年九月，康百克率先推出第一台三八六桌上型電腦（386 Deskpro PC），這二家公司也馬上跟進，分別推出他們的三八六個人電腦。這時候產業界已經明顯看出：IBM是真正的「缺席」了，有些個人電腦公司還以此作攻擊性的行銷訴求，喊出：「領先IBM推出三八六」的口號；不過英代爾的心情卻是相當矛盾。

理由是，IBM這時還是建立市場標準的龍頭老大，一舉一動備受觀瞻。如果他們採用某一規格，很自然就會形成市場標準。如果他們拒絕採用，要建立市場標準即使並非完全絕望，至少也是相當困難的。IBM對市場標準的影響力之大，可以由一九八一年他們新推出個人電腦時，蘋果電腦甚至在《華爾街日報》刊出巨幅廣告寫著：「感謝IBM進入個人電腦領域。」而看出一斑。

英代爾除了擔心沒有IBM會使三八六無法成爲市場主流以外；對八六年底三八六仍有許多庫存，顯然供過於求的事實，更感到憂心忡忡。這一年十二月的《電子工程時代》（*Electronic Engineering Times*）雜誌，選出三八六作爲年度最重要的積體電路產品，可是我們卻一點也沒有歡樂氣氛，即使聖誕與新年假期來臨，公司每個人的情緒還都是降到冰點。

三八六掀起熱潮

不過，機會是屬於善於等待的人。八七年元旦過後，三八六電腦突然變成市場搶手貨，用戶需求明顯上揚，三八六處理器的大筆訂單突然像雪花似的飛來，英代爾員工很高興的說：「從此我們只有『甜蜜的負擔』（happy problem）」，也就是只爲缺貨煩惱，不用再擔心產品會乏人問津。往後，英代爾經常面臨「供不應求」的局面，只有大手筆投資擴建新廠，以提高產能。

三八六顯然是成功了，就如同英代爾夢寐以求的。它同時也具有更深一層的歷史意義：這是電腦產業第一次在ＩＢＭ缺席的情況下，也形成市場標準！ＩＢＭ市場老大的地位雖不致因此而動搖，但藍色巨人寶座下已出現另一羣小巨人，而且是個個摩拳擦掌的小巨人！

與此同時，三八六除了用在個人電腦上，也有許多人拿它來跑ＵＮＩＸ與ＸＥＮＩＸ作業系統。這兩大作業系統在當時以可供多人使用爲號召，風靡了不少企業用戶，不過初期的硬體架構，多半還是用摩托羅拉的六八〇〇〇系統。此外，Santa Cruz Operation有一種ＸＥＮＩＸ版本可以適用在三八六上，這也慢慢形成多用戶系統的市場標準。至八九年時，愈來愈多人捨六八〇〇〇，而以三八六來跑ＵＮＩＸ／ＸＥＮＩＸ系統，英代爾早期在ＵＮＩＸ上的努力終於獲得市場回報。

我在推動三八六發展策略上的努力，同樣也獲得回報。一九八七年底公司任命我爲總部副總裁，並與豪斯及胡尼克（Larry Hootnick）同時擔任微電腦事業部總經理，成爲三位一體（three in a box）。

我跑去買了一部全新保時捷大紅跑車，爲自己慶祝，也慰勞自己多年來工作的辛勞。沒想到這個週末裡，豪斯也去買了一部紅色的新車。我們原本都有些迫不及待的想告訴對方，自己買了新車，結果到停車場一看，居然兩人同時不約而同的都買了紅車，頓時捧腹大笑。

可能是大家習慣了快速的工作步調與競爭壓力，因此私人生活上的一些嗜好，也都熱愛追求速度感與競賽。英代爾大多數的高級主管都喜歡打網球、游泳，或是滑雪、以及其他冒險運動。我們平常就習慣開快車，後來我和豪斯還一起大老遠跑去葡萄酒的故鄉——法國科隆參加賽車大會。

重新充電

英代爾有一種值得一提的人事政策，稱爲「七年進修」假，效法大學的作法，在員工服務滿七年後即提供長達八週的給薪假期。其用意是希望透過長假，讓員工可以重新充電；同時也彌補同仁平時因工作忙碌，無法與家人溝通的遺憾。這假期時間夠長，也可以讓同仁去做自己一直想做、但可能平常不夠時間去做的事。

八六年夏天，三八六已正式對外發表，量產計畫也已步上軌道，我想我應該喘口氣去休我的第一次「七年進修」假。原本我應該在幾年前就休的，不過三八六策略事關重大，我無暇他顧，只好將假期順延多年。

對我個人來說，我們全家在一九八六年也面臨各種新的轉變。大女兒文楓在這一年自高中畢業，暑假後將赴史丹福大學就讀，從此也就不住在家裡。兒子文彬則將自這年秋天開始念高中，以後勢必也會更爲獨立。我想利用這年夏季多與家人相聚，也在孩子的成長過程中多留下一些美好回憶。

於是我們計畫了一次內容豐富的旅遊。前段行程從波士頓開始，一路開車經過新英格蘭、越過加拿大至黃石公園。後段行程則自黃石公園至溫哥華，再往北穿越加拿大洛磯山脈。我的父母於一九七七年遷居美國，他們對我們後段行程也極有興趣，於是大家約好在黃石公園碰面，三代同遊一番。

雖然我已到美國二十多年，但我們一家四口卻還是首度至東海岸旅遊。東岸是美國開發較早的地區，自然留下不少值得參觀的勝地，我們興沖沖的在新英格蘭各地遊覽。我還特意去了麻省理工學院和哈佛大學，在校園中和家人開玩笑的說：「如果二十幾年前我選擇念這個學校，那你們這時就不知在哪裡了。」

我們同時也參觀了威廉斯大學（Williams College），在求學時期對我影響深遠的史拜塞教授，曾經在這裡念歷史。他是少數兼具理工與人文雙重修養的人，在他的鼓勵下，我不但從求學時期就開始做研究，學習團隊合作，而且也上台作技術演說，並且在專業期刊上發表論文，這些經驗讓我往後工作受益無窮。

我們開車來到羅德島的新港時，正好趕上一年一度的美國盃帆船賽，各色漂亮船隻在港口一字排開，對我這一直熱愛出航的人，真是一大樂事。

一路遊過多倫多、蒙特婁、魁北克與溫哥華後，我們和我的父母會合。黃石公園是美國極著名的國家公園，一年四季景觀變化分明，動植物都有可觀之處，感覺真像重回大自然的懷抱。

加拿大洛磯山脈則是另一種開闊壯碩的自然之美，高山峻嶺，青翠湖泊，空氣清新，真是人間天堂。我們還在溫哥華找到一處上好的中國餐廳，那裡的上海菜是我們公認除中國地區以外作得最好的。現在回想起來，我們六人度過一次很快樂的假期，遺憾的是這般快樂的六人行，往後卻再也無法成行了。

旅途中，我心裡當然也無法完全忘掉英代爾。在我們開車快到黃石公園時，我好不容易買到一份華爾街日報，這時我已經將近一個月沒看報紙，待我瞄一眼英代爾股價，真是當場愣住了。沒想到在短短一個月的時間內，英代爾股票居然自二十美元跌落至十二美元，我告訴家人說：「這下我們賠大了，今晚可能要露宿街頭。」

回收晶片

這時英代爾由記憶體轉型到微處理器的陣痛，還未完全結束。一九八六年，英代爾營業虧損達二．六億美元，由於組織重整前後裁掉三分之一人力，我們關閉了七座廠房。不過三八六順利創造市場熱潮，我相信我們很快就可以扭轉劣勢，再創佳績。帶著度假回來的新鮮氣息，我心裡盤算著有三件大事須優先處理，沒想到卻出了一次狀況。

這一天我剛開完會從會議室裡出來，卻發現我們的行銷經理與技術經理多人，面色凝重的在門口等我，我很快就察覺情況不妙，一定有什麼事情發生。果然他們很嚴肅的告訴我說：「三八六晶片的計算功能，在極罕見的情況下會出問題，現在不知該怎麼處理？」

當時我們已經出貨數十萬顆，這真是個不小的危機。我很快決定我們應該立即解決問題，並且通知客戶回收晶片，結果只回收了約二〇％的晶片。整個事件並不像我們所想的那麼嚴重。

我想可能的原因是，早期個人電腦的使用者都有當機的經驗，因爲不論是硬體設計或零組件如硬碟機、記憶體不足等問題，以及軟體不是十分成熟，都會導致當機現象。過去用戶對此似乎習以爲常，很少有特別意見。

即使現在，許多用戶偶爾也會面臨當機困擾。畢竟個人電腦還是正在發展中的產業，它的技術與應用限制還有待產業界繼續努力，以突破現有障礙。

三八六SX旋風

很快我便回到我的微處理器大計之上。首先就是三八六產品線仍有待擴充，原先出爐的三八六是顆大晶片，我認爲我們應該以新一代技術將晶片縮小，才能使速度加快、耗電量降低，並提高產能。

英代爾位於波特蘭的工廠原本就在發展新一代的一微米技術（即電路線寬控制在百萬分之一公尺左右），過去一直由周尚林負責開發ＤＲＡＭ矽晶片製程。我決定在這裡成立新的小組，以開發微處理器技術，並以精製三八六作爲第一個研究計畫。這個目標很快達成，英代爾果真能以極低成本量產更快、更小的三八六晶片。

另一方面，我希望針對低階市場開發更低成本的三八六版本。這個想法源自英代爾在八〇八六系列中，加入匯流排只有八位元的八〇八八，當時由於市場區隔成功，產品頗受歡迎。

於是我們也在三八六系列中加入十六位元版本的「三八六SX」，而原先的三十二位元架構，則稱爲「三八六DX」。原本以爲會大受好評，沒想到幾家電腦雜誌卻刊出許多批評文章，甚至將三八六SX改稱爲「跛鴨」晶片，差點讓我們自以爲失算了。

還好客戶還是非常滿意三八六SX，因爲他們可以用原先二八六的晶片組與主機板，加上三八六SX，來完成較低成本的電腦設計，對客戶來說，這等於是增加產品區隔空間，可以推出低價位的三八六。有趣的是，這時候IBM終於領悟到：以前錯過了三八六良機。在他們的二八六計畫無法得逞之後，決定儘快趕上三八六SX旋風。

當時，幾家相容電腦公司正以IBM爲目標，發動市場攻勢。肯那維諾（Jim Cannavino）剛坐上IBM個人電腦事業部總經理的位子，正愁IBM沒有三八六電腦以反擊，於是一反常態，對三八六SX展現積極意願。IBM因而成爲全球第一家推出三八六SX電腦的公司，並且領先了相當長的一段時間。

至一九八七年年中，英代爾三八六產品線已相當齊全：低價位的SX在最底下，原本的DX版本居中，而以一微米技術開發完成的高性能DX版本，則在金字塔的最頂端；這種產品結構，爲我們樹立了往後微處理器系列的基本雛型，也使我們更強化市場競爭力。

四三二內部紛爭

我的第二件心事，則是四三二該何去何從。自一九八四年加入微處理器部門以來，四三二計畫的傳聞就一直不斷。記得有一年我參加公司舉辦的聖誕晚會，才一入門就感覺氣氛異於往常，許多同仁聚在一起議論紛紛，有些人甚至直接了當的說：「英代爾早就應該停掉四三二的。」

豪斯與我都同意英代爾不應該保有兩種三十二位元架構，既然三八六已經證明成功，而四三二失敗就應該中止，否則只會分散公司資源，且造成內部對立，對公司並無多大好處。不料，我們希望停止這項計畫的消息，卻激起維達斯的反對。他激動的說：「英代爾應該利用四三二的技術，去開發新一代的架構，並發展真正的相容系統。」

由於西門子公司對這項計畫很有興趣，並且有意投下巨資和英代爾共同開發技術，讓我們一時之間很難決定。八五年間，摩爾召集我們三人與葛洛夫開最後決定性會議，兩邊爭辯相當激烈，反倒是葛洛夫在一旁一語不發。他一向開會時都以火爆脾氣出名，只有這次卻是破例出奇的沉靜。

摩爾最後決定，英代爾將與西門子合作，不過要求必須不受西門子箝制，新的微處理器開發完成後仍可售給其他客戶。豪斯與我並不贊成，但我們仍真心承諾將全力配合，在英代爾我們形容這種態度爲「不同意但仍全力以赴」（Disagree but commit）。也就是雖然在會議過程中意見不同，但在會議後就全力支持結論。

於是，四三二計畫在組織上從微電腦事業部轉由維達斯負責。英代爾在八八年時，正式對外發表這項與西門子合作的「ＢＩＩＮ」計畫。

拒絕「第二貨源」

我的第三件大事，則是「第二貨源」的難解習題。可以理解地，很多家晶片廠商就像蜜蜂一樣，正垂涎我們的三八六花蜜。由於堅決反對這種「吃免費午餐」的心態，我和豪斯都極力主張：英代爾應該負起確保交貨的責任，並且定期降價，將利潤回饋給我們的客戶，如此一來，英代爾就可以堅守獨家供應的原則，不須讓相容廠商來分一杯羹。

這樣的想法在英代爾公司還是首創，因而引起不少反對意見。後來葛洛夫持支持態度，在八六年決定英代爾微處理器今後將維持獨家供貨的局面。他說：「我們只是不想將晶片放在銀盤，然後拱手奉上其他公司。我們要求投資有所回報。」雖然爾後我們與幾家公司爲此問題，官司打得火熱，但這卻讓英代爾從此在微處理器市場穩居領先的寶座，同時也讓英代爾產能創下新高點。

由於這樣的決定推翻了過去許多慣例，媒體對我們的這項決定當然是反對到底，雖然還不到口誅筆伐的地步，但也利用新聞公器足足折騰了英代爾將近一年之久。還好一年後大家對這個問題的觀念已有些改變，也就不再談這個話題。

今天，第二貨源已成爲少數特例，不再像過去，是大家視爲理所當然的道理。事實上，我很慶幸能爲產業界建立更好的規則，並且讓全世界都依循。拿破崙曾經說：「我的字典裡沒有不可能這個字。」英代爾公司不僅實踐了這句話，而且還堅持到底。

突破行銷理念

不過，這對我們的競爭者就不太有利。在決定不授權三八六給其他公司後，這些相容廠商就只有二八六可以與我們競爭。其中超微半導體是我們的競爭對手中，表現最爲積極的。

超微總裁桑德斯原本與我們都是快捷半導體的舊識，他和葛洛夫過去私交也很不錯。在葛洛夫本著公司利益，作出決策後，兩人從此分道揚鑣，各爲其公司前途奮鬥，據雜誌報導，雙方甚至很少交談了。

行銷一向是桑德斯的專長，超微的二八六行銷策略就非常成功，他們主打「三點訴求」，即：更多一點的性能、更低一點的耗電功率與更低一點的價位，希望搶走英代爾的二八六市場。

然而在一九八八年時，電腦應用軟體已相當複雜，用戶迫切需要的是速度更快的微處理器，才能「享受」軟體功能，而不是坐著枯等，而這時只有三八六才有這種能耐。加上我們有自SX至DX優異的產品線，且晶片縮小後客戶系統設計容易，英代爾也可順利大量出貨。在這些條件配合下，我們決定採用降價策略，來刺激三八六的市場需求，這也是英代爾第一次嘗試發動價格攻勢，以推動市場胃納。

不過，許多人仍然對二八六感到滿意，我們最常聽到客戶提出的問題就是：「爲什麼要三八六呢？」連IBM這樣規模的公司，都以二八六現成的業績洋洋得意，又何必庸人自擾跳到新的三八六市場上？

爲了儘快推動市場轉向到三八六上，我們內部展開多次討論，最後琢磨出兩件革新想法。

首先就是英代爾已經到了「廢掉」自己產品的時候，這就像是武俠小說中，練武之人要鍛鍊更深一層的武藝之前，往往要先廢掉自己原先的武功。豪斯最早用「吃掉自己的孩子」（Eating our own children）來稱呼這個推廣計畫，也就是英代爾決定放棄原先相當賺錢的二八六微處理器，希望用戶轉型到三八六電腦上。

這個主意在當時有些駭人聽聞，許多人說：「明明是賺錢的生意又何必完全放棄？」我卻覺得基於兩項理由，這是再自然不過的決定。

我的第一項考慮是我們這時已著手進行下一代架構：八〇四八六處理器的研究開發，且預計在八九年間可以問世，二八六等於是兩代前的老古董，放棄並不可惜。其次，我對半導體技術與產品未來演進已了然於胸，我深知只有更新的技術與產品才能大幅擴充市場。十六千（16K）位元組的記憶體取代四千位元組，四千位元組也曾經取代一千位元組，這都不是什麼神奇故事。我也確信：微電腦與微處理器勢必會照這樣模式發展下去的，廢掉自己的二八六，只會留給三八六更好的發展空間。

與客戶的客戶接觸

由於這是初創的推廣模式，因此我們嘗試在科羅拉多的丹佛先作測試，很快就有很好的反應。「我們發現電腦用戶的採購習慣有明顯改變，確實已經從二八六轉到三八六SX上。」行銷人員告訴我們這個好消息，讓我們感覺更有勝算。

另一項革命性大事，則是葛洛夫當時助理卡特（Dennis Carter）提創的新主意。有一次開會時他突如其來的說：「既然電腦用戶才是真正決定買電腦的人，為何我們不直接對他們做廣告？」英代爾一向將電腦公司視為我們的客戶，這麼一來等於是要向「客戶的客戶」做廣告，不過這又何嘗不可？

人們很容易被自己無意中設定的疆界所束縛。記得我小時候聽過一個故事說：有隻老虎關在籠子很久了，有一天它的籠子被拿掉，它還是在原來的範圍裡打轉，顯然它心裡無形的樊籠一輩子限制了它。還記得那條定律嗎？「非絕對禁止者，即有可能發生。」

於是我們決定儘快發動一波廣告攻勢，就是後來著名的「紅色X」廣告，廣告中明白告訴電腦用戶，二八六已是過氣的產品，買電腦就應該要買三八六，三十二位元取代十六位元的時候到了！

這波攻勢形成的效應非常明顯：電腦用戶指名要買三八六電腦，二八六則乏人問津。我們客戶所下的訂單更是忠實反映了這個現象：二八六出貨愈來愈少，大家都要三八六。三八六需求量攀登高峯，甚至遠高過我們所能想像的，我們的生產產能反而無法應付市場需求。於是自一九八九年起，英代爾持續大手筆投資擴廠，約八〇％的資本額都投資在提高產能上。

一九九〇年五月間，微軟推出「視窗三．〇」（Windows 3.0）版，更將三八六旺盛的買氣帶到新高點。我出席了在舊金山舉行的發表會，親眼看到這個最新系統軟體，讓個人電腦也可以像麥金塔一樣發揮易學易用的魅力。而只有三八六才能提供視窗軟體表演的舞台，因此這次發表會等於也是向全世界用戶宣告：三八六時代已全面來臨。

一九九〇年間，我們的營業額已經接近四十億美元，較諸一九八六年，在短短四年間成長了三倍，遠離了當年嚴重虧損的困境。三八六的成功無疑是最大功臣。豪斯與我在八四年間夢想的春秋大業，已一步一步愈來愈真實。英代爾建立微處理器王國，已是指日可待的了。

成功的四P示範

回想起來，三八六的成功其實很符合行銷學上的四P理論，也就是商品（product）、定價（pricing）、通路（place）、推廣（promotion）。首先，我們自SX至DX、快閃記憶體與三八七運算輔助器，都是優秀的產品，這是最基本的成功要素。這讓英代爾在短短一年內，就將摩托羅拉先上市的六八〇二〇拋在後頭，而且領先的差距愈來愈大。

其次，英代爾積極的定價策略也有效的擴張市場，而且一如預期的塑造出三八六市場主流地位。定價是門藝術，既要刺激業績，也要獲取利潤。在半導體市場上，我們還特別有一條金科玉律：未來的晶片將會更快也更便宜，因此只有持續降價，以擴充市場整體規模。

我們在三八六首度嘗試以性能來作定價依據，SX價位最低，DX價位則視產品頻率而定，頻率愈高代表運算速度愈快、價格也愈貴。這讓我們的客戶也能推出完整的電腦產品線，每台價位自一千美元至五千美元，用戶則可視需求自由選購。

第三，英代爾在全球都推出三八六產品，許多地區特別是台灣因而成爲三八六的重要產地。事實上，台灣也是在三八六時代，才成爲全球矚目的生產王國。台灣幾家電腦公司如：宏碁、神通等，以生產技術取勝，逐漸躋身爲英代爾排名前十名的客戶，他們提供極具價格競爭力的三八六電腦，也有助於將三八六定位爲成熟和大衆化的商品。

最後英代爾直接以用戶作訴求的推廣計畫，同樣也值得一提。這項創新的作法就像我們曾經用過的「致勝」計畫手法，將訴求對象擴大至工程師與採購以外的層級，這樣一來英代爾的知名度大增，產品銷售量自然也突飛猛進。

唯一的遺憾是我們無法有足夠產能，來應付三八六如潮水暴漲的市場需求。在往後幾年裡，英代爾一直處於供貨吃緊狀態，結果引起部分客戶的抱怨，我們自然也深受其害，直到一九九四年底才完全解決限量供應的難題。

新電腦產業

三八六的成功除了爲英代爾的未來開啓一條康莊大道外，以電腦產業發展的角度來看，更別具時代意義。這是個人電腦有史以來，第一次達到三十二位元的性能標準，由於這已經達到傳統大型電腦的標準，等於是向傳統大型電腦宣戰，全球電腦產業爲此掀起一陣騷動。

過去大型電腦的擁護者一直以其三十二位元的處理性能而自豪，在他們眼中，十六位元的個人電腦在應付小型的個人應用如：文書處理、試算表等雖綽綽有餘，但要替代企業的大型電腦卻力有未逮；就好比是交通工具中的汽車，縱使性能再優異，終究還是只能在有限的陸地上跑；他們將三十二位元的大型電腦，定位爲交通工具中更先進的飛機，其性能絲毫不受地理限制可自由發揮。但現在三八六電腦也有三十二位元的威力，顯然也有資格飛上天空去。

事實上，三八六電腦就像是宗教故事中挑戰巨人的大衛，表面上實力懸殊，但背後有莫大的支持力量。它的微處理器來自英代爾，作業系統來自微軟，晶片組來自英代爾、晶技等公司，輸出入系統、磁碟機、監視器與鍵盤等也各自有多家的供應商。所有業者依循開放的市場標準，集結個別的技術優勢，很快就形成「螞蟻雄兵」，對一向各自爲政的大型電腦公司構成威脅。

有別於傳統大型電腦業者，各擁有專屬特定的系統，彼此互不相通，新的開放型電腦產業標榜「彼此相容、自由競爭」，在公開的市場標準下，業者可以各擅其勝場，盡情發揮。同時，由於市場開放，用戶數量大增，業者的每一分投資都有巨額回收的機會，充分驗證了「自由經濟」的真諦。

一九九〇年，英代爾公司首度以「新電腦產業」來稱呼個人電腦工業，相對於由大型電腦組成的「舊電腦產業」，等於也宣告電腦產業將快步邁向新紀元。

無國界的電腦樂土

三八六使電腦的「天空」愈來愈熱鬧，個人電腦價位持續下降，吸引更多新用戶，市場規模迅速擴充，從八〇年代數百萬台成長至一九九四年的五千萬台，至本世紀末銷售量預估更可達一億台。受到此市場大餅的誘惑，更多的軟硬體公司相繼投入，在自由競爭下開發出更新更好、且物美價廉的產品，用戶可以自由選擇，自然也成爲最大受惠者。

以同樣角度來看，當時大型電腦的使用者可就是另一番命運。由於系統是專屬的，不能與其他系統相容，用戶一旦選定一套大型系統，等於就被電腦公司「套牢」，從此失去自由選擇的權利，只能仰賴電腦公司所提供的服務與功能渡日。

其中也可以看出「舊電腦產業」業者的經營哲學：採用特定的處理器、專屬的作業系統與硬體架構。由於用戶別無選擇，因而失去討價還價的籌碼，電腦公司大可保有相當的利潤，若非必要不需大幅更新架構，技術創新也就不需太積極。

以王安電腦公司爲例，同樣身爲中國人，我們深以王安博士的成就爲榮，但當他們耽溺在昔日「舊電腦產業」的光環中無法自拔，因而錯失「新電腦產業」的契機時，我們只能惋惜興嘆。

一九八八年間，我們曾多次拜訪王安電腦，在會議中詳細解說英代爾微處理器的特性，以及更重要的：其背後代表的「新電腦產業」的無限商機，希望他們能慎重考慮跨出舊門檻的第一步。沒想到他們很乾脆的表明：「我們對此並不感興趣。」這一來等於是封閉了自己通往未來無限希望的大門。

王安電腦後來營運乏力，不幸成爲時代潮流的淘汰者，不過他們不是唯一的被淘汰者。其他幾家舊電腦產業的既得利益者，如迪吉多與優利系統等公司，同樣也無法抗拒個人電腦新興勢力的崛起，先後出現經營危機，在可預見的未來，恐怕還需再辛苦掙扎。

不過，也有幾家大型電腦公司慧眼獨具，看清楚新電腦產業時代終將來臨，並且很快作出追隨新浪潮的決策，成爲令同業欽羨的轉型成功者，惠普與安迅就是最好的例子。

從幾家日本電腦公司的發展，也可以明顯看出新、舊二代電腦產業未來前途的明顯對比。NEC在日本一向占有舉足輕重的地位，可以說是跺一跺腳就會造成地震的重量級電腦公司，他們的發展完全仿照IBM模式：堅持自成一派的大型專屬系統，對開放標準嗤之以鼻，可是繼IBM陷於泥沼之後，NEC也顯得危機四伏。

另一方面，東芝、愛普生等電腦公司卻走上截然不同的路。這兩家公司沒有大型電腦的舊包袱，近年來直接搭個人電腦的便車，成長驚人，目前在筆記型電腦市場上已儼然是世界級的領導品牌。

從基本精神來看，新電腦產業逐漸取代舊電腦產業的趨勢，其實也符合二十世紀以來的大趨勢。大型電腦公司若還想以舊帝王自居，視用戶爲禁臠，那無異於自掘墳墓。

新浪潮，先卡位

英代爾是最先推動「新電腦產業」浪潮的公司，對於新浪潮終將席捲電腦產業，很早就有因應之策。我們決定要在新電腦產業中，扮演重要的角色。由於過去銷售家用電腦的經驗，讓我清楚了解到除了繼續提升微處理器性能以外，要推動產業快速前進，英代爾還有許多值得努力之處，改善個人電腦整體系統架構就是其中之一。

ＩＢＭ是個人電腦的原始創作者，但自二八六成功問世後，他們已無心再求改進；康百克原本可望成爲接替人選，以主導電腦系統的改進作業，無奈他們在改良電腦外型與圖形處理之餘，已無力對未來發展再作貢獻。爲了不讓新電腦產業的興起變成曇花一現，我們決定肩負起推動技術前進的使命。事實上，在一九八八年的年度計畫中，我們就定下未來幾年的發展目標：躋身新電腦產業的核心！

我們的想法其實來自於中國的《孫子兵法》。在一次偶然的機會裡，葛洛夫翻到這一本書，他原本就是博覽羣書的那種人，看書的種類既多且雜，因此他會看這本書一點也不叫人驚奇。稀奇的是他很快領悟到這本書是產業競爭最好的「教戰守則」，於是明令：「所有的決策階層都應該仔細拜讀，公司將定期開會研討，借用其中的用兵精神。」

孫子兵法有〈九地〉篇，詳細說明各種地形的用兵之道，其中說：「……爭地，吾將趨其后；交地，吾將謹其守；衢地，吾將固其結……」意思是指有些軍事上必爭之地，所有敵軍必會通過此地，若率先占據，自可搶得先機，先發制敵。

在一次會議中，我們想到：「何不將這邏輯運用在新電腦產業上？如果英代爾能搶先占有要道，那不就等於掌握新電腦產業的核心，自然也就勝券在握？」於是我們無意中便釐清了英代爾在新電腦產業的定位，也爲公司長期發展立下明確目標。

但，哪些是新電腦產業的兵家必爭之地呢？微處理器、晶片組與電路板等零組件，是每台電腦不可或缺的要素，也是表現電腦先進技術的關鍵，更重要的是：這也符合英代爾現有的專長，顯然是英代爾躋身新電腦產業核心的最佳憑藉。只不過在邁向新電腦產業核心的過程中，英代爾在整個產業中所扮演的角色將會更加吃重，這對決策階層將會是一大考驗。

成為產業領導人

不過這倒激起我一貫勇往直前的鬥志，在我看來，英代爾無疑也因此而躍上更高的舞台。爲刺激全球個人電腦市場加速成長，身爲產業領導者的英代爾，必須推動個人電腦一代比一代更快更好，使技術永遠處在最佳的巔峯狀態，而且永遠追求創新。

爲此，英代爾不僅發展晶片組，以配合微處理器在主機板上運作，同時致力於突破圖形處理與資料輸出入的瓶頸，以逐步改善電腦的整體性能。

記得有一次我坐在一台工作站前面，心想：明明微處理器的性能與工作站相差不遠，難道就因爲圖形處理能力技不如它，整台個人電腦的性能表現就難以與之匹敵？

我決心從電腦內部的匯流排架構著手，這才是根本的解決之道。一九八九年，我任命曾經領導四八六開發計畫的季爾辛格，開始發展新的匯流排：周邊零組件介面（PCI, peripheral component interface），一九九一年在我們第二度舉辦的高階技術研討會中，季爾辛格不負重望，首先提出基本的構想，博得在場二百多位電腦業者的一致認同。九二年間，新的PCI匯流排正式問世，並且在次年很快成爲市場主流。

自九〇年開始主辦的這項高階技術研討會，幾乎每年都吸引業界技術精英熱情參與，成爲電腦產業的一大盛事。還記得第一屆在舊金山舉行的會議中，幾乎所有知名的個人電腦公司像IBM、宏碁、戴爾（Dell）等等，都由最高技術主管親自出席。會中，英代爾提出「多重處理」的議題，在當時仍算是先鋒，獲得與會者熱烈迴響。許多人告訴我說：「這樣的聚會應該每年都辦！」

此外，自八八年開始，英代爾積極與重要的軟體公司合作，希望基於互惠原則，讓軟體公司也能儘早熟悉英代爾架構的特性，以充分發揮每一代新電腦的性能。

這是因爲，我從過去的經驗中，充分體會到如果缺乏作業系統與應用軟體的配合，個人電腦市場也很難迅速成長。它們好比是汽車左邊的兩個輪胎，一旦沒有氣，耗盡汽油也只能在原地打轉，永遠無法到達遠方。

一九九四年十月的高階技術研討會以「市場成長」爲主題，在聖地牙哥舉辦。微軟、蓮花與網威等重量級軟體公司均指派高階主管出席。會中，我代表英代爾公司報告

「未來微處理器發展的藍圖」，與會者充分溝通，展現個人電腦工業一貫的衝勁與活力。我想，這股活力正是推動新電腦產業邁向未來、源源不絕的動力！

Inside Intel

第　八　章

四八六的誕生

4當然比3好

486比386好，好在速度更快

在面對今日種類繁多、日新月異的各種軟體時，硬體本身必須擁有強大的功能，才能使電腦達到真正快速好用的目的。Intel486微處理器應用了英代爾獨家的倍速科技，使得無論是具有Intel486SX或486DX微處理器的電腦，都比最高速的386電腦快30%至兩倍之多，讓你能得心應手的操作各式軟體。

486比386好，好在升級潛能

當工作消化量日趨沈重時，386電腦即使再忠於職守，也會因無法升級而有力不從心的無力感。這表示今日電腦必須擁有升級的潛能，才能保證在面臨未來挑戰時，不致於被淘汰。具有Intel486系統的電腦均預留了一個加速槽，在面臨未來升級所需時，只要加上一片安裝簡易的加速槽微處理器，就可使全系統的操作效率高出70%以上，使你能與明日軟體的發展齊頭並進。

486比386好，好在功能更強

有了Intel486微處理器，你就可以充份運用繪圖軟體，不用擔心同時操作多種視窗軟體時，因舊式的386電腦無法負荷而當機。因為Intel486的強悍功能，能迅速將這些難題迎刃而解，更勝一籌的是，在電腦發展一日千里、瞬息萬變的情況下，Intel486的強大功能，不單能供需今日，更能確保未來所需。

intel.
The Computer Inside™

就像在鍛鍊更深奧武功之前先廢掉原先的武功一般，我們「廢掉」自己的產品三八六，而提出「四比三好」的口號。

這場RISC戰爭，雖然讓我很長一段時間煩惱到食不知味，不過從中也學到不少實戰經驗。最重要的還是確實掌握到電腦產業的遊戲規則：市場規模決定一切，只有足夠的市場規模才能創造業績、產生利潤，繼而保障未來持續的投資。

由於英代爾已逐漸處於電腦產業的核心地位，個人電腦產業繼續向前已成爲我們的使命，因此我們前進的步伐更要加快。事實上，當三八六成爲市場主流之後，新一代微處理器已經在實驗室裡蓄勢待發，準備再創高峯，這就是四八六。

早在一九八五年秋，在慶祝三八六開發成功的同時，我已在思考下一階段的產品，我覺得這必須是真正能引導產業未來發展的新一代微處理器。處身在高科技產業的經營者，必須在成功的熱浪還未沖昏全公司之前，趕快把它澆熄。唯有儘快建立下一階段的目標，才能激勵出更高昂鬥志，否則很快就會失敗。

可是沒想到四八六還未真正誕生，產業界又起變革，我們很快就得重新面對挑戰，而這次的挑戰正是微電腦的架構之爭。

RISC衝擊

這時，原已衍生多年的「精簡指令集電腦」（RISC, reduced instruction set computer）浪潮，正開始在產業界盛行。RISC電腦架構原本是學術界的觀念，在柏克萊與史丹福大學孕育而成。它的道理其實非常簡單：微處理器內部常用的指令若結合成指令集，在運算時只執行單一指令集，就可使微處理器的工作變得單純，因此速度也會更快。

相對於RISC，市場上無論是迪吉多的VAX電腦或英代爾的三八六，都是「複雜指令集電腦」（CISC, complex instruction set computer）。它們的指令雖然較爲複雜，但寫程式時只需使用較少的指令，因此比較容易發展程式。

RISC架構所以會出現，與UNIX作業系統的出現很有關係。前面提到，我在一九八一年結束大陸微電腦生意時，正值UNIX作業系統開始發展之際，它具有多工作業能力、以及處理圖形快速、可連接網路等優點，因此相當受到歡迎。雖然以現在個人電腦的科技來看，這些都不算什麼，可是在微電腦剛開始的那個時代，這可是不同凡響的。

還記得我在重回英代爾之前，先去參觀了史丹福大學的實驗室，當時有位研究生就利用柏克萊ＵＮＩＸ作業系統的特性，開發出一套可作多重視窗處理的工作站，後來他和作業系統的發明人合創昇陽微系統公司，成爲早期推動ＲＩＳＣ風潮的最主要勢力。之後，從史丹福校園出來的另外數人組成ＭＩＰＳ公司，宣稱往後他們所有的電腦產品都會以ＲＩＳＣ處理器爲基礎，爲ＲＩＳＣ的發展創造第二波聲勢。ＲＩＳＣ的旋風不但在美國盛行一時，後來也刮到台北，許多台灣電腦公司也對這項新技術備感興趣。

當時有些產業界人士習慣以金字塔結構，來分析各種電腦架構的定位。在金字塔頂端的是大型電腦，中間是迷你電腦，最基層則是微電腦。在微電腦的領域裡，ＵＮＩＸ工作站又居其上，個人電腦則在底下。從這樣的分野可以看出，當時有些人認定ＵＮＩＸ工作站比個人電腦的技術更高一些。後來個人電腦技術一代又一代推陳出新，徹底推翻了這種說法。邁入九〇年代，許多人將英代爾Ｘ八六架構電腦拿來作爲工作站或伺服器，甚至代替大型電腦來使用，使過去的金字塔說法變得毫無意義。

內部爭議

ＲＩＳＣ旋風在英代爾內部也引起爭議。許多同仁這時也爲ＲＩＳＣ是否真比ＣＩＳＣ好，而大傷腦筋。有些人言之鑿鑿的說：「ＣＩＳＣ已經過氣，ＲＩＳＣ將會成爲主流，電腦世界往後將會成爲ＲＩＳＣ的世界。」可是新的ＲＩＳＣ架構毫無軟體可用，與舊電腦又不相容，它真能成爲市場主力嗎？

我們過去開發四三二失利的教訓，很快讓我認清方向。我堅決主張，繼三八六之後的下一代產品，先決條件就是要與三八六百分之百相容，接下來才是如何在性能上大幅提升。當然，這可不是容易解決的。

另一方面，英代爾同時也在著手進行另外幾項架構，只是極少對外界曝光。事實上，我們在一九八三年時就已經在以色列開發ＲＩＳＣ晶片，命名爲「Ｎ三」，當時定位爲運算輔助器。說起來，英代爾也算是ＲＩＳＣ的研究先驅，只是這項計畫遲遲沒有具體成績，我決定壯士斷腕停止進行這個產品，不過ＲＩＳＣ相關技術還是繼續發展。

先前英代爾也與西門子合作，共同發展ＢＩＩＮ計畫。ＢＩＩＮ截取四三二的部分優點，雖然由於市場因素，無法成爲成功的微處理器架構，但我認爲，以其三十二位元高功能的特性，很適合作爲嵌入式控制器。後來ＢＩＩＮ繼續發展爲九六〇系列，許多惠普的雷射印表機都以這顆晶片作爲控制中樞。

外界一直認爲：英代爾公司非常幸運的靠Ｘ八六系列微處理器棒棒強打，因而可以長保市場冠軍寶座。殊不知英代爾其實也投資許多精力在Ｘ八六以外的架構上，雖然這些產品不見得成功，但從中卻可累積許多技術及經驗。事實上，在Ｘ八六主流架構之外，英代爾經常都備有「副線」產品，以應不時之需，這應該也是拜英代爾危機意識之所賜。

截取RISC精華

當然最讓我費心的，還是四八六該如何才能做到既相容，又提升性能。有一天，柯勞福等人提出一個簡單的想法，卻是一語驚醒夢中人，他說：「我們可以將微處理器的整數單元採用RISC核心，以加速處理單一指令；但其他部分保留CISC原樣，以處理複雜的指令，並保有與過去的相容性。」

同時，由於技術愈來愈進步，我們可以將快取記憶體也設計在微處理器上，並且整合浮點運算輔助器，加快微處理器的處理速度，不必懼怕RISC的威脅。四八六架構的原始構想就此誕生。我深深覺得，科技創新往往只在一念之間，改變思維模式就可以輕易獲得解答。

事實上，RISC與CISC在發展初期設計觀念完全不同，但並不意味著往後就不能截長補短互相交流。於是我們決定改變微處理器內部的設計技術，也就是使四八六的微架構與三八六不同，但外部的英代爾指令集架構則維持不變，因而可保有與舊系統的相容性。後來我們沿用這種模式，陸續發展出下一代的Pentium處理器，目前P六的設計也是依這個方向進行。

可惜外界許多人對RISC與CISC可以融合這點，似乎不太能理解。我們雖然費了許多工夫解釋，但仍然無法打破許多人先入爲主的觀念。即使到了一九九五年，還是有著名的電腦媒體記者問我說：「英代爾目前設計的下一代微處理器，是否採用RISC架構？」讓我有點啼笑皆非。我一直認爲，高科技產業發展的一大特性，就是科技進步很快，如果人的觀念不能隨著改變，就可能會遭淘汰。

我希望能立即開始這項研究計畫，一刻也不想等待。事實上，決策後如果不能馬上行動，那還不如不作決策。可是，我該將這牽涉到未來生存命脈的開發計畫，交到誰的手上？這時三八六雖然已經開發完成，但多數人仍忙於後續作業，無法立即抽身。我靈機一動，想起曾經參與三八六計畫的季爾辛格，他後來轉至總部的CAD（電腦輔助設計）部門，陸續開發出許多極有建設性的CAD工具，我要他接手這項重責大任。

季爾辛格這時只有二十七歲，年紀輕輕，鬥志昂揚，幾乎將全副心力投注在工作上。有些人認爲我將這麼重大的研發計畫，交給連「三十而立」都還不到的年輕小伙子，似乎是在開玩笑。但在英代爾一貫「工作表現重於一切」的用人原則下，我仍堅持冒險一試。

還好季爾辛格很有魄力，他很快募齊強大的研發陣容，在八六年第一季時，已經隱約展現具體可行的端倪。

與自己競爭

另一方面，在RISC聲勢扶搖直上的時候，外界一直傳言：英代爾絲毫沒有RISC根基，終將會被產業淘汰；但這並非事實。N三計畫雖然中斷，但英代爾內部二位優秀的工程師柯恩（Les Kohn）與傅世偉，延續四三二計畫的經驗，加上RISC許多特性，仍然夢想著繼續開發RISC晶片，以提高浮點運算功能。

由於公司內部對這點一直有些爭議，我決定試著理出些頭緒。柯恩一直是很有才華的設計工程師，雖然有些內向害羞，表達能力不是很強，但對RISC處理器的單純性與浮點運算性能，卻始終非常堅持。

傅世偉是來自香港的華裔工程師，而且很巧的也畢業自加州理工學院。他和太太傅李碧真在加州理工學院求學時期相遇，畢業後又同時加入英代爾位於奧瑞崗的波特蘭廠。只是先前他忙著作四三二計畫，傅太太則在晶圓廠服務，後來他們就一齊搬到聖塔克拉總部來。

傅本人爲RISC晶片擬了詳細發展計畫，有一次他還特別爲我作展示，並且積極遊說我：「你看，這麼簡單的執行方式，卻有超高的性能。」我徘徊在應該阻止他的計畫，還是繼續支持並賦予明確方向之間，有些舉棋難定。

四八六與八六〇比快

雖然這不是我想要的四八六——因爲它完全違背四八六必須相容的先決條件——但它超強的浮點運算功能，似乎可能成爲繼三八七之後最有潛力的運算輔助器。況且我們可以藉此機會深入探索RISC晶片的優缺點，這也增添它的附加價值。於是我最後仍決定繼續進行這項計畫，並且命名爲「N一〇」，代表它的定位是一顆運算處理器，後來我們將它改稱爲八六〇。八六年初，傅就積極著手進行。事實上，八六〇的開發比四八六還早了幾個月。

四八六和八六〇的研究小組都位在聖塔克拉，彼此幾乎同時間進行，自然免不了互相較勁，希望可以領先對方開發完成。這等於是完全的RISC晶片（八六〇），與部分的RISC晶片（四八六），在英代爾內部自由競爭，大家都樂於拭目以待。傅太太後來還升任爲四八六的邏輯設計經理，所以我們經常笑話說，在他們家裡也有四八六與八六〇的競爭。

這二顆晶片上預計都要放一百萬顆電晶體，從規畫到第一顆矽晶完成的預定期限，也同樣都是兩年六個月，四八六小組的人力約多出一五％。雖然彼此都拿出拚命三郎的精神，不願屈居人後，但許多時候雙方還是保有相互學習的正面意義。

像四八六的ＲＩＳＣ核心設計，就從八六〇小組學來許多寶貴經驗。而八六〇的設計理念，也是借自四八六與三八六。由於兩顆晶片同時設計，我們可以很清楚比較ＲＩＳＣ與ＣＩＳＣ的性能差異與設計細節，我想這時候的英代爾應該是最有資格評比二者的了，全世界大概不會有第二家公司擁有這麼深刻的實際體驗。不過一如往常，我們還是對外保持緘默。

雙喜臨門

八八年底，第一顆八六〇矽晶片終於出爐，而且在眾人摒息以待中，第一次就通過測試，它的浮點運算功能確實很強。緊接著在八九年初，四八六小組也不甘示弱，完成第一顆四八六晶片，而且同樣一試就成。這二項產品先後開發成功，帶給我們很大的鼓舞。

事實上，四八六原本預定在八八年聖誕節前完成的，只是設計實在太複雜了，因而延緩到次年二月。所以八八年的聖誕節，整個研究小組仍依三班二十四小時輪值，工作得昏天暗地，直到晶片完成，才能放下心來享受遲到的「二月聖誕」，整個辦公室因而布滿五彩繽紛的聖誕樹。

兩種架構在英代爾內部激烈纏鬥的同時，摩托羅拉也埋頭發展他們的六八〇四〇，而且以四八六爲假想敵。兩家公司還是沿續以往慣例，以新一代產品在市場上競爭。他們甚至搶在四八六正式發表數天之前，就宣稱將推出六八〇四〇，只是一直遲遲無法展示實際的成品。

八九年四月，在春季電腦展前夕，英代爾選定在拉斯維加斯正式發表四八六，而且是首度全球同步發表。在以雷射光、五彩華麗裝飾布置的現場，四八六展示系統快速運作，博得在場近六百名嘉賓一致的喝采。包括微軟的蓋茲與IBM、康百克等重要代表，都親臨會場共襄盛舉。許多媒體都將四八六的發表，視爲這一年的年度大事。

而自這一日起，英代爾也大幅拉開領先摩托羅拉的差距，雖然他們的六八〇四〇最後終於得以露面，但無論在性能上或產量上，都已不足以對四八六構成威脅。摩托羅拉這一跤摔得很重，幾乎很難得以翻身。

SPARC發動攻勢

可是這時我們雖已擺脫摩托羅拉的威脅，但市場上新興的勁敵：昇陽的RISC處理器SPARC，卻不容我們稍作喘息。SPARC晶片在一年多前上市，在UNIX工作站上的性能表現，逼得六八〇三〇毫無招架之力，摩托羅拉在市場上節節敗退，最後失去所有的工作站客戶，只剩下蘋果電腦還沒有「琵琶別抱」。

昇陽發展SPARC處理器最初的用意，原本就是寄望它的工作站在執行UNIX時，速度可以比採用六八〇三〇更快。現在以一年左右的時間，就如願以償的將摩托羅拉趕出工作站市場，怎不讓他們信心大增？他們「食髓知味」，自然將腦筋動到英代爾原有的地盤來，於是積極發起一項「陸海空全面作戰」策略。

首先，昇陽為表示它的誠意，要將SPARC發展為公開的市場標準，而非是自己的私產，於是將SPARC架構授權給多家半導體公司，包括：富士通、東芝、德州儀器、LSI、Logic等。一則拉攏多家半導體公司以壯聲勢；再則也可以說服電腦公司，未來SPARC晶片有多家供應貨源，廠商不會有缺貨之苦，而且晶片價格不致因市場壟斷而高漲。他們更積極鼓吹成立SPARC國際聯盟，吸納許多公司成為會員，以彰顯他們將架構開放的「司馬昭之心」。

其次，昇陽強力推動電腦製造商生產SUN相容電腦，希望創造一如IBM相容個人電腦的盛況。而台灣在個人電腦產業已累積相當的技術與聲譽，自然成為他們首要的目標。從一九八八年開始，昇陽就集中火力到台灣推銷他們的意圖，希望宏碁、大同等公司能加入SPARC陣營。並且在工研院電子所的主導下，醞釀在台灣成立SPARC聯盟。

除了直接向電腦廠商作訴求外，昇陽同時也很聰明的在台灣發動媒體攻勢，用一波又一波的記者會與媒體訪問，推銷「ＲＩＳＣ是最好的電腦架構，未來將取代ＣＩＳＣ」的口號，暗示英代爾的ＣＩＳＣ將成爲明日黃花，只有ＲＩＳＣ才是未來希望。一時之間，台灣電腦產業頓時陷入茫然不知所措的局面。

昇陽最後還祭出「ＵＮＩＸ作業系統」的王牌，強調它和微軟的DOS／Windows同樣是開放的架構，甚至信誓旦旦的宣告：以ＳＰＡＲＣ硬體和ＵＮＩＸ聯手，絕對可以使英代爾架構的ＤＯＳ個人電腦毫無招架之力。

微軟也受影響

我想他們的策略相當明確，希望靠這些手法使昇陽的ＵＮＩＸ作業系統和相關應用軟體，聲勢達到頂點，那他們的微處理器和硬體系統在市場上自然無往不利，很快就可以成爲大眾化的商品。只是他們的如意算盤除了威脅到英代爾以外，也重重的傷害到微軟這個軟體巨人。

我和微軟的總裁蓋茲先後在一個禮拜內來到台灣，由於雙方都有切身之痛，自然將矛頭一致對著ＳＰＡＲＣ。我向台灣電腦公司解釋，昇陽的ＳＰＡＲＣ聯盟有許多潛在問題，並不像他們所宣傳的那麼容易成功。我想在八八至八九年這段時間，除了英代爾的管理階層感受到嚴重壓力外，微軟的蓋茲等大人物大概也是寢食難安。

一九八九年六月，《電子工程時代》週刊在頭版登出我和蓋茲的照片，指出我們二人爲維持個人電腦市場標準，同樣都到台灣來，結果使原先打算加入SPARC聯盟的七家公司，最後只剩下大同與旭青這二家和昇陽簽約。

這時刻，業界人士與傳播媒體甚至謠傳：RISC架構在電腦界所向無敵，摩拉羅拉遭取代的悲慘命運，遲早要發生在英代爾身上，許多人或多或少還有些隔岸觀火、幸災樂禍的意味。不過，他們沒想到英代爾在一九八九年間，除了有四八六系列和先前架構完全相容外，另外還有「八六〇」這項祕密武器。當時問題只在於：我們要如何打這張牌？

微軟的首席技術專家米佛德（Nathan Myhrvold）原本也正爲昇陽的攻勢傷透腦筋，但他第一眼看到八六〇之後，馬上就信心大增，他說：「這是最好的反攻機會，用八六〇發展出的RISC電腦來跑微軟最新的Windows NT，正是以牙還牙，以眼還眼！」米佛德迫不及待的馬上著手開發八六〇的原型機，甚至還找來幾家電腦公司共商大計。而蓋茲本人雖然也深爲八六〇所吸引，但仍然不放棄努力爲三八六及四八六上的視窗軟體尋找出路。

在英代爾內部同樣也是舉棋未定，究竟是否該推出八六〇以應付RISC的威脅？

由於八六〇最初設計是要作運算處理器，沒有人敢保證以它來應付RISC會十分成功；但似乎不如此，又無法回敬昇陽一記痛擊！我更擔心對廣大的X八六電腦用戶，這麼作等於違背了與過去產品的相容性，這是否會有不利的影響？做與不做，似乎是兩難。為此，豪斯與我數度辯論都不得其解，而我更是工作多年以來，首度擔憂到晚上都沒有辦法成眠。

市場決定一切

最後，豪斯與我不得不痛下決定：將八六〇定位為英代爾針對工作站與超級電腦市場發展的RISC晶片，以它與SPARC正面迎戰，這遠遠超過原先以它作為浮點運算的預期目標。而四八六則仍然是三八六的下一代微處理器，定位為個人電腦市場的主力產品。

八九年二月間，我們在舊金山正式推出八六〇微處理器，強調自工作站至超級電腦都可使用，這也是英代爾有史以來最野心勃勃的晶片，剎時吸引所有媒體的眼光。在發表會上，八六〇系統快速的浮點運算功能，讓它展現即時繪圖能力，真可說是無懈可擊，贏得出席者一致的讚賞。

八六〇超級快速的運算功能，以及創新的架構設計，確實在一開始就擄獲眾人的心，很快成爲新聞媒體上的寵兒；它的聲勢比起四八六，可說是有過之而無不及。但理想終底敵不過現實，我們很快就得面對與所有RISC或其他新架構同樣的問題：作業系統在哪裡？又有多少應用軟體呢？

我們好不容易湊和著以UNIX和Windows NT，作爲作業系統，但卻缺乏很好的編譯程式（compiler）；這就好比是蓋好一棟嶄新耀眼的超高摩天大樓，但卻找不到電梯可以上去。而且由於高階工作站與超級電腦的市場太狹隘，我們也不可能貿然作大額投資，去開發所有必要的軟體，顯然這個曠世巨作的架構，無法讓我們有合理的回收。

昇陽暫西下

SPARC的摩天架構，也面臨著同樣殘酷的現實考驗。首先，由於市場上每年只有十至十二萬台的銷售量，許多家生產微處理器的半導體公司在這樣小規模的市場中競爭，獲利自然有限，如此一來勢必無法持續作技術上的投資改進，可是這卻正好是經營微處理器事業的不二法門。

其次，生產相容系統的廠商同樣也由於客戶有限，無法大幅獲利，繼續投資以提升其技術。最糟糕的是，昇陽還保留了一手，並未將最先進的UNIX技術公開。相容廠商只能生產低層次、低價位的相容系統，他們的SPARC美夢很快就宣告幻滅。

一九八九年我到台灣時，就提醒許多電腦同業，不要誤將SPARC電腦當成下金蛋的金雞，事實上，相容廠商很難靠SPARC大賺一筆的，只是爲昇陽作嫁罷了。

現在回頭看來，SPARC聯盟只剩下昇陽獨撐殘局；其他的相容系統廠商早已眾叛親離。多數的電腦公司早就放棄SPARC業務，少數幾家公司像大同還守著昇陽相容系統，也只不過爲宣揚自己具有工作站的技術實力而已。

從性能表現上來看，SPARC架構現在已遠遠落後英代爾架構許多。當初滿腔熱血投入生產SPARC晶片的半導體公司，也只剩下德州儀器一家還死守著昇陽這唯一的客戶，其他的公司早已另謀生計。

最後，無論是UNIX或Windows NT都無法成爲個人電腦用戶的最愛，因爲二者的性能太過複雜，實非一般用戶所能消受得起。就像面對滿桌菜餚，可是用餐手續太過繁複，反而令人不知從何下箸！

UNIX或NT到目前爲止，出貨量分別只有一百萬套，和英代爾架構個人電腦每年五千萬銷售量相比，相差甚遠。廣大的桌上型電腦用戶，最終仍以實際採購行動表達他們的決定權：UNIX和Windows NT都不是他們所需的、英代爾的八六〇同樣也淘汰出局、微軟的RISC電腦胎死腹中……

還好八六〇產品失敗，對英代爾的影響微乎其微，我們只有很少的一些客戶。柯恩和傅世偉二人最後都離開了英代爾，我們則更堅定朝向X八六的架構繼續前進。他們原本合開了一家新公司以發展八六〇電腦，可惜後來不太成功，柯恩轉往昇陽求發展，而傅本人則轉到Weitek。傅太太則至今仍在英代爾擔任資深經理，負責非常重要的編譯程式工作小組。

現在回想起來，當初決定繼續開發八六〇技術的決策應該是對的，因爲那樣使我們能熟悉且深入RISC的技術細節，四八六架構也因此而受益不少。然而，單純由於外界RISC的挑戰與競爭壓力，而將八六〇定位爲英代爾的第二大電腦架構，則是錯誤的決策。

我們其實應該更堅持在X八六架構上的投資，將資源集中在四八六上，讓四八六的性能成長更加速進行，以對付RISC的衝擊。可惜，我們直到一九九一年八六〇後繼乏力時，才明白這一點。就像其他被RISC熱浪沖昏了頭的公司一樣，英代爾也因爲RISC這個半路殺出的程咬金，而在忙亂中跨過八〇而來到九〇年代！

前有敵軍，後有來兵

一九九〇年，昇陽的SPARC還讓我們覺得壓力龐大；另一方面超微半導體卻也湊上一角加入競爭。

前面曾經提過，超微原本與英代爾公司協議，以發展三八六周邊零件來交換三八六之技術授權，但由於超微一直未能達到此一協議標準，因而無法獲得三八六技術之合法授權。但超微仍不死心，將一組工程人員放在德州，利用逆向工程原理，在九〇年下半年推出模擬的三八六產品。突然之間，英代爾原本在市場上的獨家生意，居然出現了競爭者。這可是破天荒、前所未有的事情！

英代爾這時的處境真是維艱。還好這時候微軟的「視窗三．〇」（Windows 3.0）開始普及，幫了大忙。三．〇最重要的特性是：讓電腦用戶同時能作多重處理，如此一來，用戶對微處理器性能的要求大爲提高，而三八六電腦跑起來速度很慢，經常讓人覺得不耐煩。很快的，用戶開始注意到四八六：只有四八六電腦才能讓視窗三．〇充分發揮可同時應用多種軟體的功能。於是一夕之間，四八六的銷售曲線從原本的蹣跚爬行，突然變成飛躍式的成長。

如此一來，視窗三．〇與超微半導體反而成爲英代爾對付SPARC的利器：如果英代爾的架構既好用、功能又強，而且結合許多公司共同推動技術之革新，那用戶何必多此一舉改用另一種架構？事實上，這也是RISC架構之所以功敗垂成的另一原因。

這場RISC戰爭雖然讓我很長一段時間煩惱到食不知味，不過從中也學到不少實戰經驗。對電腦經營者而言，最重要的還是確實掌握到電腦產業的遊戲規則：市場規模決定一切，只有足夠的市場規模才能創造業績、產生利潤、繼而保障未來持續的投資。

在電腦產業裡，沒有持續投資就沒有希望；而沒有市場規模就等於死亡。台灣有句俗話說：「西瓜偎大邊。」用在電腦產業的市場競爭上，真是一針見血。雖然這道理再簡單不過，可惜至今許多人仍不明白，以後的故事中仍不時可以看到這類錯誤一再發生！

四八六，快快快！

經歷過這一番混亂戰局後，我反而可以冷靜的思考我們該努力奮鬥的目標：唯有儘快衝刺出更高的產量與發展出更好的功能，滿足市場需求，才能在往後的日子裡以逸待勞，不必再擔心競爭者的挑戰。

一九八九年底，我們已試著大手筆提高四八六的產能，許多製程上的問題逐漸浮上檯面，我們只好一一克服。整個聖塔克拉的工作小組，爲此大費周章，幾乎是一天二十四小時都在工作。

爲了進一步提升四八六的性能，我決定由波特蘭的技術小組以當時最新的〇．八微米（指積體電路上線路的寬度）矽晶技術，負責簡化四八六設計，並提高其性能與產量。當時，一般四八六的處理速度是二十五與三十三「百萬赫茲」（MHz, mega hertz，一赫茲即每秒鐘一次，百萬赫茲即每秒一百萬次），而我定下的目標則是：「以○．八微米技術生產的版本，必須提升到五十M赫茲。」這足足提高一倍之多，有些人偷偷咋舌說：「這真是不可思議！」

我的要求還不僅於此；由於一直期待四八六能打進伺服器市場，因此我希望工作小組同時也能開發出非常高性能的快閃記憶體（flash memory），以配合五十M赫茲的處理速度。以高速微處理器與快閃記憶體同時搭配的作法，在三八六時代是前所未見的，這也將設計能力與矽晶量產技術發揮到了極限！

聖塔克拉的工作小組一方面急著解決舊版本一微米技術的量產問題，同時也與波特蘭的工作人員密切配合○．八微米版本的開發工作，整個英代爾公司展現空前的團結力量。

截至一九九○年底，部分早期樣品已先出爐，基本上已能達到我的要求，在第一次成果報告會議中，我已經信心十足的說：「我確定我們做到了！」

往一百M赫茲進攻

然後，我又突發奇想：「我們應該繼續調高我們的標準，在技術會議上展示一百M赫茲的四八六，顯示四八六仍有充裕的性能擴充空間，也讓其他諸如SPARC之類的架構不再有機可乘。」以一百M赫茲的頻率來看，已經是最早二十五M赫茲四八六版本的四倍之快，確實已領先其他RISC處理器一大段差距。

這樣的想法說起來，不僅外界認為匪夷所思，即使英代爾內部也有許多同仁抱著存疑的態度。幾次會議中，大家爭辯不休。最後波特蘭的工作小組決定獨挑大樑、付諸行動，不分日夜趕工，希望能見到一些成果。

九一年二月，負責這個工作小組的舒茲（Joe Schutz），在舊金山的「國際固態電路會議」（ISSCC, International Solid State Circuit Conference）中，以論文方式提出他們如何以特殊電路與技術發展出一百M赫茲的四八六版本。在場聽眾深深受到震懾，人人屏息以待，會場簡直靜到連根針掉在地上都聽得見。

出席這項會議者除了技術人員以外，還有來自各地的媒體。我在會後接受記者訪問時明白指出：「四八六會更快、超乎想像的快，更快的四八六已是指日可待！」許多媒體照實登出了這番談話，甚至毫不諱言的寫著：「四八六已超越SPARC！」

除了在媒體上廣為宣傳，讓產業界都了解到四八六的未來潛力外，最重要的還是要趕快看到高性能四八六的成品，否則一切都是空談。我急著要五十M赫茲版本儘快上市，但往後的幾個月卻由於技術難度太高，使進度略有延誤。最後終於在一九九一年六月如願宣布開發成功，並且開始出貨。我感到如釋重負，月底即懷著輕鬆心情展開我的第二度「七年進修」假期。

遲來的假期

原本我到英代爾後第二次的七年進修，應該在一九九〇年間休假。對我個人及我的家人而言，九〇年六月也是重要的里程碑。妻子幾年前在孩子都長大成人後，決定重拾書包回到校園，在這一年順利拿到企管碩士學位，正計畫著她的第二波職業生涯。同年，我的大女兒文楓剛自史丹福大學畢業，秋天後將繼續攻讀研究所。小兒子在這一年自高中畢業，九月間也要赴科羅拉多大學唸書。似乎這個夏天是我們一家四口最有可能共同渡過的夏日假期，錯過這一年，以後可能各忙各的，很難像四年前的暑假有共同的長時間去渡假。

偏偏SPARC的威脅與AMD的挑釁，讓我在九〇年分身乏術，無法自工作上抽身；另一方面，四八六開發計畫還沒有成果落地，我確實也無心享受休閒與天倫之樂。反正在英代爾，爲工作犧牲是常事，我的七年進修假也理所當然順延一年。

九一年，我們全家四口只能短時間湊在一起度個假，於是我決定將二個月長假規畫爲三部分。七月間，我先參加了在科羅拉多舉行的「美國領導人常會」野地研習營，爲期一週。

這項領袖級人物的常設組織，在全美各地有許多分支，出席者都是來自企業或公共事務領域的精英，依地緣距離而結合，爲當地社區的改革進步而貢獻心力。我在九〇年獲邀入會，但遲至九一年才真能成行。

加州分會的成員包括來自視算科技（Silicon Graphics）、Syntex、晶技、ESO、聖荷西大學、帕洛奧圖市、聖荷西市、聖塔克拉郡與太平洋貝爾聯合會的代表。每個月有一天大家定期聚會討論，在七月時並舉行一星期的野外研習活動。

我想舉辦野外研習有一大優點，即可藉由共同的體能勞動，讓成員鍛鍊體魄，並激勵出真正的友誼，這有點像台灣的年輕人在服役中產生「革命情感」。

在這次驚險的野營會中，我首度嘗試攀岩達數百英尺高，我心裡在想：「真不敢相信居然可以輕易做到！」之後又花了十個鐘頭爬上一萬兩千英尺的高山，並在野外露營了好幾日。此外，我們分成小組討論如何共同改進矽谷環境。除了培養團隊精神以外，我們也發展出深切的友誼，這些都是令人難忘的經驗。

音樂之旅

返家後，我和妻子動身前往歐洲作了一趟短暫之旅。我們拜訪心儀已久的維也納，由於熱愛音樂，這個典雅的文化古都無疑是我心中的夢土。我們聆聽了幾場音樂會，在奧地利幾個城市街頭閒逛，心裡很有「一償宿願」之後的踏實感。

拜訪匈牙利首都布達佩斯，則是另一番體認。由於幾部膾炙人口的電影「布拉格的春天」、「屋上提琴手」……等都以此地爲背景，加上英代爾有些同仁來自匈牙利，偶爾也會聽他們談起這個歷經社會主義統治的歐洲城市。這次親眼目睹這個美麗之都，但見多瑙河寧靜詳和地流貫其中，絲毫感受不到當年烽火連天的緊張氣氛；反倒是可以觀察到，資本主義已在這片土地上悄悄復跡了。

從歐洲回來的路上，我們花了些時間與孩子相處，然後在最後一分鐘決定加入岳父母的中南美之旅。我們去了巴西里約與聖保羅，順道拜訪英代爾當地的分公司，感覺上這個國家的電腦化才剛起步。里約也是風光明媚的漂亮都市，只是經濟還未步上正軌，窮人充斥街頭，讓觀光客隨時都得提心吊膽，以防被偷被搶。

位於巴西、厄瓜多爾與阿根廷交界處的伊夸蘇（Iquazu）大瀑布，向來以壯大巨觀聞名遐邇，我們乘直升機身歷其境，見識到這偉大奇觀，也爲這趟旅遊畫下完美的句點。在二個月的長假中，我的足跡踏上數洲的土地，也增添許多新奇經歷，似乎重新又充好了電，準備在工作上再出發。

九月間，我帶著一身的新鮮氣息、滿懷期待回到辦公室，在停車場上先就與一位產品經理不期而遇。她先是驚喜的打招呼說：「真高興看到你渡假回來！」這聽起來好像話中有話，我趕忙問她說：「怎麼了？」她告訴我，量產的工廠可能出了些狀況，五十M赫茲的四八六微處理器被迫要延遲出貨。我心想這怎麼得了，渡假的悠閒心情很快就拋到九霄雲外。

我三步併作兩步急著找部門人員，以弄清楚事情真相。誰知情況真的很糟，原來超微半導體已提高三八六產量，並正以低價策略進軍市場。爲防止我上次休長假回來，股價一落千丈的歷史重演，英代爾非得儘快找出對策不可。

還好工作小組向我保證：「製程上的問題已經可以解決了，我們很快就可以正式出貨。」我可以將全副心力用來應付超微的三八六攻勢。我的解決之道非常簡單：只要我們儘快推出更好、更快的四八六上市，由於視窗的應用軟體需要更快速的微處理器，那用戶很快就會對三八六失去興趣了。

靈機一動

量產五十M赫茲四八六與快閃記憶體的細節雖然可以解決，但我更深一層去想：這不僅是對英代爾技術上的挑戰，設計個人電腦的公司以前從未設計這麼快的系統，可能也會面臨同樣的問題。我在會議中提出下列的問題：「即使我們將處理器性能順利提昇到一百M赫茲，但沒有任何一家公司知道如何去設計這樣高速的電腦，該怎麼辦？」這真是個燙手山芋，困難度之高使大家討論多次，始終不得其解。

有一天，負責行銷策略的羅許（Bill Rash）突然跑到我辦公室說：「我們幾個人剛才在餐廳閒聊，想到有個點子不妨一試。」他們的想法非常簡單：沒有必要將處理器內部頻率與外部匯流排頻率設定爲相同，也就是說：我們可以將四八六的內部速度儘可能加快，使它的運算處理速度加快；但外在的匯流排則以二分之一的速度運作。舉例來說：如果微處理器內部頻率爲五十或六十六M赫茲，但外在匯流排頻率仍舊可以只是二十五或三十三M赫茲，那麼電腦系統的設計就不會那麼困難了。

還記得那條定律：「非絕對禁止者，即有可能發生。」這次再度應驗不爽，而且道理就是這麼簡單！由於我們在四八六晶片上加入快閃記憶體，許多程式處理可以在微處理器內部執行，外部匯流排的功用只是資料傳輸通道而已，其速度較慢並不會造成很大困擾。

這麼一來，系統的設計與製造問題很快就迎刃而解。由於許多公司都已經開發出二十五M赫茲的四八六系統，且在市場上大力銷售，現在由於外部匯流排速度不變，只要用類似的設計就可以開發出更快的五十M赫茲系統，真是何樂而不爲？

加速風暴

這真是驚世奇想！我把這想法稱為「時脈加倍」，心裡已經有十成的把握。接下來，就是看要將這計畫交到誰人手上，似乎所有的設計小組都有要務在身，臨時很難找到適當人選。

前面曾經提過，英代爾與西門子合資在波特蘭開發BIIN計畫，由於豪斯與我都不表贊同，後來半途而廢。多數的晶片設計人員轉而開始開發九六〇計畫，也許可以從這裡暫借幾位很有經驗的工程師來支援。

於是我決定在波特蘭成立新的工作小組，來進行「時脈加倍」計畫。曾經負責四八六開發小組的季爾辛格，在賓州的農場長大，他多次在社交場合向我提到：「我真希望搬離聖塔克拉，到比較鄉下一些的地方去，最好就像我在賓州的家鄉小鎮那樣！」波特蘭正有著這樣的鄉村風格，而他的能力也讓我不作第二人想。

季爾辛格愉快的接受了我的提議，很快就走馬上任，我們有史以來第一個「DX二」產品，後來就在他的手上完成。（DX二意味著時脈速度是DX的二倍。）其實我還賦予他另一項更重大的使命，就是領先開發「P六」產品，這等於是四八六的下兩代處理器，卻與Pentium處理器分二組人在同一時間內進行，這在英代爾也是從未發生過的事情。

過去我們一直習慣於在開發完成一代產品後，再轉而開發下一代產品。可是基於幾年來的市場競爭經驗，我覺得唯有加快發展新科技與新產品，才能真正的領先。於是從四八六開發完成後，我就要求同時進行Pentium處理器與P六的開發設計，這個新策略讓我們往後在技術上超越所有的競爭者，具有特殊意義。

比較起來，由二十五M赫茲發展出五十M赫茲的四八六，是最容易的部分，由三十三M赫茲開發出兩倍速度的六十六M赫茲版本，技術上就要困難多了。但我執意要儘快看到成果，我告訴他們說：「英代爾要靠它在技術上大幅領先RISC處理器，好讓大家看到英代爾架構超越RISC處理器！」

DX二的成功

季爾辛格是很好的技術主管，很會鼓舞小組的工作士氣，他用破紀錄的速度同時開發出五十與六十六M赫茲的四八六版本。我們在九二年正式對外發表DX二，市場反應很快就證明我們的策略相當成功，DX二成爲英代爾有史以來量產速度最快的處理器。

DX二的成功有兩項簡單的理由。首先是DX二將電腦性能提升一倍，我們的客戶可以將系統售價提高，利潤空間因而加大。其次，由於外部匯流排速度與過去的DX系統相同，客戶不須再更改系統設計，只要用原先生產方式即可推出更快一倍的電腦，因而上市的速度很快。

台灣宏碁電腦的董事長施振榮先生，在DX二系統的發表上就顯得相當積極、高效率。宏碁原本在三八六時代領先推出電腦，但在四八六卻有些遲疑，因而起步較晚；施先生相當明白DX二是重新扳回局面的大好時機，因而宏碁幾乎是最早推出DX二系統的公司。

升級創造新商機

DX二的想法無意間也爲英代爾開創出嶄新的天空：「如果電腦公司可以輕輕鬆鬆的將DX二插入他們原先設計的DX系統中；爲何用戶不能同樣如法炮製，將自己DX系統的微處理器換成DX二？」這個簡簡單單的事實卻是另一種創新，這也是「升級」觀念的由來。

升級保障用戶現有的電腦投資，只要換上升級用的處理器，就可以使系統速度加快，享受最新的電腦科技。我們後來將這種升級用的處理器命名爲：「加速檔（overdrive）處理器」，並在九二年底透過經銷管道，直接賣給個人電腦使用者。

在這之前，英代爾一直將處理器銷售給個人電腦公司，我們稱之爲客戶；從未想過有朝一日，我們可以將處理器直接賣到電腦消費者手上。這顯然對我們也是新起點。如果用戶對英代爾品牌產生忠誠度，就像我小時候在上海看到可口可樂，從此就爲它著迷，不曾再喝過其他品牌的可樂，那真是市場行銷上的一大勝利。

DX二的誕生同時也再度驗證：最黑暗的時刻，也就是黎明來臨的時刻。每當英代爾遭遇技術瓶頸極難突破之際，「創新」之神往往就在不期然中降臨。我想是由於英代爾鼓勵開放溝通的企業文化，讓創新之神樂於經常現身。

四比三好

除了DX二以外，英代爾同時也開發低價位的四八六，以擴充市場規模。工作小組將四八六晶片上的浮點運算單元拿掉，因爲對一般商業用途而言，浮點運算功能很少用到，但是這樣卻可使成本降低，成爲入階型的電腦，這就是「四八六SX」的由來。

英代爾在一九九一年推出四八六SX，並將原先的四八六正式命名爲四八六DX，加上DX二系列，四八六成爲英代爾有史以來成員最豐富的家族。不過，當時許多媒體和分析家們似乎也是不太能接受四八六SX，就好像三八六時代一樣，他們還用「跛鴨四八六」來代表它。沒想到後來四八六SX反而受到許多用戶的喜愛，直到九四年初都還高居「銷售排行榜」的榜首。

在完整的產品線規畫妥當之後，我們認爲市場時機已相當成熟，應該是發動「以四八六取代三八六」戰役的神聖時刻。而這也正是電腦用戶所期待的：要使視窗三．○的功能充分展現，就要靠四八六發揮威力。

我們決定在市場行銷上全面搶灘！不過在敲響第一聲戰鼓之前，還是得先釐清用戶爲何需改用四八六。顯然只有四八六才能發揮視窗應用軟體的功力，是理由之一。另外還有名正言順的理由：只有四八六系統可以用加速檔處理器繼續升級，三八六電腦則沒有這種「潛能」。

這些清晰明確的訊息，足以作爲我們行銷攻勢的最佳後盾。行銷部門不惜投下三千萬美元巨資，利用各種展覽、廣告、公關活動，不斷重複「四比三好」的訴求。英代爾甚至首度嘗試電視廣告，在重要時段播出一支幽默的搭電梯廣告，以加深用戶「四八六比三八六」更快的印象。有趣的是，這支廣告片的四八六是中國人，而三八六則用日本人代替，似乎也在暗示：中國人真行。

緊接著，爲了壓縮市場全面移轉到四八六所需的時間，英代爾決定以極具競爭力的價格，建立四八六壓倒性的勝利。

由於電腦公司需要從最低階到高階全系列的產品，我們視產品性能定下不同價位：SX針對入階型機種，銷售量可能最大，售價卻最低；DX適用於中階系統；DX二則定位為最高階電腦的處理器，許多用戶願意為高性能付出更高代價，因而售價也最高。這樣的價格策略也確保了我們客戶的權益，電腦廠商可以仰仗低價機種擴充市場，或靠高階機型創造利潤。這正是魚與熊掌，得以兼顧！

世代交替

為了順利將四八六大量銷售出去，我們不得不主動拜訪重要客戶，了解他們量產四八六電腦的意願。沒想到反應仍然是相當兩極化。

某些後起之秀，例如戴爾電腦，對四八六簡直是愛不釋手，恨不得能馬上就推出新機型，以搶得市場先機。事實上，這幾家公司一秒也沒有浪費，很快就開發出四八六機種，幾乎和我們同步發動行銷攻勢。事實上，電腦業界已經將能夠與英代爾同步開發產品，視為技術領先的指標！

其中，戴爾電腦是第一家在美國靠郵購來銷售電腦的公司，他們利用四八六，很戲劇化的搶攻灘頭堡，成為四八六市場初期最重要的供應商。這家公司的老闆戴爾（Michael Dell），年紀還不到三十歲，是很年輕的行銷鬼才。一九八〇年代，郵購在美國剛開始風行之際，他大概還只是高中生，可是卻已學到一肚子生意經。等進了德州大學，他就靠著散發傳單，居然在校園裡賣起電腦來了。

每回我與他聊起電腦行銷業務，就覺得戴爾真是「滿腹經綸」，不愧爲大師級人物。他很清楚電腦產業變化迅速，因此必須縮短從製造商生產到交至用戶手中的時間。這樣可以確實掌握市場變化，作最有效率的因應。他說：「買電腦就好像上中國餐館用餐，只要點菜，廚房馬上就炒菜上桌。」

如此一來，也可避免經銷通路層層剝削，不僅省下可觀費用，同時也使電腦製造商減少庫存，降低成本，消費者自然可以買到物美價廉的電腦，所以他們也擁有價格優勢。

戴爾還擅長發動直接攻擊的廣告訴求，經常以康百克電腦爲假想敵，在廣告中直接指明：與康百克同樣的電腦，售價卻只要一半。這一招讓消費者趨之若鶩，卻把康百克氣得吹鬍子直瞪眼！

不過，戴爾神奇的發跡，很快就引來其他人的覬覦。另一家名爲「Gateaway」的公司依樣畫葫蘆，很快就在市場上另起爐灶，後來聲勢甚至凌駕戴爾之上。個人電腦的銷售方式從早期靠業務員，到電腦專賣店，以及百貨公司、量販店等等通路，究竟應該如何銷售，才能成爲市場常勝軍，至今還是變數很多。

威力晶片發威

至於我們自始至終最大的客戶ＩＢＭ公司，事實上是想要借助我們的力量。英代爾針對筆記型電腦市場曾開發出數種高度整合的三八六與四八六版本，ＩＢＭ希望與我們技術合作，以借用我們處理器的核心技術，爲他們繼續開發更高度整合的處理器。

由於這一類的合作案通常很難進行，英代爾並不期待會有具體成果，但雙方仍在一九九一年正式對外宣佈：在波卡鎮共同成立「諾宜斯開發中心」，以發展適用於筆記型電腦的四八六處理器。

但與此同時，ＩＢＭ也公然找上蘋果電腦與摩托羅拉電子，努力推銷ＩＢＭ的ＲＩＳＣ晶片：ＲＳ六〇〇〇，希望獲得蘋果電腦的青睞，作爲下一代電腦的處理器；而ＩＢＭ也允諾將在未來的個人電腦上採用，如此就使得原本兩種架構間涇渭分明的界線，變得模糊起來。

英代爾內部初次聽到這項傳言時，失望之情可以想見。在經過深入討論後，卻發覺事情也許不像想像中那麼嚴重。我們認爲：威力晶片只能算是摩托羅拉六八〇〇〇的代替品，蘋果電腦充其量也只占整體個人電腦的市場十分之一，「這不見得能成大氣候的。」當時有同仁就如此預言，現在看起來這個預言還真是正確。

在整個事件中，摩托羅拉所扮演的角色不難理解：它協助開發晶片，並且銷售到開放的市場上。以摩托羅拉的立場來考慮，這次結盟對他們無疑是美事一樁。由於摩托羅拉的六八○○○系列已無法在市場上與四八六匹敵，而他們自己開發的RISC晶片八八○○○也已宣告壽終正寢，因此他們只有將未來希望寄託在威力晶片上，以求東山再起。

同樣的道理，威力電腦（Power PC）對蘋果公司也深具意義。由於六八○○○後繼乏力，蘋果電腦只有另求高明，爲開發下一代的電腦鋪路，否則就只能坐視英代爾架構的個人電腦獨占市場。

其實原先在蘋果電腦爲了下一代處理器而煩惱之際，我們就積極拜訪該公司，希望他們改用英代爾的處理器系列。他們也已展現相當的誠意，甚至與我們密切配合，使麥金塔的作業系統也可以在英代爾架構上運作。沒想到經過一年多的往來，原來應該是水到渠成，卻因爲他們之中幾位關鍵人物的去職，讓一切都泡了湯。

IBM重新擁抱四八六

威力電腦對蘋果公司與摩托羅拉的好處，都很容易明瞭，只不過對IBM能產生多大效益，至今仍無法看出。從此以後，IBM的個人電腦產品線必須管理兩大架構：即英代爾架構與威力電腦，整個投資金額將大得驚人。更何況威力電腦的使用軟體至今仍付之闕如，讓外界很難作樂觀判斷。一家電腦公司願意付出如此高昂代價，只爲堅持擁有自己專屬的處理器，著實令人費解。

還記得我們初度拜訪ＩＢＭ，提出進入四八六市場的計畫時，他們表示出對四八六相當滿意，只是礙於公司內部政策已明定以威力電腦爲發展方向，對四八六只好割愛。還好後來ＩＢＭ個人電腦公司換了一位新老闆，柯瑞根（Bob Corrigan）和前任的作風完全不同，全心爲擴大市場占有率而衝刺，決定重新發展四八六的產品。

柯瑞根本人不太有ＩＢＭ一貫濃厚的官僚氣息，處事明快，從他上任後員工穿著上的改變，就可以感受到他致力去除藍色巨人龐大的歷史包袱。記得有一年春天我們約好開會，他們所有的經理都一身輕鬆便服：毛衣與T恤，完全看不到昔日白襯衫、藍西裝的ＩＢＭ標準制服，讓我當場有些錯愕，差點以爲約錯了人。

在柯瑞根的領導下，ＩＢＭ很快轉進到四八六市場上，而且有相當不錯的成績。由於ＩＢＭ原先同時進行的威力電腦遲遲沒有問世，連媒體都已不堪久候，慢慢冷卻了熱度。因此柯瑞根儘早作下生產四八六電腦的決策，可以說爲ＩＢＭ立下大功！

康百克白忙一場

至於同樣雄據一方的康百克電腦，則有另一番際遇。一九八六年間，康百克因爲率先推出三八六電腦而名噪一時。但沒想到，成功來得太過容易，反而令人迷失方向。康百克的電腦原先以較ＩＢＭ精巧價廉爲號召，可是後來愈賣愈貴，而且製造成本高昂，反而成爲同業在市場競爭時攻擊的靶子。

自一九九〇年起，另一家打著ＲＩＳＣ旗號的ＭＩＰＳ公司，利用ＳＰＡＲＣ餘威未了，同樣致力於宣揚「ＲＩＳＣ是比ＣＩＳＣ更好的架構」；而且同樣也以「ＭＩＰＳ將取代英代爾架構，英代爾未來毫無前途」的說法，作爲訴求。ＭＩＰＳ同樣也打算利用聯盟方式，儘快建立自己的勢力，因此成功的吸收視算科技、迪吉多電腦等公司，共同推動以ＭＩＰＳ晶片爲架構的「先進電算聯盟」（ACE, Advanced Computing Environment）。而康百克總裁康尼恩居然也上了鉤，成爲這個聯盟中的領導大將。

這對英代爾來說，好像是ＳＰＡＲＣ夢魘重新再來一次。ＲＩＳＣ就像電影「異形」（*Alien*）中打不死的怪獸，雖然已經死了，但不知何時又會復活。英代爾再度面臨很大的架構挑戰，不過由於我已經打定主意，以兩組人同時開發Pentium處理器與Ｐ

六，因此在因應時較有把握。

一九九一年初，康尼恩與我們幾位同仁約在一處飯店內開會，開門見山的說：「我對先進電算聯盟有高度興趣，康百克將投資視算科技公司，以MIPS晶片發展先進的電腦繪圖設計。」原來他的目的只是要告知我們這事，所以他也不願聽聽我們的意見，整個會議很快就結束。

英代爾這時已感受到他的危機。一個月後，在康百克位於休士頓的總部裡，我們用具體證據告訴他說：「康百克在四八六時代，已不復再有領先的局面。」他才恍然大悟，其實應該面對自己的管理問題，以改善康百克的成本結構，重新搶占市場；而非在先進電算聯盟裡搖旗吶喊。

果然不久後，康尼恩被換下，菲佛（Eckhard Pfeiffer）繼任爲新總裁。他確實展現管理魄力，大幅降低成本，迅速轉進四八六市場；同時也使康百克自先進電算聯盟全身而退，菲佛本人也不再參與視算科技的營運，將公司全部資源都放在英代爾架構上。

康百克的轉變很快引起業界注目，而它的營運也從原本走下坡、在一九九一年還虧損的情況逆轉而上。九四年間，康百克已重新登上市場龍頭老大的寶座，四八六產品線無疑是最大功臣。

先進電算聯盟的結局，就沒有這麼的皆大歡喜。在失去康百克這個主要支柱後，聯盟成員逐漸失去向心力，紛紛敲起退堂鼓。過去讓SPARC無法一舉成名的理由，在MIPS身上同樣可以找到：即缺乏市場規模。

一九九二年，視算科技公司乾脆買下MIPS公司，並且將這個RISC架構收爲己用，下場與昇陽的SPARC架構如出一轍。至於先進電算聯盟，則逐漸銷聲匿跡。

這兩種RISC架構，最後都成爲擁有特定市場的電腦公司專用的處理器，其附加價值全在軟體上：昇陽靠UNIX應用軟體在技術與財務領域出人頭地；視算科技則爲電影與科技界發展三度空間動畫，電影「侏羅紀公園」賣座轟動，讓它揚名立萬。從這些例子很容易看出：電腦公司擁有自己的處理器，並不見得有多大經濟效益，還是要靠軟體發展才能真正獲勝。未來如何，仍有待靜觀其變。

打敗日本

到了一九九二年，幾乎所有個人電腦製造商都和IBM與康百克一樣，投入四八六電腦的生產陣容。這時距離四八六初上市已快三年，無論是RISC衝擊或其他公司的挑戰，都已經塵埃落定，英代爾四八六處理器的產量攀上高峯，營業額也跟著蒸蒸日上。

對英代爾來說，四八六的意義已不僅僅是取代三八六而已。由於它與視窗軟體的結合，將電腦性能提升到新境界，吸引了更多人開始使用電腦，令個人電腦的使用前所未有地普遍。

在四八六時代正式來臨以前，每年全球個人電腦市場需求量也不過二千萬台而已；但自一九九一年至今，卻已創下加倍成長的紀錄，一九九四年市場生產量已高達四千萬台。與此同時，英代爾的營業額也自一九八九年的三十億美元，加倍成長至一九九二年的六十億，至九三年則更達九十億美元。

一九九二年間，英代爾更一舉超越NEC，成爲全球最大的半導體公司，讓美國重新在半導體產業揚眉吐氣。想起一九八五年，我們還因日本的介入不得不放棄自己一手主導的DRAM技術，真是不可同日而語。

中國在二次大戰期間用了八年時間打敗日本，巧合的是，英代爾同樣也花了八年工夫打敗日本，只不過地點是在高科技的戰場上。顯然，商場上同樣也要有「長期抗戰」的心理與準備。只有堅持到最後一秒，才有可能成爲最後的勝利者！

致勝關鍵：完整產品系列

以行銷的理論來分析，四八六的成功其實也很符合四P理論：即產品、價位、行銷與通路的全盤策略。其中，產品應該是最關鍵的因素。

1982年	1987年	1992年
德州儀器	NEC	**英代爾**
摩托羅拉	東芝	NEC
NEC	日立	東芝
日立	摩托羅拉	摩托羅拉
飛利浦	德州儀器	日立
東芝	富士通	德州儀器
國民半導體	飛利浦	富士通
英代爾	國民半導體	三菱
富士通	三菱	飛利浦
松下	**英代爾**	松下

根據市場調查公司 Dataquest 的數據，一九九二年英代爾在全球半導體公司的排名從一九八七年的第十名一躍而成爲第一名！

四八六並非單一產品，而是完整的產品系列。在三八六時代，英代爾的產品只有三八六SX與DX之分，頻率則在十二至二十五M赫茲之間。但自四八六開始，英代爾提供寬廣的產品線，以符合不同層次市場的需求，其中包括：四八六SX、DX、DX二、DX四、以及SL加強型（低電壓、高功能版本）等。頻率也自十六M赫茲提高至一百M，足足增加了五倍。

寬廣的產品領域，不僅使我們的定價策略有大幅發展空間，同時也形成「無隙可乘的市場策略」（no hole strategy），讓模仿英代爾架構的競爭者找不到施力點，自然就無法構成威脅，我們的產品定位可說是相當成功。繼英代爾之後，超微、IBM、Cyrix與台灣的聯華電子，都推出與英代爾架構相容的四八六，但似乎都無法構成太大威脅。孫子兵法有言：「不戰而屈敵之兵，是爲上策。」英代爾不必大動干戈即令競爭者卻步，應該也稱得上是上策。

不過換個角度來看，競爭者的出現其實也有正面價值。多家供應商可以共同將市場拱大，彼此間的較勁更可刺激技術創新，導致產品價格迅速滑落，消費者自然成爲最大受惠者。葛洛夫在一九九三年底電腦價位下跌時就曾經說過：「電腦用戶將是最大贏家。」

然而，帶動電腦產業前進的巨輪還未停止，仍朝著下一代架構繼續前進中。

第 九 章

經典之作
——Pentium處理器

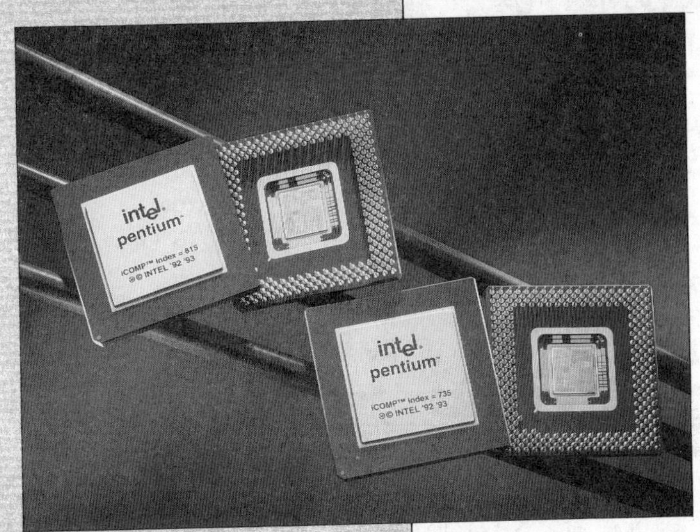

在四八六之後，我們覺得應該替下一代的處理器另取名字，而不單稱之爲「五八六」。最後我們想出Pentium這個名字。

我認爲英代爾成功的最大功臣，還是產品開發與生產人員。他們總是一再突破技術的極限，讓我們在面對市場挑戰時，永遠都能有最先進精良的產品爲後盾。

一九九〇年代初期，我們的第五代架構還在積極開發中，代號爲「P五」，這是當時英代爾的最高機密，外界對它的特性十分好奇，我們經常可以在電腦雜誌上看到有關P五開發的新聞。

這時候，除了前面提到的MIPS聯盟外，許多原本以大型電腦和工作站爲主要市場的公司，例如IBM、迪吉多與惠普，也紛紛推出新架構的晶片，希望和我們競爭。新電腦產業已經嚴重威脅到舊電腦產業的王國，因此他們希望靠新架構來扭轉局勢。

其中，像IBM積極發展威力電腦；迪吉多則開發名爲阿爾發（Alpha）的專屬晶片，號稱速度超快，主要是以工作站爲市場。惠普則積極鼓吹精準型架構，以取代他們的老一代HP三〇〇〇系列。這些公司還有一個共同特性，就是打著RISC旗號，而且總是口徑一致的說：「英代爾架構是CISC技術，已經無法再進步了，四八六之後英代爾即將沒落。」

MORP滿天飛

這些話聽起來真不是滋味，不過每家公司都擁有自己的RISC處理器，這個現象也很有趣。有一天，葛洛夫天外飛來靈感，發明了「MORP」這個新名詞，代表「我的私人RISC處理器」（My own RISC processor），以統稱這些RISC晶片，我們還在會議中討論這些MORP的特徵，以及英代爾的因應之道。

他們的動機其實很明顯：每家公司都希望創造一個開放式的新標準，吸引其他軟硬體廠商投入新市場，讓自己的晶片能大量生產，從而產生足夠的利潤，繼續投資開發新一代產品。這等於是模仿英代爾架構電腦產業的興起。只是，時代背景已經完全不同，一九九二年間全球個人電腦產值已經接近三千億美元，這是很難忽略的事實。

RISC處理器另外還有一點「迷思」，有待澄清。RISC電腦的觀念源自校園，當時強調的特性是：架構簡單、設計容易。可是在進入真實世界後，要做到真正的商品化應用，架構就會變得複雜許多，業者勢必還得投下更多資源，這是它走出學術象牙塔後必然會發生的結果。不過這種鉅額投資並不是一般人付得起的，我就認爲八六〇的後續投資並不值得，而在九一年決定喊停。

所以儘管擁有這些MORP晶片的公司，對外界說得天花亂墜，我卻還是對X八六架構深具信心。我覺得英代爾擁有的最佳資產，就是市場上與英代爾指令集相容的多樣化軟體，無論如何，我們對這些軟體以及它的用戶也不能隨便放棄不顧。

新架構·新方向

因此我很確定今後產品的發展方向，就是改善新一代微處理器的「微架構」（或者說是內部技術），但仍然維持相同的指令集架構，保持與外界軟體的相容性。這就好像汽車引擎一代比一代馬力更強，汽缸數目愈來愈多，每一代的設計技術不盡相同；但駕駛者開車的習慣卻不會受到影響，只要維持過去的使用方式即可享受新產品所提供的功能。

更早之前，我就一直想著如何發展出新一代的微架構，讓現有的X八六架構可以發展出更高性能的微處理器，後來魏塞（Uri Weiser）在一九八九年加入英代爾之後，以實際行動證明這個想法確實可行。

魏塞原本爲國民半導體公司設計處理器，不過由於該公司一直以低階電子產品爲主，讓他有志難伸，因此改而投效英代爾。他一到我們位於以色列海法的設計中心，就提出建議說：「P五應該採用超量化（superscalar）架構，設計成兩個分開的執行單元，同時可執行兩個指令，比RISC每次只能執行一個指令快一倍。」

如果超量化的觀念確實可行，那就是微架構上很大的突破；不過這個想法還是有待證實，我們都等著看他如何辦到，而這似乎一點也難不倒他。他到了聖塔克拉總部，就和幾位主要工程師合作開發軟體，以證明這個想法確實可行。沒多久的工夫，就在眾人眼前展現具體成果，讓我們大開眼界。我馬上將過去那些有關架構的爭論，拋到九霄雲外，直覺的反應說：「這正是未來我們該走的路。」

於是我找來原本負責開發四八六的鄧文（Vin Dham），成立新部門馬上著手發展P五。鄧文將四八六交由他人接手，專心開發P五，而且將四八六計畫中的多位大將，都帶到P五，讓經驗可以繼續傳承。

昇陽勉力再東升

與此同時，市場上也有傳言，昇陽也正以同樣的想法開發下一代的SPARC處理器，所以無形中我們等於在作一場新科技的競賽，看誰可以拔得頭籌，搶先推出超量化晶片。當然，我們也將客戶的要求列爲第一優先，於是一開始就分派幾組人洽詢主要客戶的建議，以了解他們究竟希望這顆新處理器有那些新功能。

客戶的反應也不出我所料。軟體相容性與執行性能，是每位客戶都提出的最基本要求。此外，許多電腦公司也希望能有多重處理能力，使系統性能明顯的改進。這些都成為我們開發P五技術的基本藍圖。

雖然我們興致高昂的著手開發，不過P五一方面要設計成兩個執行單元，以形成超量化架構；另一方面還要加入許多特性，以符合客戶的期望，確實是高難度的挑戰。在四八六晶片上，我們放了一百二十萬顆電晶體，已經創下世界紀錄；可是P五為達到我們設下的高標準，電晶體數目將會超過三百萬顆，相形之下它的複雜度可以想見。

單從投入的人力來作對照，也可看出P五的工程巨大。開發四八六的工程師人數約為五十多人，可是在P五，研發人員一下子就超過百人。姑且不談招募與訓練這麼多人的困難度，光要使這麼大的一個團隊能同步進行，就不是件容易的事。鄧文提議整個團隊應每星期舉行全員會議，讓大家了解計畫進度以及下一週的工作目標，我欣然贊同，整個計畫過程也因此進展的格外順利。

在開發四八六時，我們許多架構特性是從大型電腦借來的，但P五的超量化架構與多重處理能力，連大型電腦先前也沒見過，我們毫無參考對象，一切只有從頭摸索，我們等於又作一次劈荊斬棘的技術先鋒。

此外，為提供高性能，P五晶片的頻率必須大幅提高，這使電路設計幾乎到了極限。同時，由於晶片上包含了三百萬顆電晶體，連電腦輔助設計工具都要重新設計，才能達到要求。甚至連確認與相容的測試過程，都比四八六要複雜上三十倍，測試項目除了DOS、視窗、OS／2、UNIX、NetWare等多種作業系統之外，還有硬體附加卡、通訊與多重處理等等。如果我們將開發四八六比喻爲蓋公寓房子，那P五的工程浩大，就只有興建摩天大樓可堪比擬。由於壓力實在太大，有些人在半途宣告放棄，其他人則仍然以愚公移山的精神繼續前進。

為晶片瘦身

一九九一年間，我們看到初期成果，可是晶片體積實在太大了，讓我很難說出滿意之類的話。整個小組應我的要求，開始爲晶片作「瘦身」計畫，也就是拿掉某些不必要的特性，讓晶片看起來稍微小巧一些。

不過即使我們已縮小了快閃記憶體等多樣組件，整個P五還是比四八六要大了點，因此原本打算在九一年聖誕節以前完成的目標，只好再往後順延。我預期在九二年四月間應該可以做好，可是葛洛夫不太相信，所以我們就決定打賭，看看到時誰對誰錯。

所有研究人員這一年的新年假期，也就只好在公司裡加班度過，而且幾乎人人每日都工作十二至十六小時，連週末也不例外，有人開玩笑的說：「這簡直像生活在公司裡，與家人見不到一面。」

沒想到這次的開發工作實在太難了，四月間，我們的辛苦還是差了一小步，P五要到五月才大功告成。由於先前沒和葛洛夫說好要賭什麼，因此他臨時起意，要我在高階主管會議時提供「幸運餅乾」（fortune cookie，美國中國餐館在餐後提供的一種餅乾，餅乾內有一張小字條，預測客人運道）。於是，我就將各種有關P五的笑話都包進餅乾裡，讓大家共同體會開發過程的困難。

五月間，我終於可以放心的在部門內召開比薩派對，以慶祝P五晶片終於完成。每個人都感到欣慰，我們第一階段的目標沒有交白卷，在盤算著下一步該如何走的同時，每個人也意識到：這一刻我們再次締造了歷史。P五完成的消息很快也在產業界流傳，沒多久，我們甚至接到昇陽工程師們透過電子郵件傳來的祝賀，資訊傳遞得這麼快速，真是連我們都嚇了一跳。

其實，昇陽比我們更早完成同類的設計，稱爲「超級SPARC」（super SPARC），只是在晶片實際運作上遭逢很大的困難，因此無法真正量產。顯然他們太掉以輕心，以爲RISC架構非常簡單，低估了超級SPARC的困難度，這正應驗了我先前的預言。

因此我們反而後來居上，在六月時已經能將晶片樣品交到客戶手中，幾家主要的電腦公司也隨即著手設計系統。昇陽原本計畫以六十六M赫茲作爲目標，後來由於複雜度太高，晶片速度始終無法突破四十M赫茲；我們的P五則一開始就達到六十六M赫茲，而且工作小組再接再厲，後來更努力達到一百M赫茲的目標，足足比昇陽更早一年完成。

從八〇年代下半開始，我們總是被迫要面對RISC架構的挑戰，現在卻一時之間局勢豁然開朗。不僅我們的DX二比第一代SPARC更快速，我們的P五也遠遠超越第二代的SPARC，讓我更確信，英代爾優異的微架構只要搭配先進的矽晶製程，一樣可以超越傳統的RISC架構。如此一來，還會有誰願意大費周章的更新架構？現在看起來，SPARC、MIPS這些「我的私人RISC處理器」，也真的只剩下他們自己在用了。

為處理器命名

一九九二年中，P五的開發工作告一段落，我們正準備要發表這新一代架構，可是其他競爭者的動作連連，讓我們第一次仔細考慮是否該爲晶片命名。

這時超微正打算推出模擬我們的AM四八六。由於我們過去一直以三八六、四八六這些數字，來稱呼我們的微處理器，這已經在用戶心中根深柢固，成爲每一代個人電腦的代名詞。因此，像超微等半導體公司，也大可以將他們的產品標上這些數字，不費吹灰之力就可以直接銷售。我們每年在行銷與廣告上花了數億美元預算，推廣微處理器，可是卻無法與競爭對手的產品有所區隔。由於數目字無法登記註册，我們想經由申請商標獲得法律保障，也無法如願。

所以該如何爲P五命名，著實令人傷透腦筋。眼前只有兩種選擇：繼續按數字排列稱之爲五八六，或另外命名，看起來都不是好主意。命名作五八六等於爲抄襲者先搭好橋梁，可以想見以後絕對會有一連串不同公司的五八六；改變命名習慣則需要花費許多公關廣告資源，以打響新名稱，同時還有些風險，因爲許多人早已習慣使用五八六的名稱，新名字如果不能取而代之，那英代爾可就是自找麻煩。

最後，葛洛夫仍決定要另爲命名，以杜絕仿冒者的後患。他還特別組織命名小組，希望找到最好的名字。我們在英代爾內部展開公開徵名活動，雀屏中選者可以贏得大獎。以文字而非數字替產品命名，這在英代爾二十多年的歷史中還是首見，而我們自己突破已建立多時的命名原則，另創新名，也是冒險到了最高點，不過大家倒是毫無異議，一致同意應該這麼做。

爲產品命名是一大學問，也是行銷上的一大盛事。簡單易記是最基本的要求，只要客戶記得這個名字，等於也就成功了一半。P五的銷售是全球性的，要讓全世界的人都能在眾多產品中，特別記得這個產品，絕對得要有個不同凡響的名稱。我們的命名小組還從外界聘來幾位專家，並且花了許多工夫研究不同的名字，甚至還作市場調查，以實地了解社會大眾可能產生的反應。

雖然在答案未正式揭曉之前，沒有人知道會用那個名字，不過至少有一件事可以確定，那就是新名字應該在九二年十一月初決定，這樣才能趕在一年一度的電腦展時公布。由於這個展覽是全球矚目的盛會，因此在展覽上宣布最能吸引大眾的目光。

最高機密

決定新名字的這一天，終於在大家的期待中到來。葛洛夫親自召開會議，大約有二十人出席。我們先聽命名小組報告幾個不同的選擇，也了解較具「冠軍相」的幾個名稱各有什麼優缺點，同時我們還得宣誓保密，不對外界透露這些名稱中的任何一個，這過程簡直比世界小姐選美大會還嚴格。

最後大家將焦點放在進入決選的前三名，每個人可以自由選擇最喜愛的名字，並且陳述選擇的理由。在這過程中，只見葛洛夫非常認真的一直在作筆記。我其實對這三個名字都覺得不錯，不過還是挑了一個，並且說出我的理由。等大家都說完了，葛洛夫突然接口說：「非常感謝大家的參與。」然後帶著他的筆記就離開了會議，留下一室的愕然。

顯然，他要保留最後的答案，那個週末他在家裡作了最後的決定，不過全公司上下還是沒人知道究竟會是個什麼樣的名字。謎底直到過幾天葛洛夫出現在全美電視新聞的訪問上，才正式揭曉，葛洛夫自己告訴全世界的人說：「我們下一代的微處理器稱爲：Pentium處理器。」這個字聽起來鏗鏘有力，很多人都很喜歡。

Pentium是我們合成的新名詞，「Pent」在拉丁文裡是第五的意思，正符合第五代微處理器的身份；而以「ium」的音結尾，聽起來像是一種元素，就像：氦（helium）、鈣（calcium）之類的，也很有意義。由於是新字，很容易激起大眾的好奇心，這對新品牌的推廣也很有助益。

我們最關心的還是這個新名字是否能爲大眾所接受。因此在接下來的三個月裡，我們每天都計算人們稱呼Pentium處理器與五八六的次數各有多少，很慶幸在新名字宣布還未滿三個月之前，Pentium處理器的次數就已經超過五八六，這代表接受度已相當令人滿意，我們終於可以放下心來。

虛擬發表

這時候英代爾內部幾乎已準備好，隨時都可以發表Pentium處理器。它的名字已經定好，大家都能接受；生產線也可以開始運作。我們同時也開發出配合的ＰＣＩ晶片組，可以大幅提高處理圖形與輸出入的功能，幾個主要的軟體在Pentium電腦上也執行得相當順利，可以想像用戶在應用時會很滿意它的表現。

不過，萬事俱備，只欠東風。我們的「東風」就是幾家主要的電腦廠商，他們普遍反映說：「要設計一套很好的Pentium電腦，實在是太難了。」新的系統設計除了整個記憶體系統必須重新設計外，如何採用新的ＰＣＩ晶片組以及快速圖形處理，都是很大的工程。

本來每一代新處理器上市後，所有的系統都要重新設計，只不過在ＤＸ二時代因為架構類似，所以系統設計對電腦公司幾乎是易如反掌的事。現在由於Pentium處理器是新一代的產品，因此電腦公司也要面對新技術的挑戰。有些客戶跟我說：「Pentium電腦的開發工作，不像我們想像中那麼簡單。」

有句話說：「客戶的問題就是你的問題。」當問題降臨到客戶頭上，英代爾自然不能坐視不顧。還好我們在波特蘭還有座姐妹工廠，負責ＯＥＭ業務，他們很快將Pentium處理器加上ＰＣＩ晶片組等零件，作成Pentium主機板，直接出貨給許多客戶。

儘管如此，我們還是因為幾家主要客戶的產品尚未完工，而數度延遲產品發表計畫。直到一九九三年三月西德電腦展，Pentium處理器才正式曝光，而定價與交貨等細節問題則在五月間對外公布。

我特別參加了在西德舉行的Pentium處理器技術發表會，會場內放了許多台最新的Pentium電腦，展示各種應用軟體：從辦公室應用到家用，以及最先進的虛擬實境（Virtual Reality）應用等等，真是琳瑯滿目。我同時也和歐洲幾家重要的電腦公司負責人碰面，大家對Pentium電腦的期望都非常高，我想應該說是「充滿熱情」。

五月間，我們以「虛擬發表」的方法，正式對外公開發表Pentium處理器。我們僅召開非常小型的記者會，但先前已透過新聞稿將消息傳佈至世界各地的分公司，在同一時間同步對外發表。這與四八六及DX二上市時，邀請數百位客戶、新聞媒體與產業分析家一起來出席我們的大型發表會，完全不同，但結果證明同樣能達到將新產品訊息完全發布的效果。

我們改變作法的原因，主要是覺得，其實產品消息是否見報與發表會規模大小無關。傳統上，我們會在發表會一個月前，就接受出刊時間較長的雜誌之訪問；在一週前再接受週刊的訪問，所以各種媒體都會在產品正式發表時同時刊登消息，大型發表會等於只是型式而已，不會增加多少效益，但卻增加許多額外的負擔。所以又何必費心舉辦發表會？

事實上，以Pentium處理器在新聞媒體上的曝光度來看，這次的虛擬發表會無疑也是非常成功的，甚至比實際舉辦發表會還更有成效，這又是一次觀念上的突破。自此以後，我們就都採用這種虛擬發表的方式，來發布新產品訊息。

沈默的市場領導者

Pentium處理器上市的消息，很快受到各地傳播媒體的重視。一九九三年六月的財經雜誌，甚至以這顆處理器的電路設計圖作爲封面，標題上則打著：「新一代電腦革命：全球最重要的產業深受震撼。」

這時候，我們過去的RISC勁敵如SPARC與MIPS等之類的，規模都已縮小，可是由IBM、蘋果電腦與摩托羅拉形成的「威力電腦聯盟」，聲勢卻愈來愈大，讓我們感受到威脅。

這三家公司在一九九一年十月間，首度對外發表合作計畫。有些人形容這是「利益的結合」；也有人說是「三家公司的再生」。無論如何，他們結盟後的第一個產品六○一在一年多以後完成，並且指明挑戰我們的Pentium處理器，強調它具有速度更快、價格更便宜的優勢。

蘋果電腦很有決心的自一九九四年初起，就放棄以前的六八○○○處理器，而改用威力晶片，產品系列名稱也變成「威力麥金塔」（PowerMac），不過這對他們是福是禍，似乎一時還很難論斷。當時蘋果電腦總裁史考利（John Sculley）有一次居然在媒體上說：「蘋果公司威力電腦的出貨量，在第一年內絕對會比Pentium電腦還多出十倍。」這種預言讓很多聽到的人都直覺反應說：「他是不是瘋了？」

在史考利誇下海口兩個星期之後，有一天我應邀到一家做主從電腦的Blyth軟體公司，對他們的用戶作專題演講。當時就有人特別問我：對史考利這番話的看法如何？我笑著回答說：「這種毫無數字依據的話，實在不值得評論。」我甚至當場說：「我可以用我的職位和他的職位作賭注，看看到底誰對誰錯。」當時我一點也不清楚蘋果電腦董事會對史考利有什麼不滿，只是認爲似乎沒有很突出的表現，於是就臨時起意說了這麼一段話。

沒想到三個月後，蘋果電腦的董事會突然決定撤換總裁人選，這讓我真嚇了一跳，沒想到我的預言成真。無獨有偶的，當時代表IBM加入威力聯盟的庫爾勒（Jack Kuehler），也已不在IBM的總裁之位了，看來這個聯盟的前途還要有一番奮鬥。我很慶幸英代爾一切還是按部就班。而和史考利的預言正好相反，我們的Pentium處理器在九四年底出貨量已經是威力電腦的十倍以上，也許他是這世上最不願見到這個事實的人。

雖然這二十多年來，英代爾已經面對無數次的市場競爭，可是這次威力聯盟挾著三家大公司背後雄厚的技術與財力作後盾，我不得不承認這實在是很大的挑戰。英代爾該如何回應呢？

原本我們的第一個反應是立即作廣告反擊，後來經過內部多次的辯論還是作罷。理由是：「只有市場跟隨者才需要大聲吶喊，增加自己的聲勢。」威力電腦這時還沒做出多少實際成績，也沒一點市場影響力，而英代爾是市場領導者，如果回應反而只有提高他們的身價。所以我們決定保持緘默，這也符合一句老話：「市場領導者通常是沉默的。」

事實上，在威力電腦的廣告中，有時提到Pentium處理器的次數反而比他們的產品更多，顯然他們也已將Pentium處理器定位爲產業標準，甚至還幫我們大作廣告。也許這是他們始料所未及的！

超越一百M赫茲的技術極限

所以在威力聯盟忙著在外界到處造勢的同時，我則經常奔波在波特蘭與聖塔克拉總部之間，爲我們新產品的開發設計而努力。

從一九九二年初開始，我就要求波特蘭的研究小組，以下一代〇．六微米技術開發更快速、更低電量的Pentium處理器。由於筆記型電腦的使用愈來愈普及，因此我特別強調要開發特殊省電功能，才能符合筆記型電腦的應用。同時我也希望藉此顯示Pentium處理器還有很大的發展空間，甚至可以到達一五〇M赫茲，讓全世界的人都能親眼看到。

整個工作小組爲使這個理想付諸實踐，可以說是卯足全力。一九九四年二月，舒茲在「國際固態電路會議」上提出論文，顯示一五〇M赫茲的可行性，再一次證明Pentium處理器仍有很大的發展空間，他甚至還當場展示了一台一五〇M赫茲的Pentium系統，可以作真正的應用。會場聽衆深受震撼，只有威力電腦的人在震驚之餘，還心有不甘，因爲他們始終無法突破一〇〇M赫茲的技術瓶頸，這讓我很快聯想到一九九一年間，SPARC陣營在我們推出四八六時，也是同樣既羨慕又嫉妒的心情。

我覺得這是對我們最爲有利的大好時刻，機不可失。於是馬上將〇．六微米Pentium處理器排上生產線，它的處理速度高達九十與一百M赫茲，這是當時任何一顆威力電腦晶片都無法比擬的速度。一九九四年三月，我們在蘋果電腦宣布推出威力麥金塔之前一個月，推出我們的九十與一百M赫茲 Pentium處理器。相對而言，第一代PowerMac的速度多半都是六十M赫茲，明顯地慢多了。

由於〇．六微米的Pentium 處理器具有省電特性，我們許多生產筆記型電腦的客戶都極感興趣，希望用七十五M赫茲Pentium處理器來發展最先進的筆記型電腦，好搶先占得市場先機，其中日本與台灣的公司表現得最爲積極。一九九四年十月間，東芝率先發表，推出全球第一台Pentium筆記型電腦，受到許多矚目。

一九九四年底，威力電腦當初的氣燄已經消失無蹤，在報章雜誌上也不再大作廣告。十月間美國的《商業週刊》甚至刊出以：「ＩＢＭ與蘋果電腦是否爲時已晚？」爲標題的文章，顯示外界對他們的信心已大打折扣。

致勝原因在產品

雖然最後鹿死誰手，還有待最後分曉，不過我倒是另有一番體認。外界許多人總習慣將英代爾在微處理器市場的成功，歸功於靈活的行銷策略，有人說：「英代爾的行銷技巧真是沒話說，每次出招都讓競爭對手招架乏力。」過去多年來，我們的行銷策略經常走在時代前端，確實是有出奇致勝的功效。不過，我認爲英代爾成功的最大功臣，還是產品開發與生產人員，他們總是一再突破技術的極限，讓我們在面對市場挑戰時，永遠都能有最先進精良的產品爲後盾。

無論在八〇八八對六五〇〇、二八六對六八〇〇〇、三八六對六八〇〇〇、四八六對六八〇四〇與ＳＰＡＲＣ、或Pentium處理器對威力晶片之際，無論我們的競爭者以性能、架構或價位上的各種優勢，來攻擊我們，英代爾總是以優異的產品設計與技術爲後盾，適時推出最先進的產品作有力回應，這才是真正的關鍵。

還記得我曾經與設計Pentium處理器的小組談到威力晶片，他們事前花了許多工夫深入了解威力晶片的技術細節，因此可以清楚的指出RISC處理器會有那些瓶頸，所以也信心十足的以具體理由，向我證明Pentium處理器必能領先。當時我心裡就覺得：「這些人真是英代爾最珍貴的寶藏。」

我們的製程人員同樣也爲矽晶技術奉獻心力，不斷提高產品良率，縮短上市時間。放眼全世界高科技公司中，能擁有如此堅強陣容的工作團隊，且運作多年始終如一，還真難找到第二家。

英代爾的市場行銷開路先鋒豪斯，曾多次跟我說：「產品好，行銷自然易如反掌，業績也就蒸蒸日上。」英代爾扎實的技術人才，使代代產品都是強棒，成功自然也就水到渠成了。

家用電腦時代來臨

一九九三年底，電腦產業界也有幾件重要發展值得大書特書。首先是電腦加裝唯讀光碟（CD ROM）與音效卡的風氣開始盛行，使得已經問世多年的多媒體（multimedia）電腦，終於可以普及。由於光碟具有超大記憶容量的特性，可以製作成各種應用風靡一時，幾乎可以比美當初雷射唱片取代一般唱片的盛況。

另一項重要的里程碑是家用電腦時代終於來臨。一九九四年間，在美國各地，幾乎三〇%的個人電腦都賣給家庭用戶，這真是驚人的數量。我在一九七八年就對家用電腦特別期待，在十五年後看到如此的發展，真是備感欣慰。

家用電腦之所以能在九〇年代崛起於市場，光碟應用無疑是關鍵要素。它讓電腦結合聲光動畫的魅力，才能打進每一個家庭。以我自己爲例，曾經有位推銷員上我們家來大力推銷光碟版的百科全書，這在當時正是熱門商品，我們原先覺得貴得離譜，但考慮再三還是決定買下，以作爲孩子們學校作業的參考資料。

薄薄幾片光碟片，其中貯存的內容資訊，卻足可取代原本可能要占半個房子的全套印刷品；而且後來我們發現不僅以電腦查閱資料要快速許多，而且具備聲光音效也比翻書要有趣得多。它的另一大好處是更新版本非常容易，只要將舊光碟片換成新的即可，再也不必像古人般搬書了。

這一波家用電腦熱潮還有一大特性，就是人們在家裡使用的電腦與辦公室完全一樣，所以完全不必改變使用習慣。我就經常將辦公室未完成的工作，帶回家裡繼續加班。我也在家裡用電腦填支票，計算稅率，上電腦網路獲得各種情報，甚至和世界各地的人用電子郵件通信。

還記得我在一九七八年間辛苦發展第一台家用電腦時，也是費盡心思想發展各種應用軟體，例如電玩遊戲、家庭財務處理、電子通訊等等。在幾乎十六年後見到這個夢想具體成形，我還真有些恍如昨日的感慨。

事實上，一九九三年，我多年來的家用電腦夢所以終能實現，Pentium 處理器的超強性能也是功不可沒。我們在廣告上說：「Pentium 處理器讓電腦有一顆奔馳的心！」一如果沒有快速的處理器，以進行影像語音處理，多媒體就不可能風行，家用電腦的熱潮也不會這麼迅速席捲每個家庭。

不斷加快的心

我們在爲Pentium 處理器上市作產品定位時，以爲它會搭配「芝加哥系統」軟體（視窗九五開發過程的代號），就好像四八六配上視窗一樣相得益彰。沒想到原訂在九四年發表的芝加哥軟體進度一再後延，Pentium 處理器反而是搭上家用電腦的便車，在市場上銷售。

葛洛夫很早注意到這個現象，他爲全公司設定「第一任務」（Job 1）是：九四年間要全力衝刺Pentium 處理器的產量，銷售速度至少要是四八六時的四倍。這同樣也是前所未見的快速度，我們等於又一次突破所有極限向前衝刺。

產品方面，這時我們已有現成的六十、六十六、七十五、九十與一百M赫茲產品，九五年間可望繼續推出一二〇、一三三與一五〇M赫茲等更高速的處理器。我們〇．八與〇．六微米的量產技術已經相當成熟，由於產能持續擴增，讓我們有很好的本錢積極調降產品價位，以加快市場普及度。所以在九四年下半年，已經有電腦公司大力促銷Pentium 電腦，價位降至每台一千五百美元，和四八六已經相差無幾。

同年十二月間台北資訊月電腦展時，有記者問我說：「Pentium處理器會很快取代四八六，一般人會很快接受Pentium 電腦嗎？」我當場毫不遲疑的回答說：「如果二者價位相差不多，買Pentium電腦還可以多用幾年，你會買哪一種？」

要讓Pentium 處理器儘快衝出成績，電腦廠商的配合態度也是關鍵。爲協助我們的客戶儘快開發產品上市，我們準備好各種相關零組件，從微處理器、晶片組到主機板，以不同程度的產品整合，來滿足不同客戶的需求。不過就好像由三八六轉型到四八六一樣，客戶對Pentium 處理器的反應也是南轅北轍，各有不同。

由於電腦已經愈來愈大衆化，產品差異性日漸縮小，經銷通路漸漸成爲決定銷售成效的主要因素。在美國，繼戴爾電腦率先嘗試用電話作直效行銷之後，另幾家直銷公司如Gateaway，也異軍突起。

Gateaway一向只銷售高性能電腦，它的公司設在南達科達的斯雷市，由於主要靠電話銷售，辦公地點一點也不重要，整個公司成本控制得極爲精簡，因此可以壓低產品售價，相當受到歡迎，在短短幾年內已經超越戴爾，成爲全美最大的直銷公司。

柏克貝爾異軍突起

在傳統的零售通路上，柏克貝爾（Packard Bell）則是後起之秀，和台灣的宏碁電腦以及德國的Vobis等，在Pentium電腦市場上形成三足鼎立的局面。許多公司對Pentium電腦都有積極的企圖心，有些即使自己不太花精神在研究發展上，只是從大眾電腦和英代爾等買進主機板作組裝，可是同樣都以產品上市速度而自豪，可以說是最快掌握到Pentium潮流的公司。

柏克貝爾這家公司的名字是其中最成功的例子。原本是電視的品牌，一位猶太人將它買下，藉由原本銷售電視的通路來賣電腦，以附加豐富軟體功能作訴求，很快就闖出名號。很多人都沒想到它在一九九四年底，已經超越IBM成爲第三大的個人電腦公司，僅次於康百克與蘋果電腦。如果光以Pentium電腦銷售量來看，那它更無疑已經成爲市場的新盟主。

和這些後起之秀相比，IBM和康百克則是再度落後了，就好像四八六時代的故事又再次重演。康百克一心指望靠四八六銷售量來擴大市場占有率，它改採微處理器多重供應原則，除了英代爾以外，還自超微與賽瑞仕進貨，一直遲遲不肯轉型到Pentium電腦上。宏碁電腦董事長施振榮就曾經說：「康百克四八六庫存太多，所以不願很快轉到Pentium電腦上，這讓其他公司有機可乘。」康百克遲疑的策略，等於無視於市場潮流的轉變。還好一九九四年底他們終於覺悟到過去押錯了寶，自九五年初才又開始急起直追，在三月間推出全系列的Pentium電腦。

ＩＢＭ則是另一番景象。原本他們指望以威力電腦來擠掉Pentium電腦，不料作業系統與應用軟體的發展，一直頻出狀況，讓他們缺乏強勢產品市場欲振乏力，這也是仰賴專屬晶片經常出現的結局。

他們的另一問題是，由於財務因素，ＩＢＭ決定將波卡鎮和其他幾個地方的個人電腦部門，合併到北卡羅萊納州的瑞阿里，以節省經費預算。許多技術人才因爲不願搬遷而另謀出路，這造成他們在設計Pentium電腦時一度出現技術斷層。ＩＢＭ唯一因應之道，就是像戴爾和Gateaway這些公司一樣，從別人那裡買來主機板，再靠行銷取勝。不幸的是，他們在這瞬息巨變的產業競爭中，也因爲包袱太大無法靈活應變，在市場上逐漸敗退。

所以至一九九四年底，我們已經大致可以看出在Pentium電腦市場上，那些公司成爲贏家，又有那些是輸家。

戴爾、Gateaway、宏碁與柏克貝爾，都是出線的領先者。

第十章

管理再上層樓

我們經常舉行內部講習訓練。「創新日」則是另一種訓練形式。員工可自由提出創新想法，由高階主管組成評審團，得獎者獲公司支持，實現他們的創新構想。照片為一九九三年的創新日攝。

我觀察到無論蓋茲或葛洛夫，都有一個共同的特性，就是他們的資訊永遠比別人更快一步。處身在這一日數變的世界裡，不能隨時掌握先機，就注定要被淘汰。

一九九三年，英代爾公司熱烈慶祝成立二十五週年。這一年，我也再度獲擢升，成爲資深副總裁，距離我加入微處理器部門則剛好是第十年。這段時間是我們放棄記憶體市場、全心發展微處理器業務的新階段，無論我個人或公司整體，在經營管理上都有很大的成長。

我感覺踏入九〇年代之後，市場上的商業競爭似乎特別激烈，許多管理學者也有同樣的體認。一九九五年一本探討公司經營策略的新書：《市場領導者之紀律》（*The Discipline of Market Leaders*）就談到：「最近幾年，激烈的商業競爭特別嚴重，企業唯有仰賴專注（focus）與紀律（discipline），才能因應不斷出現的各種挑戰。」

這本書特別強調，九〇年代企業成功的祕訣在於：

㈠選擇主要客戶；

㈡縮小產品主力；

㈢成爲市場主導。

書中還有一章特別以英代爾的成功經驗作個案研討，我將十年來參與微處理器業務決策的心得，作了簡單的說明。我覺得雖然英代爾成功的因素很多，部分乃是由外在環境造成，可是管理上還是有些獨到之處。事實上，我們也是由於在第二階段管理上的轉變，才能使英代爾成功的將營業額自十億美元，大幅成長至百億美元以上。

第二次策略性轉型

我想，英代爾在管理上值得一提的第一件大事，就是一九九一年發動第二次策略性轉型。有別於我們在八四年間因爲外在市場的改變，而被迫轉型到微處理器事業上，這次的轉型我們完全採取主動積極、充滿計畫的模式。

當時我們微處理器業務經營得有聲有色，四八六也已順利量產上市。這時候，全球通訊產業正悄悄的發起一場革命，各種線上通訊服務業務如雨後春筍般萌芽，個人電腦的多媒體風潮也正方興未艾。我們的通訊事業部表現相當優異，於是葛洛夫警覺到英代爾應該藉著在個人電腦上的優勢，跨足到新成型的通訊與多媒體世界，我們還特別將這個新電腦產業命名爲「個人電腦與通訊工業」（PCCI, Personal Computer and Communication Industry）。

由於公司作策略性轉型，幾乎所有員工既有的工作權責、職業生涯規畫等，都會受到影響；就好像火車不按原路行駛，突然更改路線作大轉彎，所有旅客的行程或多或少都會有所延誤。因此高級主管必須花許多時間與員工溝通，而每位員工也都需要時間去思考消化後提出問題，才能充分了解，並主動參與變革。

在我們第二次轉型的過程中，葛洛夫就在一九九一年的公司股東大會上，以個人電腦表演影像溝通，當場與散居世界各地的人作視訊會議，讓所有員工體驗個人電腦在通訊與圖形影像處理能力上的進步，進而了解公司轉型到個人電腦與通訊整合的必要性。後來在一九九一年十一月的拉斯維加斯電腦展上，葛洛夫也在他的專題演講現場再表演一回，再次加深所有人對轉型方向的認同。由於事前規畫得宜，我們第二次轉型不僅沒有痛苦，而且過程相當順利，這對英代爾日後的發展具有相當大的意義。

策略性發展晶片組業務

後來，同樣基於策略性的考慮，我們發展成爲晶片組市場主要供應者。原本在「工業標準架構」（ISA, industry standard architecture）的時代，英代爾在晶片組市場上只是不起眼的角色，像晶技之類的公司才有主導權。可是我對ＩＳＡ匯流排速度太慢，因而使個人電腦圖形能力始終比不上工作站，一直覺得無法釋懷。所以我發起一項產品開發計畫，推出更快速的匯流排PCI，以解決資料輸出入可能造成的瓶頸。

爲使PCI的理想得以實現，我們開發了幾種晶片組直接賣給客戶，很快就受到歡迎。一九九二年間，我們是市場上唯一推出PCI晶片組的公司，這對個人電腦圖形功能的改善，是有目共睹的事實。

這時雖然我們的晶片組部門仍然認爲市場規模不大，可是我卻堅持我們應該同時大量供應微處理器與晶片組，讓個人電腦性能可以大幅突破，甚而一舉超越工作站。因此我要求這個部門總經理史密斯（Ron Smith），要在九二年更積極開創PCI晶片組業務，並且訂下高標準。

原本我打算將九三年全年銷售目標訂在一百萬顆，可是史密斯卻依先前EISA（ISA的加強型）架構的經驗，只設定二十萬顆的目標。於是我直接了當的告訴他說：「PCI會成爲電腦產業的標準，市場接受度會比EISA更高，我認爲一百萬顆是可能達到的。」

後來我們折衷將目標訂爲六十萬顆，九三年結束時他發現確實賣了超過六十萬顆，等到九四年PCI熱潮真正來臨，銷售量更是超過四百萬顆，而我們在晶片組市場上的表現以及影響力，從此也就扶搖直上了。

堅持投資自己設廠

前面曾經提到，英代爾成功的一大祕訣是一直能開發好產品，以因應市場競爭。我們在九○年代的另一項市場競爭優勢，就是量產能力。由於有充裕的產能與產量，讓我們可以積極發動行銷攻勢，以降價刺激用戶購買慾望，不會有後顧之憂。這其中還有一番典故。

從八○年代中期以後，由於面對日本等新興經濟國家的競爭，美國產業界開始出現一種新理論，也就是認爲美國公司不應該投資在生產製造上，應該加強設計，至於製造則應該交由亞洲地區去進行，這樣才能保有最佳的競爭優勢。

我想其中主要的理由，不外乎是亞洲地區無論土地或人工成本，都較爲低廉，美國公司很難與之競爭，當時幾乎所有財經報章雜誌都作類似的分析，美國汽車工業就相當支持這種論調。這種情形也有些類似九○年代初期的台灣，企業陸續有出走或外移的現象。

可是英代爾卻絲毫不受這一波放棄生產的風潮所影響，我們反而在過去十年內大量投資以提高量產能力，即使在經營最艱難的年代，也不放棄。例如一九八六年間，我們雖然因爲經營虧損而裁撤記憶體部門，可是在微處理器上面的投資並沒有中斷。

由於摩爾定律顯示微處理器產量一直都會呈倍數成長，我們認爲這麼大的產量很難倚賴其他公司或其他地區來供應，因此必須自己投資設廠。葛洛夫自一九八七年開始出任首席執行長（CEO, chief executive officer），他很堅決的說：「這麼大的投資如果我們自己不動手，還能期望誰來進行？」

一九八九年，由於三八六市場需求熱絡，我們的產能有些不足，因此決定將大量資金都用在擴充廠房上，這算是相當大手筆的投資，事實上也是很大的風險，因爲如果投資太多，產能遠高於市場需求，日後就會成爲我們營運上的一大負擔。

原本在九四年間，我們仍有些擔心，可是九五年看來情形已相當明朗，由於我們勇於投資在產能上，因而能有足夠的產量供應市場，並以降價策略刺激市場需求，使九四年全球個人電腦銷售量大幅提高到五千萬台，較前年成長二五%。不僅英代爾公司獲利，全球個人電腦產業也一掃數年前市場不景氣的陰霾，許多公司都創造了優異的營業紀錄。

○・三五微米先進製程

另一方面，我們在量產能力上的投資，也可以從製程技術上的改進看出成果。這幾年來次微米（submicron，微米爲百萬分之一公尺。次微米是比微米更小的尺寸）技術的發展在台灣相當熱門，代表量產製程以低於一微米的技術進行，可是英代爾早在一九九三年就以低於一微米的技術量產微處理器。由於製程技術愈精密，積體電路線路可以製作得愈小，晶片體積也因而縮小，所以同一晶圓上可以量產出更多的晶片，自然可以創造更多利潤。

以Pentium處理器爲例，英代爾在一九九三年發表第一代Pentium處理器時，採用〇．八微米製程技術生產；但在一九九四年發表的第二代Pentium處理器，就已經採用〇．六微米製程，同時處理性能也自六十六M赫茲提升至九十、甚至到一百M赫茲；九五年三月我們發表更新的一二〇M赫茲版本時，更有部份已經採用〇．三五微米製程，並且速度也再次突破以往的紀錄。

半導體量產製程技術自微米進步到次微米，代表二顆電晶體之間的間距自頭髮般大小，縮短到病毒那麼大小。而爲保證生產良率到達一定水準，我們在廠房設備上的投資也很驚人。以製程所需的設備及潔淨室成本來作比較，投資在一微米製程約需二億美元，〇．八微米則約爲五億美元，而〇．六微米則達十億美元。這也代表在低於一微米以下的製程，即使只縮小〇．二微米，都是很大的技術挑戰。我想目前全世界能做到〇．三五微米製程的公司，大概也沒有幾家。

高生產力的祕訣

此一階段英代爾除了在技術發展上，經常爲產業界樹立標竿以外，我們的高生產力一向也爲人所津津樂道。由於在第一次轉型時，曾經經歷裁員縮減公司規模的痛苦經驗，所以自從我們專心投入微處理器事業後，就特別著重員工生產力，並致力控制公司規模。

一般衡量公司生產力的方法有：營業額、產量、或者是優異產品的數目等等，其中以營業額除以員工人數的方法，等於是計算每位員工在一年內平均爲公司賺多少錢，可以說是最直接也最具說服力的算法。

以英代爾公司來看，平均每位員工負擔的年營業額在三十至四十萬美元之間，和微軟之類的著名軟體公司不相上下，至於一般的半導體公司則只有五萬美元。這和我們平常的認知有些出入。大家都知道硬體公司由於生產線所需，員工人數往往較多，平均每人營業額也自然會較低。可是英代爾卻能達到軟體公司的平均水準，相當於一般半導體公司生產力的六至八倍。

我想，英代爾能擁有高生產力的基本條件，在於我們一直要求以具體的指標，來衡量所有部門的生產力。以生產部門來看，衡量的指標就包括：產量、交貨量、庫存量、庫存流動量、成本、量產次數等。其中最爲關鍵的兩項指標就是：晶圓製成晶片的良率、以及品質。

以良率來看，每家半導體公司其實都在做同樣的事，就是將矽晶加工變成值錢的晶片。因此誰的良率高，就表示這家公司能以同樣的矽晶，造出更多值錢的晶片，如此一來，每顆晶片平均成本自然下降，生產力自然提高。反之，如果良率很低，那成本可能就是天文數字，生產力自然就不高。

我們常常會聽說，某家公司很早就開發出某種晶片，可是由於生產良率無法達到某種水準，晶片成本居高不下，因而無法上市。即使勉強推出，成本太高使市場競爭力降低，也不可能成爲熱門產品。以英代爾公司爲例，如果晶片生產良率不佳，就不能算是開發成功。

英代爾花費許多心力在良率的衡量與改善上，每天我都要盯著幾項重要產品的良率數字在穩定的水準上，才能安心工作，良率在英代爾所受到的重視程度，已幾乎和營業額相差無幾。

我們衡量品質的方法，則是統計DPM（defects per million，即每百萬顆晶片中的不良品數目）。同樣的，我們也採用許多品質指數，以確保品質在持續改進中。例如十年前，我們的DPM值約爲一千，而現在則已進步到二百。品質的提升同樣也代表生產線的生產力在提高中，這也是半導體公司經營成功與否的跡象之一。

行銷也能衡量

一般說來，銷售部門的生產力也很容易評估，例如以業務部所接的訂單金額作衡量因素，或者評估在一週內可以達成幾筆交易等，都是很容易的方法。

不過在平常的觀念裡，除了生產與銷售部門以外，其他部門的生產力就較難衡量。例如市場行銷，傳統的想法都認爲市場行銷是無法將成果量化的工作，可是如果無法衡量生產力，就根本不曉得是否會產生預期成果。

英代爾在很早以前，就創出「採用英代爾的設計」這個指標來衡量行銷生產力。也就是計算多少家電腦公司，開始採用英代爾的微處理器作系統設計。早期最具體的證據，即他們是否買了我們的發展系統來作工程應用，就可以衡量市場行銷的努力結果。一旦他們設計好的系統排上生產線，我們的訂單就會源源而來。

在推動「致勝」計畫的時候，我們就特別注意這種「採用英代爾的設計」結果。後來我們在行銷上發起「Intel Inside」活動時，我們就蒐集用戶對此品牌的接受能力與喜好程度，作爲評估的指標。這也可以直接反映出：這項廣告活動對目標對象所產生的影響力有多大，也就是廣告效益有多少。因此在英代爾，幾乎大家都認同行銷生產力也是可以衡量的。

在產品開發部門，我們的衡量指標則是銷售一定數量（例如一百萬顆）所需的時間，或是從開發到上市所花的時間。後者代表產品開發的速度有多快，而前者則可以看出產品是否成功，因爲一百萬顆不是小數量，如果是不成功的微處理器，就需要很長的時間才能達到這個目標。像四八六ＤＸ二從開始開發到出貨一百萬顆，只有短短兩年的時間，可以說是我們最成功的產品之一。

時間管理的槓桿效應

要達到高生產力的另一祕訣，就是每個人應該發揮「槓桿效應」，也就是「以小搏大」，用最少的成本換最大的效益。只要施力的方法得宜，這並不難做到。

以個人來看，每個人每天在工作上所花的時間與精力就是成本，而換來的結果就是他的效益。老天爺相當公平，每個人每天都只有二十四小時，扣除睡眠、飲食、社交與居家時間，每個人每天最多也只能工作十二至十四小時。可是這十多個小時的工作成果，人人卻是大不相同。

從軟體設計師的工作最能看出每個人的不同效益。以相同的工作時數，好的程式設計師生產力就會較一般人高出十倍以上。而主管階級的工作效益，更是因人而有天壤之別。

像美國首富、也是微軟公司的老闆蓋茲，每星期工作約六十至八十小時，比一般人高不了多少，可是他的成就大家有目共睹，也很少有人的財富能與他相比美。我們的總裁葛洛夫，同樣工作時數也是差不多，工作成果也是比一般人高出許多。我自己也常常思考如何發揮時間管理的槓桿效應，以獲得更高的生產力。

提高個人效率的祕訣

多年工作下來，我發現其中有三點祕訣。首先就是要認真管理自己的行事曆，因爲每個人工作時間有限，選擇做什麼事或不做什麼事，往往就成爲決定性的因素。

許多主管習慣將行事曆交由祕書去安排，而他就依祕書排好的行程參加一個又一個的會議，就好像醫生依掛號順序爲一個接一個的病人看病。我從來不會這麼做。我一定對自己的行事曆有主動決定權，自己決定每天該做什麼，或不做什麼。

這中間有個技巧，像我都會事先決定：每個月或每季我要在那個問題上花多少時間。比如說每星期我會花十五小時，和部屬作一對一固定會議，如果以每天從早上八點到下午五點的工作時間來算，那我每週工作四十小時，就還剩下二十五小時可自由分配。這時候如果我覺得加速產品設計，以儘快上市是最重要的事，我就會在這星期的行事曆上排出十小時的時間，也許請祕書爲此安排特定的會議，同時也保留一些時間和公司內部或外界的人討論，以加快產品設計的速度。

如此一來，我可能要對其他許多會占用我時間的事情說不。只有如此，才能主動掌握我的工作時間，以達到我的需求，而不是被動的滿足別人的需要。

通常我也會設定每星期與客戶會談的時間，以了解客戶現階段最迫切的問題。我的習慣是先設定多少小時，再交給祕書安排，祕書同時也會幫我記錄會議進行的結果。因此我很容易從祕書那兒知道我在每項議題上實際用了多少小時，和我原先的計畫是否有出入，我再依此來調整下週的工作計畫，以更符合我的預期目標。

另一項時間管理的技巧是要排出一些時間思考，以及在辦公室內隨意走動與別人交談，也就是所謂「走動式管理」。也許你很難想像要在我的行事曆上擠出一些自由時間有多困難，簡直就是奢侈的行爲。可是我認爲這是相當有必要的，有時我就充分利用在公司走道或洗手間裡碰到了人，大家因地制宜的也就談了起來。

資訊就在眼前

我的第三項祕訣是隨時掌握最新的相關資訊，這說起來有些空泛，可是處身在這一日數變的世界裡，不能隨時掌握先機就注定要被淘汰。每天我都花許多時間在三件事上：讀、說與聽，目的就是要確保我所做的事都是最符合公司利益的事，也就是使我能了解潮流所趨，進而發揮時間管理的槓桿效應。

每天早晨七點左右，在我出發至辦公室以前，我已經將華爾街日報看過一遍，對產業界或財經大事已能了然於胸。每個星期的亞洲華爾街週刊以及許多重要的財經類報章雜誌，包括台灣的《天下雜誌》、《資訊新聞週刊》（*PC Week*）等，我也都不會錯過。

此外，藉著電子郵件，我每星期也都和所有的部屬討論他們的進度。如果有特別的狀況，我們更是每天都要互通訊息。透過電子郵件和電話，我經常和世界各地的人們互相連絡，距離幾乎不會造成隔閡。尤其現在有ProShare個人會議系統，更可以和遠在各處的人隨時召開面對面會議，這對蒐集資訊是相當有利的工具。

我觀察到無論是蓋茲或葛洛夫，都有一個共同的特性，就是他們的資訊永遠比別人更快一步。蓋茲每天都花許多時間與別人交談，在談話中獲得許多第一手訊息，我想很多人也樂於與他交換意見，這是他的有利之處。

葛洛夫則每天花很多時間在閱讀以及電子網路上，他的興趣廣泛，因此資訊來源也相當多元化。每天晚上葛洛夫就比別人快一步，先上網路看第二天才出刊的報紙上的重要新聞，這讓他的消息比其他人早了十個小時以上，採取對策的時間也相對多出十個小時。我每天也花許多時間上「國際網際網路」（Internet），以及類似「美國線上網路」（American On Line）的線上服務系統，讓我可以隨時掌握世界各地的變化。

在每天接受許多資訊之餘，我也經常會自我反省下列問題：現在有哪些最新狀況？有那些訊息與我正在進行的事迫切相關？我手上忙的是不是目前最重要的？這個世界是否在近幾個月有明顯改變，讓我有必要調整我的時間槓桿？我所作的是否只是出於習慣？我想這些都是我們在外界環境變化快速之際，必須經常反躬自問的問題。

市場瞬變

一九九三年秋季，我們就出現過這樣的例子。當時突然之間，我們發現很多個人電腦都是賣給家庭用戶，這和我們的假設有些差距，但是卻是有跡可尋的。

首先是光碟軟體與多媒體附加卡的需求突然湧現，原本很少電腦裝有光碟機與音效卡，可是很快大家就都想買光碟組件，回去裝在自己的電腦上，成爲流行的多媒體電腦。我自己就買了一組，利用一個週末的時間組裝，馬上就進入完全不同的電腦世界，可以玩許多電玩，看百科全書，這都是以前不可思議的事。

九四年秋，在經過一年的努力後，我們發現家庭用戶確實比企業用戶，能更快接受Pentium電腦。還好我們能儘早掌握潮流資訊，而且立即行動以爲因應，否則就很難大力推動Pentium處理器了。

如何授權

在做到確實管理行事曆與蒐集重要資訊之後，我相信多數時候我所作的都是最重要的事。但是，身爲主管這還不夠。要提高我的生產力，還有第三項祕訣，就是「有效的授權」。也就是將我認爲應該完成的一部分事情，交由我的組織依我規畫的方向逐一執行。這其中也有三大關鍵要素。

首先就是要明確的規定授權範圍，讓部屬明白應該在何時達到預期的成果，而且是愈明確愈好。例如我可能會告訴某個部門經理說：「我認爲這項產品的開發工作做得不好，你本人要多花些時間了解，再告訴我出了什麼問題，有什麼解決之道。請在三十天內給我一個完整的報告。」

其次還要記得繼續追蹤，例如這位經理是否在三十日內完成他被指派的任務？到那時候情形又變得如何？是否需要更多其他的行動？……等等。

最後就是記得在完成任務後，要給予適當的肯定。例如那位經理如果如期完成報告，而且結果相當令人滿意，我就會馬上告訴他以及他的團隊：「處理得很不錯。」可是如果成果不盡如人意，我也會立即毫不留情的說：「你們做得還不夠，這個產品應該再改進，才算是真正的成功。你和你的小組應該再試試三個可能的方法，才能更進一步提升性能。」

一收一放之間

有效的授權並不是要將主管的責任拋在腦後，完全不追蹤結果，也不採取應作的行動。例如如果你對經理說：「整個部門的獲利或虧損，都是你的事。」然後就掉頭離去，就是放棄自己的責任。不過許多主管都常在不知不覺中，犯了這項錯誤，這是很差勁的授權方式。

相反的，我們應該對期望的授權結果，作明確的指引。例如你可以說：「我希望你的產品利潤能在未來一年內，從五〇％提高到六〇％，請每個月定期和我討論你的作法與結果。」

不過，在授權之後，主管也要避免再作太多鉅細靡遺的指示，否則被授權者會覺得縛手綁腳，不能放手去做。以上面的例子來看，如果授權者每天都還盯著被授權者面授機宜，提供許多增加利潤的方法，或甚至直接逾級指派這位經理的部屬做事，那等於是浪費兩個人的精力，這是很不明智之舉。

像我通常就只定期與我的資深經理人開會，以檢討交派他們的任務是否已在執行。對一些較爲緊急或較簡單的工作，我會要求他們在幾天內向我回報。至於較長期的計畫，我就用每個月開會的方式來檢討進度。爲了了解每個部門的表現，我就利用每季一次的會議和部門經理作個別溝通，不僅節省了我的時間，也讓每位主管都有自己的表現空間，更能工作愉快。

訓練自己的總經理

自一九八三年轉型以來，英代爾在管理上的另一大成就，就是訓練出許多一流的高科技執行主管。我們的高級主管幾乎都是內部擢升，很少外聘，而且人員相當穩定，很少有罷黜或臨時更換的現象，這也在競爭激烈的高科技產業中獨樹一格。

目前我們共有十五名執行主管（executive staff），算是相當龐大的決策組織。每個月我們固定面對面聚會一次，就主要議題充分交換意見；並且在每年四月與十月各舉行一次爲期三天的管理會議，討論公司最重要的決策及方向。由於大家都是多年同事，彼此都相當熟識。

不過如果你因此而判斷我們的同質性很高，彼此意見衝突不大，那可就大錯特錯。由於高科技產業充滿不確定性，變動速度也快，因此我們執行主管經常在發展方向上有許多意見衝突，所以我們的會議絕不是形式而已，經常都是在辯論中進行。至於我們最大的共同點，大概就是我們都是每週工作六十小時以上的工作狂。

葛洛夫自一九八七年出任首席執行長至今，對於如何領導這麼大批的高級執行主管，一直都有他獨到的見解。他相當鼓勵有建設性的對立，認爲這樣才能使意見充分交流，並且是獲得最佳結論的不二法門。

此外，他也經常調動高級執行主管的職責，藉由嘗試不同的工作領域，來增加他們的歷練，因此我們的高級主管幾乎都是自己培育出來的。像一九九一年，原本擔任首席財務長的里德（Bob Reed），就接手負責半導體產品事業部；更早在八八年間，原本負責總部行銷的基爾（Frank Gill），則改負責產品事業部，我想這類跨不同專業的人事調動，在其他公司大概還不多見，不過在英代爾倒是習以爲常。

一九九四年五月，我們還因爲人事調動出現過一次有趣的例子。常時原本和我共同負責微處理器業務的歐提里尼與負責工廠的艾維里特（Carl Everett）互換工作，可是這兩人似乎在人事宣布後二個星期還不能適應，有一次我們正在討論新的定價策略，可是換了職責的歐提里尼忘了他已經不負責業務，還在會議上強調應該要維持高價策略，才能達到銷售業績；卻忽略了如此一來可能會影響工廠的出貨量。

沒想到艾維里特也很有默契的忘記自己的新身分，一直希望壓低價位，讓我們這些在場者替他擔心很難達到銷售業績的目標，顯然他還是基於管理生產的立場在發言。更有趣的是，葛洛夫也一時迷糊，將艾維里特喊成歐提里尼的名字，就談起銷售業務的事。我就開他們玩笑，舉手自我標明：「我還是虞有澄。」引起一場哄笑。

二位一體

當時歐提里尼與我共同負責微處理器事業，這正是英代爾特殊的雙軌管理模式「二位一體」，也就是借重不同的個人專長，發揮團隊合作的力量，或簡單稱爲集體領導的管理方式。

這種管理模式源於創業初期，諾宜斯、摩爾與葛洛夫三人的分工合作經驗。當時諾宜斯主要負責與外界（政府或產業界）溝通連繫，由於他早期是蕭克利實驗室的大將，因此有相當的聲望與人脈關係，扮演相當稱職的外交官角色。

而摩爾與葛洛夫二人，則同時分擔總裁與執行長的工作。摩爾的專長在於了解技術未來走向，也擅於策略分析；而葛洛夫則具有執行能力，而且他貫徹到底的意志力也非常人所能趕上，所以二人配合得宜，「二位一體」的作法也開始在英代爾盛行。

一九八八至八九年間，我們幾乎在全公司各部門都推行「二位一體」模式，也就是實際負責人同時有兩位，甚至是三位。後來發現這也並非是最好的作法，逐漸改成視實際需要，而決定是否由多人共同負責同一部門運作，這也是我們在管理策略上的一大轉變。

經過先前的嘗試與學習，我們發現要使「二位一體」運作得宜，必須具有三大前提：

一、這份管理工作必須相當巨大與複雜；

二、同時負責的兩人必須有互補的技能與專長；

三、這兩人還必須十分尊重對方，隨時保持良好溝通。

如此一來，雙軌管理才能發揮它的功效，勝於傳統的單人負責管理方式；否則雙軌管理反而會給組織帶來更多的困擾，不見得必會成功。

如何成為稱職的總經理？

一九九〇年，由於我們將所有微處理器相關部門重組在「微處理器事業部」之下，我獲擢升爲這個事業部的總經理，因此我也開始思考：「高科技公司該如何訓練自己的總經理」這個問題。

當時相對於微處理器事業部，我們另外還設有其他如「網路產品事業部」、「系統產品事業部」等，每個事業部就好像是一個集團。不過毫無疑問的，微處理器事業部仍是公司的重心所在，不但產品在市場居領導地位，營業額也高占全公司的七〇%以上。

由於遴選事業部底下各公司的總經理人選，是我的第一項任務，我精心挑選了多位素來表現不凡的經理人，分別出任不同的職位。他們的經歷背景各有不同，但共同的特色是：過去都未曾擔任過總經理的職位。其中季爾辛格只有二十七歲，成爲英代爾最年輕的總經理；曾任歐洲業務經理的蓋爾則是最有經驗的一位，其他人則在二者之間。

由於英代爾公司一向少用空降部隊，我們的高級主管幾乎都從基層做起。這次完全由新人出任總經理，目的也是希望擴展他們的工作歷練。這也是英代爾傳統的作法：放手讓新人去嘗試，只要是人才，很快就可以摸索出最佳方法。

不過，我很快想到，我們應該透過一系列的訓練，讓這批「新手」儘快成爲稱職的總經理。於是我在英代爾首度舉辦「總經理研習會」，每個月進行一次五小時的訓練課程，有時也利用晚餐時間作自由討論。事實上，要能勝任高科技公司的總經理一職，確實需要具備許多技能，我們的課程就是針對這些技能而特別設計的。我們自九一年九月正式展開這別出心裁的研討會，課程大綱以及講師陣容如下：

講題	**講師**
●總經理該作些什麼？：IBM個案研討	尤飛（David Yoffie）
●新任總經理的財務訓練	休斯（Harold Huges）
●策略制定：Crown Cork and Seal	尤飛

及威頓百貨（Walmart）個案研討　　貝瑞特

●營運管理

●學習型組織　　聖吉（Peter Senge）

●全心以赴（Principle-centered leadership）柯維（Covey）領導中心

●對外溝通　　葛洛夫

這些主題幾乎都是總經理的重責大任，像財務管理、策略制定、營運管理、有效領導組織、讓組織持續學習，以及與公司外界環境的溝通等，因此也可以說是每一位總經理必備的技能。以下我特別摘要作一說明。

總經理都在做什麼？

許多員工都夢想著有朝一日自己能成爲總經理，可是總經理究竟在做什麼？卻很少人能作具體的定義。簡單的說，總經理必須能管理公司複雜的「功能」（function），如研究發展、行銷、製造等，讓公司營運永遠成功。也許我們可以將總經理比喩爲美國總統，只是他不必擔心公司資產以及法務問題，這些通常是董事會的職責。

依照這樣的定義，負責研究發展的主管就不能算是總經理，因爲他的部門功能非常單純，而他只需負責研究發展的成果。但一位成功的總經理，卻必須要讓公司所有的功能都能完全發揮。

我邀請來主講這門課程的尤飛，本身就是在公司策略上的知名權威，他是哈佛企管學院的教授，同時也是英代爾公司的董事。尤飛上課的方式很特別，他以九〇年間ＩＢＭ執行長艾克斯（John Akers）作個案研究，來談總經理該扮演如何的角色，當時艾克斯正想大刀闊斧的整頓ＩＢＭ。

尤飛以艾克斯一星期的私人工作日誌，讓我們具體了解當時他在做些什麼。我們看到艾克斯將許多時間用在跟外界的主管聯誼上，例如參加聯合慈善事業集團（United Way）、美國商業聯盟、以及商業圓桌會議（Business round table）等。他也數度出席工廠開幕之類的慶祝活動，並發表賀詞。他沒花任何時間在公司策略或組織運作的細節上，甚至也沒會見任何一位客戶。我們都感到相當震驚！

他要將ＩＢＭ轉型為「電腦新世紀的領導者」的想法，只是紙上談兵而已，從他每天的行程上看不出任何實際作為。也許他扮演的角色更像是紀念儀式上的主角，而非企業轉型的主導者。這個案例很容易讓學員心生警惕：總經理不能只是幕前的英雄，有時也要捲起袖子實際參與公司運作。

從這次案例也可以看出總經理的重要職責，是要為公司設定明確的方針，以當時Ｉ

BM的情況來看，就完全沒有明確的策略。不久後，我們就聽說艾克斯被董事會解職，離開了IBM。

所有聽過這門課的總經理，除了將IBM當時的情境牢記在心外，也都會提醒自己不能將太多精力用在公司外界活動上。以我爲例，雖然有許多公司邀請我加入他們的董事會，但我多數都予以拒絕，只接受一家小型軟體公司的提議，而我的出發點還是爲了學習他們在主從架構的業務。儘管如此，我每一季還是只花一天的時間參與這家軟體公司的營運。

掌握優勢

財務管理對所有新任的總經理，都是相當重要的基本知識，像是庫存預估、成本以及預算控制等等。我每一季都要和所有事業部內的總經理檢討財務狀況，然後再將整個事業部的財務運作，向英代爾的最高決策主管，包括葛洛夫、貝瑞特與摩爾等人作季報告。一位總經理如果不能將公司財務管理完善，那他總經理的寶座大概也坐不安穩了。

策略制定的課程主要是以兩家非常成功的公司作個案研究：Crown Cork and Seal（以下簡稱CC&S）與威頓百貨。他們在商業界已有相當悠久的歷史，至今仍經營得有聲有色，雖然行業不同，但許多地方都值得我們學習。

我們在會中先討論「競爭策略」的定義，就是制定目標，透過實際行動，以在特定市場具有長遠的競爭優勢。其中的關鍵字眼是：「實際行動」以及「長遠」的競爭優勢。通常許多公司都會訂定崇高的目標，像要建立技術或市場的領導地位，但卻缺乏具體行動來實踐這個理想。更糟的是，由於競爭激烈，如果沒有具體行動，就很難保持領先優勢，那領導地位很快就會動搖。

從CC&S與威頓百貨這麼多年的成功經驗裡，我們發現他們都以「成本」作爲競爭策略，也就是透過實際行動，使成本遠低於同業，因而保有長遠的競爭優勢。其中像威頓百貨一貫以超低折扣招攬顧客，它習慣採用每日特價商品的作法，更是讓西爾斯（Sears）與K商場（Kmart）等連鎖店招架無力。

威頓百貨發跡於美國小鎮，但卻以親切的服務與成本優勢，迅速風靡各大城鎮。他們之所以能有效壓低成本的祕訣，在於大膽採用資訊與電腦系統，因而能很快知道那裡有大批商品，進而全力促銷。他們倉管與配送系統展現的高度效率，同樣也讓其他同業望塵莫及。CC&S的行動關鍵則是持續降低行政成本，以保持最佳的利潤空間，讓同行無法比擬。

至於英代爾，我們的競爭策略之一就是市場區隔。例如我們會推出最好的產品，價格通常也較高。由於我們在研究發展所費不貲，這些高性能產品是競爭者無法生產的，因而可以保有領先的競爭優勢。

不過在研究過這兩家案例後，我們對成本控制更有概念，並且決定在不違背我們的市場區隔策略下，也追求具有競爭力的成本策略。我們在英代爾推動許多具體計畫，以減少資源浪費，結果真的大幅降低營運成本。

到基層學習

「營運管理」這門課由英代爾管理長（chief operating officer）貝瑞特教授，讓我們很快就能領悟在公司實際營運管理上的竅門。他特別提到兩點原則，首先是在問題發生之後，要先有充分的了解再作決定。由於我們向來注重以結果爲導向，企業文化也特別強調行動的重要，因此有時會傾向於儘快解決問題，但如果未能充分明瞭問題本質，太快作下決定反而是錯誤的決策。

具體的例子發生在一九九一年，我們的業績開始下滑，有些人覺得是因爲定價太高所致。但在我們決定大幅降價以前，我們特別親自拜訪幾位主要客戶以及電腦用戶，結果發現問題出在當時的利率不穩定，使客戶產生困擾，價格反而不是原因。如果我們只聽幾位業務人員的片面之詞，我們的營業額與利潤可能就要損失數百萬美元，但由於問題根本沒有解決，銷售情況可能也毫無改善。

另一項重點是：所有總經理永遠都要能掌握公司的實際狀況，例如我們都須親自拜訪客戶、直接與內部員工溝通，避免讓意見在組織中層層過濾因而消失。貝瑞特以前就經常出現在工廠，跟其他作業員一起工作數小時之久。他強調，「只有這樣我才能實際體驗生產線的情形，永遠有第一手的消息。」

我們所有新任的總經理也都當場寫下應該親身參與的事項。在這門課之後，有些人特別到銷售前線上，當了好幾天的業務員，果然對市場現況與客戶的需求，有了更清楚的認知。我自己也決定應該開放更多午餐時間，將我和組織內不同成員的午餐約會，由每季一次改爲每月一次。我想藉這個大好機會，可以與不同人員直接溝通並討論問題，也不會被中間主管過濾掉某些資訊。

我同時到設計工程、架構設計與電腦輔助設計等部門，分別待了二至四個小時，除了對各部門的實際運作更了然於胸之外，也找出一些改善方法，以提升績效。同仁們似乎很驚訝我會出現在這些工作場所，藉由討論問題的過程，他們也更能感受本身工作對公司的重要性。

組織的整體學習

「學習型組織」是由麻省理工學院的聖吉教授主講，這時他剛寫完一本很有內容的書：《第五項修練》（*The Fifth Discipline*，中文版由天下文化出版），這本書非常暢銷，他也變得炙手可熱。他的理論主要是說：我們應該了解整個體系，而非其中支離破碎的部分。很好的一個例子就是當體系發生延誤時，一開始先是反應太慢，然後則會反應過度。這時人們如果對整個體系了解不夠，就會因兩極化的反應而導致更嚴重的問題。這就是他在管理上著名的「系統認知理論」，後來許多人都奉行不渝。

我們非常幸運能邀請到聖吉，以一整天的時間和我們討論他的想法，並針對幾項特殊議題作密集辯論。他提出一個很新的想法，就是可以用電腦模擬真實的體系，藉以了解在不同的情景中會發生哪些現象。於是我們在課堂上就玩起「企業電腦模擬」的遊戲，設定一些變數，再觀察企業可能發生那些變化。事實上，我們真的找一組人提供定價、銷售量等基本資料，經過電腦模擬後，確實產生了一些極有用的數字。

不過真實的企業環境中，變數更多，因此真的要用電腦模擬也會是一樁大工程。然而經由模擬的作法，幫助我們思考整個過程，這個想法本身就很有價值。目前我們已經採用電腦模擬來作複雜的晶片設計，在晶片真的生產出來之前，我們就已經了解它的性能與特性等。如果電腦功能再進步，更容易作程式化，我想企業模擬的想法很快就可以實現。其實現在已經有部分類似功能的產品，只是還未完全成型。以後如果真能事先預測一家企業的未來發展，那也真有些聳人聽聞。

與成功有約

「全心以赴」是由柯維領導中心的韓那（David Hanna）主講，內容主要參考自柯維所著的《與成功有約》（*The Seven Habits of Highly Effective People*，中文版由天下文化公司出版）這本書。我們從課程中獲得許多有趣的想法，其中有些也非常具體可行。例如他提到讓一個人的老闆、同儕與部屬，分別填寫調查表格，以了解他們對這個人在七大領域的表現評估，再和這個人自己評估的結果作對照。我們每個人都當場填寫這份表格，也急著想知道最後結果。

有趣的是，每個人對自己的評估結果似乎都比別人對自己的評估更好，顯示我們都是很有自信的人。然而，這也是一種警訊。如果每個人都自以爲表現得很好，甚至好過別人對他的評估，也許這個人就不會再作更多的改進。像我的部屬對我的一項評估結果是：我是要求高標準的人，而且不太給予他們所需的認可。這對我就是極有用的改進建議。

在英代爾內部積極推行的績效評估方法，過去一向都僅以主管作爲評估者，通常這位主管會徵求其他主管對這位員工的意見，但這也只能代表以主管的角度來作評估。這位員工的部屬對他的看法，並不在評估的範圍之內。在上過這門課之後，我決定以後在評估部屬時，除了我和其他高級主管的意見之外，也引用部屬的同儕以及他的部屬們對他的建議，讓評估結果有更多面的答案。

參加這門課的所有新任總經理，回到各自的部門後也開始採行這種新的評估方式，後來到一九九四年時，所有英代爾公司的高級主管全都用這個新方法來評估員工績效，我們事先也沒想到，這次的總經理研習會居然能建立起這樣好的共識。

至於我個人在了解部屬對我的評估結論後，我也非常用心的對有傑出表現的員工，給予更多的肯定與認可。過去基於工作忙碌，也許在這方面我有些疏忽。不過我對部屬一向採取的「高標準」原則，倒是沒有任何改變，我覺得唯有如此，才能帶領整個事業部追求更佳的表現。

與外界打交道

由葛洛夫親自傳授的「對外溝通」這門課，教導學員們如何與新聞媒體、財務專家以及產業意見領袖等人打交道，在這方面葛洛夫無疑是經驗最爲豐富的。他一開始就提出一項難題，要我們假設公司正遭逢巨變，也許是訂單銳減、利潤微薄、或出現惡性競爭等等，希望每位學員準備好與報社記者、產業分析師與電視新聞記者溝通的內容。

他甚至找來一組攝影師，在我們上台個別報告時都作錄影。並且找了幾位公關部門的同仁，扮成我們溝通的對象，而且毫不客氣的提出各種問題。整個進行的過程可說是緊張刺激又精采有趣。多數人在輪到上台時，都不免要滿頭大汗。葛洛夫在每個人報告結束後，立即播放錄影帶，然後分析那些是對的，那些還有待改進。這種立即個別指導的作法，讓我們學得更快。

課程最後，葛洛夫整理他個人的觀察與實地經驗，告訴我們如何有效的與外界人士溝通。基本原則和如何作一場成功的演講大致相同，不過還是有些例外。首先就是在準備過程就要了解你的溝通對象，以及他們想知道的內容。像財務分析師就想知道如何估算你口袋裡的收入；技術專家則希望了解你袖子裡還藏著哪些新產品。一開始就切入正題，談聽眾關心的內容，才能抓住他們的注意力。

然後就是使用他們常用的語言，讓你的溝通對象感覺你真的了解他們。像對財務人員就不免要談錢，對技術專家則要用許多科技字眼，才能獲得他們的認同；如果你不小心用反了，那就很難預期會有好結果。

葛洛夫還特別強調要以最重要的訊息作爲標題，並且重覆數次，以加深聽眾的印象。很重要的一點是要以簡明扼要的「口號」（sound bytes），讓訊息清楚好記。例如：我們說：「個人電腦將成爲資訊高速公路時代，人們最重要的互動裝置。」不但太長，而且很難記憶。但如果改用「個人電腦就是答案」（PC is it）這句口號，不但響亮，而且一聽就不會忘記。葛洛夫特別提到：「通常人們只能記住十至三十秒時間的事情，只有簡捷有力的口號，才能讓你的溝通對象牢牢記住。」所以，就給他們這樣的訊息吧！

除了在準備過程多加思考各種可能的問題外，葛洛夫還強調一點：「快樂地進行」。以我自己的感受爲例，我確實十分樂意與新聞記者或分析家們溝通，所以在談話過程中，總會適時說些相關的玩笑話，不但使氣氛輕鬆，也讓訊息更有效的表達。像一九九四年十二月時我在台北，有位記者問我說：「競爭者宣稱要自行開發比Pentium處理器更高性能的同級產品，英代爾是否備受威脅？」我除了解釋我們在研究發展與技術上的領先，是其他競爭者很難望其項背的，同時也半開玩笑的說：「如果我是他們，我也會這麼說說來作煙幕彈；其實我還是會以抄襲作爲最後的腹案。」大家都聽的相當有趣，而且獲得一句結論：「抄襲是對競爭者最好的恭維。」

第二度研習

一九九二年夏季，我們的「總經理研習會」歷經近九個月的時間，終於可以結業。我們利用一次晚餐時間舉辦結業典禮，每位學員除了結業證書以外，還獲贈一枝名筆。我祝賀他們說：「現在你們每個人都是名副其實的總經理了。」大家對研習會的功能，都讚不絕口。除了許多課程裡學到的知識，可以付諸實際行動之外，這次長期會議也有助大家培養團隊精神，私人友誼也因而精進不少。

學員們甚至建議：「我們應該繼續舉辦第二屆研習會。」後來我們自九二年十月開始，每兩周又進行五小時的研習課程，這次的主題如下：

講題	**講師**
●策略：可口可樂與蘋果電腦個案研討	尤飛
●競爭力	傅格森（Charles Ferguson）
●產品成功案例	惠普印表機
●準時出貨	聯邦快遞
●消費性電子產品	米勒（Aviam Miller）

在這次研討系列中，我們特別加強對策略與競爭力的分析，而且以惠普與聯邦快遞的成功經驗，作爲參考案例。首先由尤飛主導，我們深入探討可口可樂與蘋果電腦的經營之道。可口可樂本身很會運用「市場區隔」策略，他們成功的將品牌建立爲公司最大資產，同時也積極採用「向外擴張」策略，攻占美國以外的市場，現在全公司六〇%以

上的利潤都來自美國以外地區。我們有時就以可口可樂作爲發展典範，像積極推廣英代爾品牌，以及進軍亞太與南美這些成長較快的市場等等。

蘋果電腦同樣也有明顯的「區隔」策略，將麥金塔電腦定位爲較ＩＢＭＰＣ更高級的個人電腦。不過由於他們追求高利潤的策略，卻使市場占有率逐漸下滑；結果使許多軟體公司起了貳心，因爲同樣的開發精力，如果拿來作ＩＢＭＰＣ的軟體，市場至少可擴大十倍以上，因此軟體公司改變過去的習慣，反而將新開發的好軟體先用在ＩＢＭＰＣ上，讓麥金塔早先軟體好用的優勢逐漸消失。除非蘋果電腦能扭轉市場下滑的局面，否則它在市場上的金字招牌，很可能就會慢慢黯淡失色。

這時正値史賓勒（Spindler）取代史考利出任執行長的時刻，新官上任三把火，史賓勒大膽採用兩項策略：即發動價格攻勢與加入威力晶片聯盟，希望能再提升市場占有率。到目前爲止，蘋果電腦市場下滑的劣勢似乎還沒有止住，還沒有任何跡象顯示他們可以從其他個人電腦公司如康百克、柏格貝爾與戴爾等手中，重新搶回市場。不過這次研習課倒也加強了我們的「高產量」策略，讓我們更堅定要達成在二十世紀結束前，每年出貨一億顆的目標。

由傅格森主講的「競爭力」課程，由於他剛好在一九九三年出版了一本《電腦戰爭》（探討ＩＢＭ的書），因此提到許多他對ＩＢＭ的研究心得。他還特別強調未來的產業競爭優勢就是要控制架構，使之廣爲擴散，並讓市場完全接受。具體的例子就像英代爾的微處理器、以及微軟的DOS及視窗，都是這一類重要的架構。事實上，我們在數年前就有同樣的想法，而且明白其中關鍵在於開發好產品，並且大量出貨；然後才能讓市場完全接受此一架構。從這幾年的經驗裡，我也相信量產確實可以成爲一個公司的競爭優勢。

在第二屆總經理研習會中，我們還請到惠普與聯邦快遞的高級主管，來爲我們現身說法。惠普的印表機業務一向獲利可觀，他們的雷射與噴墨印表機至今仍享有六〇%以上的占有率，是印表機市場的常勝將軍。他們的總經理親自來和我們談惠普的策略，我們很驚訝發現其策略居然和我們極爲相似：就是一直推出新機型，將舊產品自我報廢。基於許多共同理念，我們後來甚至展開下一代微處理器的合作開發計畫。

至於聯邦快遞則是郵件運送的第一把交椅，無論包裹多大，他們都能在二十四小時內送達世界各地，而且失敗的機率極低。由於我們一直自認運送系統是英代爾最弱的一環，聯邦快遞的許多作法讓我們大開眼界。後來我們也委由聯邦快遞處理所有產品的出貨事宜，他們的表現讓我們更無後顧之憂。

消費性電子產品部分由我們公司裡的米勒主講，他一直負責爲我們尋找這個領域的新興商機。我從中獲得的一項心得是，「數位式」（digital）消費性電子產品的時代即將來臨，它的特性與「類比式」（analog）完全不同，日本企業多年來在類比式市場的領先局面，可能慢慢會消逝；美國憑著在數位技術上的優勢，可能會成爲消費性電子產品市場的主宰。由於個人電腦正全面走入家庭，各種不同的設計型態會使電腦成爲明日的消費性電子產品，這也意味著我們的微處理器業務將有超乎想像的大好商機！

我們自九一至九三年間兩度舉辦的總經理研習會，幾乎已將所有總經理必備的武器涵蓋在內。同時這兩年多的時間，也讓我們的新任總經理荷槍實彈，充實許多實戰經驗。現在回想起來，我還想不出更好的方法，可以幫助我們的總經理這麼快速成長。從那之後，蓋爾奉派調回歐洲，出任歐洲分部總經理，表現相當優異。季爾辛格則轉而領導個人通訊部，推出我們有史以來最重要的個人通訊產品：「ProShare」會議系統。其他人則留在微處理器事業部裡繼續奮鬥，讓我們的營運經常創新高點。

無獨有偶的，我們邀請來的主講人自研習會之後，也都有相當不錯的發展。像聖吉與柯維就在不同領域，都成爲知名的企管大師。而惠普、聯邦快遞、威頓百貨與CC&S等公司，也都表現相當出色。我們研究的案例中，IBM與蘋果電腦還在作策略性轉型。至於，我們當初認爲個人電腦將成爲數位式消費性電子產品的明星，由於一九九四年個人電腦市場成長將近三〇%，因此現在看來這個趨勢更爲明確。我想我們是信心十足的邁向二十一世紀的電子世界。

葛洛夫的策略法寶

葛洛夫在一九八七年時，對行銷與組織策略特別感興趣，因此花了許多工夫研究。他不但多次成功的制定策略，後來甚至成爲產業界在這方面的權威，而且也在史丹福企管學院開課。我幾度希望他能在公司內部講授策略的課程，後來他終於首肯，在九四年二月間與史丹福的柏哥曼（Robert Burgelman）共同教授「資訊產業的策略與行動」這門課。其中課程的關鍵在於「行動」這個字眼，因爲如果沒有行動就不能成爲策略，坐著空想不是策略，只有思考後的行動才算是真正的策略。

葛洛夫遴選公司二十五位資深主管參加這次課程，包括我在內，微處理器事業部共有八位出席，都是參加過兩次總經理研習會的學員。整個課程期限爲八週，每週以二小時作系列的個案研究。雖然時間不長，可是幾乎三分之一以上學員都要從聖塔克拉以外的地方趕來，所以已是相當不容易的了。

三點啓示

我們研究的個案包括：英代爾DRAM策略、摩拉羅拉、MIPS、IBM、蘋果電腦以及微軟在網路與電訊產業的策略等。其中有幾家公司與尤飛教過的總經理研習會重覆，不過不同的主講人還是讓我們有不同的學習經驗。我從這一系列課程中獲得三點啓示。

首先就是要留意公司是否有「策略失調」的癥兆，也就是我們所做的是否與口頭所說的一致?資源分配的比例是否與策略規畫的一致?IBM與英代爾的DRAM業務，就都明顯出現策略失調的現象。如果確定沒有失調，就可以儘快結合計畫與行動而前進!

其次，要小心不要「爲競爭而競爭」，就像微軟在列印/檔案伺服網路上與網威的競爭、或是摩托羅拉與日本公司的競爭等等。通常較好的策略是將戰場拉到新興市場上，才能輕鬆致勝，就像摩托羅拉在行動電話以及微軟在主從架構網路上，都有較好的成功機會。如果一直在舊戰場與原先市場老大拚鬥，那真是吃力不討好的策略。

最後就是「聯盟」永遠不能成爲「行不通策略」的替代品，它的功用應該是加強好策略的成功機會。例如MIPS曾嘗試藉由許多聯盟以建立主流地位，可是一開始的基本模式就有問題，因此這些聯盟可說是無功而身退。而我們在九四年與惠普建立的跨世紀聯盟，則基於雙方都有很強的發展策略，所以應該較爲可行。

總結而言，要成長爲稱職的總經理，還是要透過不斷的學習與實際經營管理，才可能達成。由公司內部主導的研習課程，由於和總經理職務息息相關，因此可說是最直接有效的訓練方式。雖然許多企管學院與顧問公司都設有管理課程；各種管理理論也紛紛出籠，像是「Z理論」、「日本式管理」與「組織再造工程」等，可是英代爾公司還是堅持從嘗試錯誤中學習，不管是別人或我們自己的錯誤經驗，最後都成爲我們學習的最佳跳板，這應該也算是我們在高科技管理上的獨到祕方吧！

Inside Intel

第十一章

永無止境

三八六、四八六、Pentium……這是個永無止境的「微」世界！

如果我們回顧個人電腦產業的形成與發展，就會發現個人電腦技術一直在前進，絕不停留，也很難因爲某家電腦公司的緣故而停止進步。

二十七年來，英代爾公司一直在競爭中求生存，在危機中發現轉機。「浮點運算」事件，就是一個很好的例子。

一九九四年十一月二十一日，透過衛星傳送，全球各地人士都能收看到的CNN電視新聞，播出一則微處理器浮點運算出現瑕疵的新聞，我們很不幸成爲新聞的主角。往後浮點事件的發展，差點醞釀成近代個人電腦產業罕見的大風暴。

事情本身原本相當單純。「浮點運算單元」（floating point unit）是微處理器中的一部分，專門負責處理複雜的數字計算。由於我們在設計Pentium處理器時，少輸入了一項計算公式，因而採用Pentium處理器的個人電腦，在作特別複雜除算的某些時候，偶而結果會出現錯誤。我們在九四年夏天首度發現這個問題，已經著手修復。還好這種特定的錯誤，出現機率很低，根據學者的研究大約是數十億分之一，絕大多數的用戶，應該都不會受到影響。

Pentium 處理器是英代爾在一九九三年初推出的新一代產品。就好像其他前幾代微處理器一樣，經過一年多的上市推廣，正要取代四八六，邁上銷售的巔峯。這時正是耶誕節前的年度採購旺季，我們原本預期許多人會購買 Pentium 電腦，當作家庭禮物。浮點事件來得真不是時候，對英代爾和許多個人電腦公司，都是意外的打擊。

爲此，英代爾全公司處於緊急備戰狀態，高階主管更是每天從上午七點至晚上七點，都聚集開會商討對策，連週日也不放鬆。大眾傳播媒體則對此事件展現高度興趣，緊追不捨，許多電腦用戶因此心裡有些恐慌。我們因此決定開放熱線電話，由工程師親自回答用戶的各種問題，除了對技術細節多加解釋，並且承諾爲可能造成影響的用戶免費更換處理器。

一天高達數千通的查詢電話，讓我們驚覺個人電腦已經是民生必需品，不再像過去一樣是少數人的奢侈品了。

好在經過兩個多星期的溝通，多數用戶已經了解問題真相，市場的激烈反應似乎已慢慢平緩下來。於是我決定按照原定計畫，飛到台北參加中國電機工程師學會六十週年慶，並以「資訊高速公路何去何從」爲題，發表專題演講。利用這個機會，我也正好可以了解浮點事件在亞太地區的發展情況。

故地重遊

十二月九日，台北冬天少見的溫暖陽光，和煦的照耀著週末的街頭。在我從桃園中正機場而來的路上，許多地方都在大興土木，不是蓋高架道路就是興建高樓，讓人很快就感覺到台北經濟發展的活力。

車子繞過台灣大學時，我突然想起三十多年前，也曾經在這青翠校園中念了一學期，我甚至還記得剛獲保送進電機系時的興奮心情。當時的我，因爲對古典音樂特別著迷，一心只想學好電子學，以後好自己組裝音響，原本我最大的志願就是要到RCA公司去當工程師。沒想到三十多年來，我果真沒離開電子領域，而且由於矽晶半導體與個人電腦的技術演進，讓我發掘到更深奧的電子世界。

利用演講前的空檔，我從隨身攜帶的筆記型電腦上查看電子郵件，發現浮點事件在美國並沒有繼續擴大，心裡還算放心。於是我繼續按照原訂行程，與總統府兩位資政孫運璿、李國鼎，多位政府官員以及電機工程師廣泛交換意見。

急轉直下

星期一上午，台北人已開始一週緊張的工作步調。我利用英代爾台北的辦公室召開亞太地區電話會議，與包括南韓、香港、新加坡……等地一百多人連線，說明浮點事件的來龍去脈。除了扼要說明我們在美國、歐洲與日本的處理情形，我也仔細回答各地分公司的各種問題，爲大家理清頭緒，整個事件的發展似乎還在控制之中。

沒想到就在這個深夜一點鐘，也就是加州時間星期一上午九點，我卻突然接到美國總部來的電話：「IBM宣布將停止Pentium電腦的出貨」，讓浮點事件爆發另一波危機。原來，IBM透過新聞發布，指出英代爾低估了浮點瑕疵的影響，並且強調基於保護用戶的立場，IBM將停止出貨。

雖然我不在矽谷現場，可是已能嗅到濃厚的火藥味。IBM這個舉動可能造成的影響，並不難想像。一旦用戶因此而採取觀望態度，甚至延緩新一代電腦的採購行動，不僅會威脅到英代爾，甚至也會對許多電腦公司造成潛在的傷害。

華爾街股市很快有所反應，當日除了英代爾股價滑落外，幾乎所有電腦公司也都無法倖免於難，股價同樣重挫，原本在股市中最當紅的科技股，這一日卻以黑字收盤。一位在公司多年的同仁說：「這是英代爾有史以來最大的劫難！」

還好許多客觀的研究都支持英代爾的說法。知名的Dataquest市場調查公司，就對此事發表研究報告，認爲不會有多大的影響。即使最早發現浮點瑕疵的奈思理（Nicely）教授，也立即在報上澄清，指出問題並不像IBM所指陳的那麼嚴重。

接連數日內，幾家重要的電腦公司，包括台灣的宏碁電腦等，都發表支持英代爾、繼續出貨的聲明。連蓮花、微軟等軟體公司也公開表示，用戶使用軟體並不會受到影響。微軟公司甚至強調，他們近期內還要採購多台Pentium電腦，以供內部使用。

最長的四十日

我在走訪台灣幾家主要電腦公司如宏碁、大眾與廣達，了解他們仍然全力支持繼續出貨之後，火速趕回矽谷的英代爾總部。一週後，英代爾公司決定改變原先作法，對所有Pentium電腦的用戶，無論是否受到浮點瑕疵影響，都提供終身免費更換保障。無可避免的，這會對英代爾近期的營運造成影響，可是卻對整體個人電腦產業的發展，注入強心針。

我們每天派人親自到多家經銷零售點，觀察Pentium電腦銷售情形，也密切注意各種直銷管道傳來的銷售業績。還好銷售數量還是一直上升，顯示用戶的採購意願並沒有受到影響。九五年二月時，Pentium處理器的庫存數量幾乎是零，英代爾股價升到八十美元，出乎所有人的意料之外，再度創新高點。

四十天來，我們終於可以真正喘一口氣。後來，一九九四年英代爾的營業額達到一一八億美元，九五年第一季Pentium處理器訂單熱絡，顯然已如我們所期待的完全取代了四八六電腦的地位。浮點事件已經過去，和英代爾曾經發生的其他大小危機一樣，僅僅只是歷史中的一段插曲。

不過，倒是許多人因此而知道了英代爾公司，特別是那些原本對電腦產業不太熟悉的人，雖然他們可能早已使用個人電腦多年。國際網路上有位仁兄甚至很天才的寫道：「浮點事件全是英代爾自導自演，好讓 Pentium 處理器在最短時間內成爲家喻戶曉的產品。」

不進則退

Pentium電腦開始上市的這一年十二月，我回到台北參加由資策會、《天下雜誌》與英代爾合辦的「台灣個人電腦十週年」慶祝活動，有位記者問我說：「英代爾前進的速度是否太快了？大家都追趕得好辛苦。」我想從我加入微處理器部門至今十多年來，可能已被問過上百次類似的問題。

如果我們回顧個人電腦產業的形成與發展，就會發現個人電腦技術一直在前進，絕不停留，也很難因爲某家電腦公司的緣故而停止進步。

例如IBM在一九八二年以英代爾八〇八八微處理器，開發出第一代IBM個人電腦，隨後在八四年又推出更受好評的二八六電腦。可是在它暫停前進到下一代電腦時，康百克就搶占先機，成爲三八六時代的領導者。

同樣的，在四八六初上市時，戴爾與宏碁等公司又抓住康百克遲疑的機會，占有一席之地。到了Pentium電腦，除了這幾家公司以外，又有柏克貝爾等後起之秀，由於能迅速掌握潮流，很快就開創出屬於自己的新市場。

從摩爾定律看起來，個人電腦這種不斷向前的技術發展趨勢，在未來十年內，應該還是不會改變。英代爾是推動個人電腦技術不斷向前的動力之一，我們也面臨著同樣的壓力，用戶需要更強、更好用的應用軟體，期待電腦有更先進的處理性能，就好像每個人都期望有更美好的未來，沒有人會希望這個世界就此停頓下來。而個人電腦將帶給我們什麼樣的未來呢？

葛洛夫在一九九四年六月個人電腦博覽會上應邀發表專題演講，他特別以「無所不在的個人電腦：未來資訊高速公路的主角」作爲主題，並且明白指出，由於個人電腦已經快速走進家庭（單在九四年一年，Pentium電腦在美國有一半以上都是賣給家庭用戶，就是最好明證），配合通訊能力的提升，將會成爲家庭資訊的中樞，也就是每個人的日常生活都少不了個人電腦，我們時時刻刻都要倚賴它來提供最佳資訊。

因此未來這幾年，所有公司都會面臨完全不同的挑戰。無論是經營個人電腦、半導體、通訊，甚至是娛樂、傳播……等等事業的公司，都不可避免要面對下一波變革，前進的速度是否太快已經不是問題，問題該是：誰會是二十一世紀的最後贏家？

進軍「微二〇〇〇年」

我總是對不可知的未來，充滿期待。早在一九八八年，寫《技術二〇〇一》的作者曾經請我們幫忙提供微處理器的未來藍圖，我們幾個人深入討論後來寫成《微二〇〇〇》（*Micro 2000*）的一章，這本書隨後在九一年正式對外發表。在八九年的國際電子電機工程（IEEE）會議中，我們也公開發表其中的要點。

我們認爲在西元二〇〇〇年之際，微處理器的性能將比現在更提升二十倍，達到二千MIPS（即每秒可執行二十億個指令），每顆晶片上電晶體數則達五千萬顆，和目前Pentium處理器上三百萬顆相比，等於是現在的十六倍。顯然這其中還有許多技術成長的空間，因此未來幾年仍要靠不斷的創新與突破，才能達到這樣的成果。

在市場方面，我認爲使用個人電腦的趨勢仍會繼續狂飆到下一世紀，而且比例將逐年增高。以區域來看，亞太地區與中南美各地，應該是未來這幾年成長最快的地區。九四年全球個人電腦銷售量約爲五千萬台，我想在本世紀末，每年的銷售數字應該可以輕易突破一億台。這已遠遠越過汽車與電視的生產量，使個人電腦成爲二十世紀末最普及的電子產品。

由於我自九一年開始就決定同時發展P五與P六，我們有充分的信心可以主導此一市場潮流。P六預定在一九九五年下半年發表，其中包含許多最佳的微架構設計，而且從一開始就以整個系統設計爲著眼點，從匯流排、快閃記憶體、晶片組甚至整個系統一起設計，可以想見它量產的速度又會比Pentium處理器更快。同時，P六晶片與系統的性能約是Pentium處理器的二倍，這也是我們在技術上又一次向前大步躍進。

水到渠成談合作

九三年間，Pentium處理器已經順利運作，我決定將原班設計人馬轉進到下一個計畫——P七。九三年一整年，我們都在爲未來的新功能與產品特性而費神，由於Pentium英代爾已經超越RISC晶片的能力，而P六又已幾乎達到微架構的頂尖成就，下一步要如何才能再突破呢？

剛好我們在這時候遇到惠普電腦的一些人，他們也正爲下一代精準電腦架構作準備。惠普的精準架構晶片，過去雖然只有自己公司的系統在用，不過卻是UNIX市場上表現最好的產品，昇陽和IBM經常都無法與之匹敵。當然，這時惠普公司的人也了解到，生產MORP型的晶片，投下鉅資，卻只有自己使用，確實也不太符合經濟效益。因此在葛洛夫、豪斯與我一起與惠普總裁等人會面後，雙方即有組成技術聯盟的共識，希望爲跨世紀的新架構而共同努力。

一九九四年六月我們正式展開這項合作計畫，並於六月八日對外發布。整個電腦產業界對這兩大公司決定攜手合作，自然深感震撼。可以預期由於惠普具有ＵＮＩＸ與企業級電腦系統的實力，加上英代爾在量產個人電腦微處理器的成功經驗，未來發展的電腦技術將涵蓋自高階至低階，極爲完整的產品線。這將是跨世紀的重要突破。

雖然我在一九八八年時，就曾預測到公元二〇〇〇年微處理器的進步情形，可是比起來，現在可是有更清楚的輪廓。站在新電腦產業的高峯往外望，這個世界未來前景真是無限遼闊！

競爭從不止息

這也讓我們更確信英代爾在新電腦產業的影響力，已經到達新高點。就好像爬山一樣，一旦你登上高峯，視野更形開闊，可以看得更遠，立下更高的目標。有兩件事情，在我們眼中是再清楚不過的。

其一是許多人都和我們一樣想登上這個山頭，隨便回頭一望，就可以看到許多我們原來的競爭者，還在辛苦的攀爬，希望也上得了這個山峯。威力電腦應該算是最有野心的競爭者，另外一些人沿著我們的老路也在苦苦追趕，走在最前面的正是超微半導體。

他們靠著模仿我們的三八六起家，在四八六市場也有一些斬獲，現在則邊爬邊爲它們的新一代處理器K五壯勢。

賽瑞仕緊跟在超微的步調之後，這家公司主要人員十多人都來自德州儀器，成立後的第一項產品運算輔助器賺了些錢，然後試著將三八六加上快取記憶體作成四八六，最近推出「M一」向Pentium處理器挑戰，可是M一功能不強，晶片體積也太大，因此無法與Pentium處理器相容，市場前途似乎不太樂觀。

如果再看得更仔細些，在賽瑞仕後面還有NexGen、聯華、德州儀器、IBM……等等公司，可以列上一長串的名字，簡直就像是過江之鯽，顯示人人都想坐上英代爾在電腦產業的核心寶座。

我在山頭上看得清楚的第二件事是，微軟也已經爬上另一個山頭，由於他們已經奠定作業系統的標準，其他軟體公司像蓮花、WordPerfect與寶蘭等同樣只能踏著微軟的腳印慢慢追趕。

當然，所有的人包括英代爾在內，對於未來可能面臨的市場競爭，都不會掉以輕心。

永遠放眼於未來

在一九九四年四月的高階主管會議上，葛洛夫以一張投影片，說明我們在市場上的處境：在英代爾架構處理器市場上，不少的模仿者一心想縮短與我們之間的差距，甚至想挑戰我們的領先地位；而以RISC架構爲號召的競爭者，更希望從頭創立市場新標準，擠壓我們的生存空間。

葛洛夫面色凝重的望著在場的每位高階主管，我想任何一位決策者面臨著這樣的市場情勢，大概心情都不會輕鬆。可是他很快的換了一種口吻說：「各位會不會覺得這樣的競爭情勢有些眼熟？」

原來他所用的根本是一九八九年的投影片！我們很快就能體會他的用意：市場上的競爭是永無止境的，在RISC架構之爭上，走了昇陽來了MIPS，之後又是威力晶片；在英代爾架構上，先是超微又是賽瑞仕，沒有人曉得什麼時候，我們又將面臨下一回合的新挑戰。

事實上，從一九八〇年代早期開始，就不斷有人預言英代爾架構已經是強弩之末，不會再有太大的展望。可是一年又一年，儘管各種傳說的理由甚囂塵上，英代爾還是以一代又一代的優秀產品，坐穩新電腦產業的核心地位。未來我們是否還能持續占有優

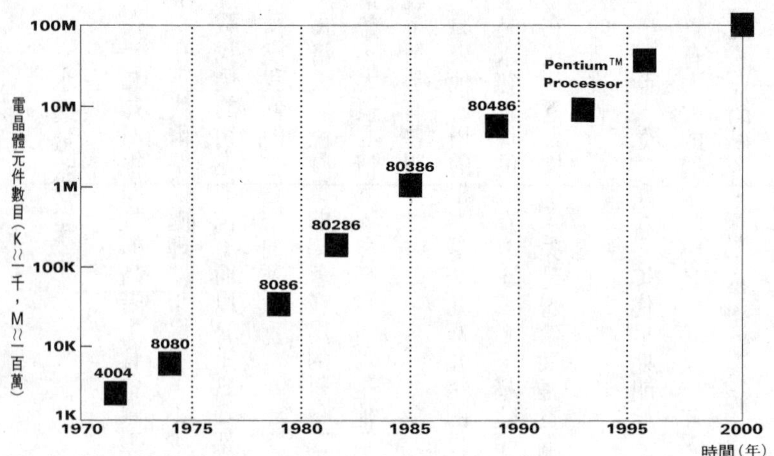

英代爾微處理器上容納的電晶體數目，每隔十八個月左右便增加一倍，相當符合摩爾定律的預期。

勢？只有時間能夠證明。

我倒是認爲，電腦產業的未來前景仍然相當樂觀。雖然已經發展了十多年，可是我覺得電腦產業還在嬰兒期，就好像二〇年代的汽車工業一樣。個人電腦還是太難使用，就好像二〇年代的車輛設計；我們現在雖然已經有網路，但也就像二〇年代的道路一樣，並沒有鋪得太好；各種線上服務還是零星散落，正如同早期的加油站。

然而，個人電腦與汽車一樣都可以爲人們帶來自由與權力，讓我們從實際的束縛中解放。所以，這個年輕的工業也會有同樣光明的遠景。我可以想到有太多事情，仍值得我們投入，許多現在還是革命性的觀念，在即將到來的二十一世紀很快就會具體成形。

除了在技術上繼續創新以外，未來我也將推動我們的管理體系再上層樓，雖然我們現有的企業文化與價值觀已相當不錯，但我還是要致力更加改善。也許我應該開始規畫第三次總經理研習會，從推動高階主管的經營理念開始做起。我也希望更有效訓練各級經理人與工程人員，讓我們能推出更勝於以往的新一代產品。我也想著要幫助亞洲開發中國家推廣電腦普及度，未來這市場可能更大過美國……該做的事情似乎列不完。我想你大概也體會到，我對未來總是充滿衝勁。

我真心認爲：任何地方、任何發展，都是永無止境的！

後記

程文燕

在這本書即將付印之際，台灣報紙出現一則「美國國會擁抱高科技」的消息，內容是：美國參眾議院聯席經濟委員會首度以「互動式電傳視訊會議」的方式，舉行聽證會，並藉國際網際網路向民眾公開傳播，首創美國國會使用這種高科技會議的紀錄。

多數人可能不太注意這則來自美聯社的外電，可是這本書裡談到許多最新的電腦與通訊應用科技，互動式電傳視訊會議正是其中之一。美國國會開始採用這項最新科技，等於以實際行動驗證了本書裡所談到的某些趨勢。事實上，這本書得以跨越時空限制，在一年多的時間裡完成，同樣也是「擁抱高科技」的結果。

由於虞博士多數時間待在英代爾位於加州聖塔克拉的總部裡，我們遠隔太平洋遙遙相對，只有透過各種可能的溝通媒介，包括：傳真、電腦通訊、多方電話會議……等，進行這本書的寫作。期間甚至二度遠赴香港、夏威夷會面，可以想見創作過程要比一般著書要困難許多。很遺憾的是，受限於「整體服務數位網路」（ＩＳＤＮ）在台灣不夠普及，讓我們原本希望比美國國會更早一步採用電傳視訊會議，可惜一直無法如願。

過程雖然比一般出書更爲辛苦，可是這本書特有的意義卻讓所有參與者，自始至終保持高度熱忱。這是第一本以中國人觀點探討全球個人電腦產業發展的著作，在台灣與大陸都積極朝向高科技領域前進的此刻，書中所談的英代爾經驗，可以提供有心人許多參考價值。

這本書得以如期誕生，必須感謝許多人的熱情參與及奉獻。其中包括電腦產業界幾位前輩，如：台灣積體電路製造公司董事長張忠謀、宏碁電腦集團董事長施振榮、神通電腦集團董事長苗豐強、矽統科技董事長杜俊元與總經理劉曉明、以及英代爾大陸分公司總經理陳朝益……等人，在百忙中特別撥空賜教。此外，《遠見》雜誌總編輯王力行小姐以豐富的著書經驗，提供不少專業建議。天下文化在高希均教授的領軍下，也對本書有超乎尋常的支援與重視；尤其是副主編吳程遠先生在編輯內容上，更有不少汗馬功勞。

最後要感謝的是英代爾台灣分公司公關經理姜勵華，她不但是這本書的催生者，還是此次團隊合作計畫的最佳執行長，許多問題都在她鉅細靡遺的協調下順利克服，謹藉此書的一角，表達對她的由衷謝意。

附 錄 I

大事年表

年份	英代爾	半導體及資訊界	虞有澄
一九四八		•貝爾實驗室發明電晶體	•隨父母來台，在女師附小就學
一九五二			•進師大附中實驗班
一九五七		•諾宜斯等八人創立快捷半導體	
一九五八			•獲保送進台大電機系
一九五九			•轉學至香港崇基書院
一九六〇			•赴美國加州理工學院就讀
一九六三			•進史丹福電機研究所
一九六四			•獲史丹福電機碩士學位
一九六五		•摩爾發表摩爾定律	
一九六六			•與查女士結婚
一九六七		•史波克等人離開快捷，另創國民半導體公司	•獲史丹福電機博士學位 •加入快捷
一九六八	•諾宜斯、摩爾與葛洛夫創立英代爾	•桑德斯離開快捷，創立超微半導體公司	•大女兒文楓出世

一九六九	•推出第一個產品：三一〇一，爲全球第一顆雙載子記憶體 •推出一一〇一：第一顆CMOS記憶體		•升任快捷研究小組經理
一九七〇	•推出一一〇三，率先將DRAM商品化成功 •法羅門發明EPROM記憶原理 •在日本成立遠東第一個分公司		
一九七一	•推出四〇〇四：全球第一顆微處理器 •股票上市 •推出一七〇二：第一顆EPROM		•升任快捷部門經理
一九七二	•推出二一〇二：第一顆nMOS一千位元SRAM •推出八〇〇八：第一顆八位元處理器 •設計出藍箱子開發系統 •員工總數達一千人		•加入英代爾晶圓製造廠，研究生產製程，由二英寸轉至三英寸 •兒子文彬出世

年份			
一九七三	• 舉辦高階主管研習會，建立「目標式管理」體系 • 在檳城設裝配廠		• 轉調品管部
一九七四	• 推出八〇八〇，成爲八位元微處理器產業標準 • 在以色列海法成立設計中心		• 出任品管工程部經理
一九七五	• 諾宜斯出任董事長，摩爾升任總裁兼首席執行長 • 成立英代爾大學	• MITS公司以八〇八〇爲微處理器，發表全球第一台微電腦：Altair • 微軟成立	• 升爲技術發展總監
一九七六	• 開始四英寸晶圓製程 • 推出二一四七：當時最快速的SRAM • 推出八〇八五：八位元微處理器		
一九七七	• 雇用第一萬名員工	• 蘋果電腦成立，推出Apple II • Commodore電腦問世	• 離開英代爾，自創家用電腦公司

一九七八	•推出十六位元微處理器：八〇八六		•推出全球第一部家用電腦：VideoBrain
一九七九	•摩爾升任董事長，葛洛夫出任總裁兼管理長 •推出低成本八〇八八微處理器 •首度進入財經五百大企業	•IBM在波克鎮成立PC研究小組	•將微電腦引進大陸
一九八〇	•推出第一顆運算輔助器：八〇八七 •推動「致勝」行銷計畫 •與迪吉多、全錄合作開發Ethernet網路		
一九八一	•因應不景氣，推行「百分之一二五奉獻」計畫 •推出新架構三十二位元處理器：四三二，市場反應不佳	•UNIX作業系統開始在校園發展 •IBM推出第一台PC	•重回英代爾，擔任品管工程總監
一九八二	•推出八〇二八六微處理器，內含十萬顆電晶體 •與超微達成十年相互授權協議		

一九八三	•全年營業額突破十億美元 •IBM正式入股百分之十二 •六英寸晶圓製程發展成功	•IBM相容PC開始出現 •蓮花、康百克相繼成立	•發起「多重文化整合」研討會
一九八四	•入選爲全美一百家最值得投入的公司 •獲財經雜誌選爲八家最具創新科技的公司之一	•IBM推出二八六個人電腦	•加入微處理器部門
一九八五	•第一次策略轉型：退出記憶體市場 •推出三十二位元的三八六晶片，內含二十七萬五千顆電晶體 •先後在台北與北京成立分公司 •十年內首度裁員及關閉廠房 •居財經雜誌五百大企業第二二六名		•升任微處理器部門副總經理

一九八六	•成立亞太總部	•康百克率先推出三八六電腦，ALR與宏碁很快跟進	•升任總部副總裁兼微處理器部門總經理
一九八七	•葛洛夫出任首席執行長 •IBM撤回投資	•IBM率先推出三八六SX電腦 •三八六帶動辦公室電腦化潮流	
一九八八	•與西門子合作進行BIIN計畫 •與中國大陸合資量產十六與三十二位元微電腦		
一九八九	•推出新架構：八六〇微處理器 •推出四八六晶片，內含一百二十萬顆電晶體 •推出九六〇處理器，作嵌入式應用	•昇陽推出RISC晶片，發起SPARC聯盟	
一九九〇	•推動紅色X行銷計畫 •開始主辦年度產業高階技術研習會	•微軟發表視窗三．〇版 •新電腦產業形成 •戴爾與宏碁等公司率先推出四八六電腦 •組織轉型，出任微處理器事業部總經理	

一九九一	•推出〇．八微米技術、五十M赫茲的四八六版本 •推行Intel Inside全球行銷活動 •第二次策略性轉型至PC&C產業 •諾宜斯發明積體電路的地點，被加州政府列爲第一千號史蹟	•MIPS推動「先進電算（ACE）聯盟」 •IBM、蘋果與摩托羅拉宣布籌組「威力電腦聯盟」	•舉辦「總經理研習會」
一九九二	•推出DX二（時脈加倍）微處理器及加速檔處理器 •首度推出電視廣告：「四比三好」 •率先推出PCI晶片組 •In-Stat發表英代爾爲全球最大半導體公司，超越NEC •首度發表Indeo Video技術	•四八六銷售量超越三八六，成爲市場主流	•推動P五與P六平行發展策略

一九九三	• 推出Pentium處理器，含三百萬顆電晶體 • Dataquest：英代爾成爲全球最大半導體公司	• PC全年銷售量超越汽車，達四千萬台	• 升任總部資深副總裁
一九九四	• ○．六微米製程發展成功 • 發表九十M／一百M赫茲Pentium與DX四處理器 • 與惠普聯手開發跨世紀微處理器新架構 • 全年營業額達一一八億美元	• 多媒體帶動家用電腦開始盛行 • Packard Bell首創以電話直銷作行銷通路 • PCI成爲產業匯流排新標準 • Pentium電腦成爲PC市場主流 • PC全年銷售量達五千萬台，超越電視與錄放影機，成爲成長最快的消費性電子產品	
一九九五	• ○．三五微米製程發展成功 • 先後發表一二○M／一三三M／一五○M赫茲Pentium處理器 • 預定發表P六微處理器 • 入選財經雜誌五百大企業中，最受推崇企業第六名	• 微軟發表視窗九五版 • PC全年銷售量預估將達六千萬台	• 《我看英代爾》一書出版

附錄 II

名詞注釋

BASIC語言　BASIC為Beginner's All-purpose Symbolic Instruction Code的簡寫，乃一種高階電腦語言。

CP／M　為微處理控制程式，即Control Program for Microprocessor的簡稱。

DOS　Disk Operating System的簡寫，為一種功能簡單的作業系統，儲存在磁碟片上，用於控制電腦的周邊設備和檔案管理。

M赫茲　MHz為Megahertz的簡寫，即一百萬個赫茲。一赫茲為「一秒一次」。

MS—DOS　MS為Microsoft的簡寫，MS—DOS乃微軟發展出來的磁碟作業系統。

OEM　為original equipment manufacture的簡稱，為「委託代工」或「原廠裝配品」的意思，係指製造廠商雖以自己的商標銷售，但實際上卻把產品委由另一製造廠商製造。

PC—DOS　PC為個人電腦（personal computer）的簡寫，為一般的磁碟作業系統。

UNIX　衍生自史丹福大學的一種電腦作業系統。特性為可供多人多工作業。

Windows NT　為微軟公司發展出來的一種視窗軟體。NT代表New Technology，直譯為「新技術」的意思。

X八六　X86　指一八六、二八六、三八六、四八六、Pentium等系列產品，X代表任何號碼。

〈四劃〉

介面　interface　兩個不同系統交接的部分，並經由它彼此作用。

互補金屬氧化半導體　CMOS, complementary metal oxide semiconductor　金屬氧化半導體（MOS）基本上有兩種，稱為n—MOS及p—MOS。CMOS的構造相當於將n—MOS與p—MOS組合而成，特點在於耗電量極小，因此沒有什麼熱能產生，可以大大地提高排列密度。

互補高性能金屬氧化半導體　CHMOS, complementary high-performance metal oxide semiconductor　乃CMOS及HMOS的綜合體。它結合了CMOS傳統低耗電量的特性，以及HMOS高整合與高性能的優點。

〈五劃〉

主機　main frame　通常指大型電腦，具有高度處理資訊能力。

半導體　semiconductor　指導電性能在金屬和絕緣體之間，一般是晶體，如鍺晶體或矽晶體等。

可擦可改寫唯讀記憶體　EPROM, erasable and programmable read-only memory　儲存的資料可以用紫外光或其他方法清除，而又可以用適當的電壓脈衝，按位元重新寫入程式的唯讀記憶體。

〈六劃〉

休基障礙　Schottky barrier　在半導體表面生成的過渡區，可作爲與金屬層形成接面的整流電壓位障，亦稱「休基電位勢障礙」。

多媒體　multimedia　爲靜態資訊（如文字或圖表）和動態資訊（如聲音、動畫或影像）的組合，可提供展示或娛樂功能。

〈七劃〉

位元　bit　爲binary digit的簡寫，乃電腦中最小的記憶儲存單位，其値可爲一或〇。

位元組　byte　在電腦中被視爲一單位的資訊來處理的一序列位元。

快閃記憶體　flash memory　由英代爾公司發展出來的技術，能讓記憶體在電源關掉之後依然保留原來的資料。在行動電話或可攜帶電腦等產品中特別有用。

快取記憶體　cache memory　它的功能是儲存最近使用的資料與指令，讓處理器可以就近取得所需資料，以加快運算速度。

〈八劃〉

金屬氧化半導體　MOS, metal oxide semiconductor　一種金屬—絕緣體—半導體結構的材料，其中絕緣層使用氧化物爲材料，製程簡單，而且體積小，適合作爲積體電路的材料。

〈十劃〉

迷你電腦　mini-computer　通常指字長爲十二、十六、十八、二十四或三十二位元，及記憶體容量爲十六K至八M的電腦，可以處理高階語言作業。

高性能金屬氧化半導體　HMOS, high-performance metal oxide semiconductor　一種高整合與高性能的金屬氧化半導體。

特殊應用積體電路　ASIC, application specific integrated circuit　針對客戶需求而設計的積體電路，特色在開發速度很快。

浮點　floating point　指其數值係採用小數點位數的浮動記載方式表示，也就是說，運算前後它的小數點可依程式需求而由電腦主動記載並調整。用來保持最大的有效位數，提高它的精確度。

〈十一劃〉

組合語言　assembly language　是最接近機器語言的低階電腦程式語言，一般用在大型電腦上。組合語言的缺點是程式長，優點則是執行的速度快，所占的記憶體空間少等。

動態隨機存取記憶體　DRAM, dynamic random access memory　一種能讀寫隨機存取記憶體的裝置，其儲存胞採用電晶—電容組合，數位資訊藉電容器儲存的負載來表示。

國際網際網路　Internet　爲沒有中央電腦控制的電腦網路，過去僅供美國國家實驗室及高科技界從事學術交流。九〇年代開放使用後，國際網際網路串連了全球一百多個國家的電腦網路的集合，遍布各地的學術界、政府機構和工商界的上千萬電腦使用者都能藉著這個網路，跨越國界，交流資訊。

唯讀記憶體　ROM, read-only memory　使用者可依需要讀出記憶體中的資料，但不能更改其中資料。

〈十二劃〉

晶片　chip　積體電路（IC, integrated circuit）就是把成千上萬個電子元件（如電阻、電容等）濃縮在一片不到指甲大小的矽晶片上，大大縮小了傳統電子迴路的體積。

晶圓　wafer　製造晶片的材料，每塊數英寸直徑大小的晶圓，經過一連串複雜的化學和電子處理步驟後，布設成許多層精細的電子線路。每塊晶圓上可翻製出數百個相同的晶片。

發展系統　development system　英代爾內部稱之爲「藍箱子」，是早期英代爾爲推廣微處理器應用，特別設計的微電腦，以幫助客戶開發出各種應用產品。

〈十三劃〉

閘　gate　一種具有一個輸出和許多輸入的電路，按輸入訊號組合而產生相應的輸出。

微米　micrometer　相等於百萬分之一公尺。

微處理器　microprocessor　基本上是一片積體電路晶片，包含算術邏輯單元、控制單元等電路，負責整台電腦的基本運作，大家稱之爲電腦的心臟。

微電腦　microcomputer　一般指小型電腦，爲一般小型企業或個人所使用。

福傳語言　FORTRAN　爲Formula Translator的簡稱，是科學技術計算所用的通用電腦語言。

〈十四劃〉

匯流排　bus　這是微處理器與外部元件傳送資料的通道，功能類似公路，所有的資料都要在這條公路上流通。

精簡指令集電腦　RISC, reduced instruction set computer　在這種電腦內，常用的指令結合成指令集，在運算時執行單一指令集即可，因此處理速度可以更快。

複雜指令集電腦　CISC, complex instruction set computer　相對於RISC，這種電腦的指令雖然較爲複雜，但是寫程式時，只需要較少的指令，因此比較容易發展程式。

〈十五劃〉

磁芯記憶體　magnetic core memory　利用磁性材料製成的記憶體。其原理爲：將磁芯帶磁性或不帶磁性的狀態用以代表一或〇的狀態，一長串的一與〇的組合就代表要儲存的資訊。

編譯程式　compiler　用來將高階語言所寫的程式轉換成以機器語言表示的程式，以方便電腦「看」

得懂。

〈十六劃〉

隨機存取記憶體 RAM, random access memory 可以隨時將資料存入或取出的記憶體。

靜態隨機存取記憶體 SRAM, static random access memory 由四個或六個電晶體作爲儲存格的讀寫隨機存取記憶體，若不刻意變更或切斷電源，其內部均保持同一狀態。

積體電路 integrated circuit 參見「晶片」。

〈十八劃〉

雙載子記憶體 bipolar memory 利用正、負電荷的記憶體。

（吳程遠 整理）

1995年8月

社會人文系列		作者	譯者	定價	備註
GB001	我們正在寫歷史——方勵之自選集	方勵之		200	
GB009	蕭乾與文潔若（上、下册）	文潔若		400	
GB013	尋找台灣生命力	小野		200	
GB014	風雨江山—許倬雲的天下事	許倬雲		220	
GB027	大格局	高希均		220	
GB028	智慧新憲章—著作權與現代生活	理律法律事務所		250	
GB030	美麗共生—使用地球者付費	凱恩格斯	徐炳勳	220	
GB031	第四勢力	張作錦		300	
GB033	尋找心中那把尺	熊秉元		220	
GB037	時代七十年	姜敬寬		250	
GB040	無愧—郝柏村的政治之旅	王力行		360	
GB043	活用消費者保護法	理律法律事務所		280	
GB044	無冕王的神話世界	羅文輝		220	
GB046	最後的貓熊	夏勒	張定綺	320	
GB048	歡喜人間(上)	星雲大師		250	
GB049	歡喜人間(下)	星雲大師		250	
GB050	報人王惕吾－聯合報的故事	王麗美		360	
GB051	燈塔的故事	熊秉元		220	
GB053	電腦叛客	海芙納、馬可夫	尚青松	280	
GB054	觀念播種—高希均文集Ⅰ	高希均		250	
GB055	優勢台灣—高希均文集Ⅱ	高希均		250	
GB056	失控—解讀新世紀亂象	布里辛斯基	陳秀娟	250	
GB059	教育改革的省思	郭爲藩		280	
GB060	石油一生—李達海回憶錄	鄧潔華整理		360	
GB061	1895日軍侵台圖紀—台灣民主國抗敵實錄	徐宗懋策畫		360	
GB062	務實的台灣人	徐宗懋		300	
GB063	點滴在心頭—42位身邊人物談二位蔣總統	朱秀娟訪談		320	
GB064	大家都站著	熊秉元		250	
GB065	惜緣	王端正		220	
GB066	傳燈—星雲大師傳	符芝瑛		360	
GB068	誠信—林洋港回憶錄	官麗嘉		360	

1995年8月

科學人文系列		作者	譯者	定價	備註
CS001	混沌—不測風雲的背後	葛雷易克	林　和	300	
CS002	居禮夫人—寂寞而驕傲的一生	紀荷	尹　萍	280	
CS003	全方位的無限—生命爲什麼如此複雜	戴森	李篤中	280	
CS004	你管別人怎麼想—科學奇才費曼博士	費曼	尹萍　等	250	
CS005	理性之夢—這世界屬於會作夢的人	裴傑斯	牟中原　等	320	
CS006	氫彈之父—沙卡洛夫回憶錄(1921-1967)	沙卡洛夫	牟中原　等	300	
CS007	人權鬥士—沙卡洛夫回憶錄(1968-1989)	沙卡洛夫	牟中原　等	300	
CS008	大滅絕—尋找一個消失的年代	許靖華	任克	280	
CS009	柏拉圖的天空—普林斯頓高研院大師羣像	瑞吉思	邱顯正	300	
CS010	古海荒漠—地中海默默守著的大祕密	許靖華	朱文煥	220	
CS011	宇宙波瀾—科技與人類前途的自省	戴森	邱顯正	300	
CS012	別鬧了，費曼先生—科學頑童的故事	費曼	吳程遠	300	
CS013	喜悅時光—從宇宙演化看人性真諦	席夫	葉李華	250	
CS014	恐龍再現—誰讓恐龍「復活」了？	雷森	陳燕珍	280	
CS015	雁鵝與勞倫茲—動物行爲啓示錄	勞倫茲	楊玉齡	280	
CS016	蓋婭，大地之母—地球是活的！	洛夫洛克	金恆鑣	240	
CS017	基因聖戰—擺脫遺傳的宿命	畢修普等	楊玉齡	400	
CS018	複雜—走在秩序與混沌邊緣	沃德羅普	齊若蘭	400	
CS019	玉米田裡的先知—異類遺傳學家麥克林托克	凱勒	唐嘉慧	300	
CS101	大霹靂—科學大師系列(1)	巴洛	葉李華	220	
CS102	最後三分鐘—科學大師系列(2)	戴維思	陳芊蓉	220	
CS103	人類傳奇—科學大師系列(3)	理查．李基	楊玉齡	220	
CS104	伊甸園外的生命長河—科學大師系列(4)	道金斯	楊玉齡	220	

天下人知識系列		作者	譯者	定價	備註
BK001	跳出思路的陷阱	葛登能	薛美珍	150	
BK002	帝王學	山本七平	周君銓	150	
BK003	如何看財務報表	波席爾	王修本	150	
BK004	輕輕鬆鬆學經濟	普爾、拉蘿	陳文苓	150	
BK005	共同基金	陳忠慶		150	
BK006	房地產—增殖的投資途徑	游振輝		150	
BK2002	進入廣告天地	紀文鳳		140	
BK2006	深入淺出談政治	彭懷恩		140	
BK2009	理財有道	蔡其勇		140	
BK3001	風格領導	藍迪	李宛蓉	140	
BK3002	時間企畫	梅爾	林幸蓉	140	
BK3004	個人公關	蘿安	李淑嫻	140	
BK3005	管理金鑰	崔西	黃美姝	140	
BK3006	用筆溝通	杜梅	王偉民	140	
BK3007	說上顛峯	奧斯本	徐曉慧	140	
BK3008	飛越競爭	徐木蘭		140	

天下經典系列		作者	譯者	定價	備註
BA002	自由經濟的魅力	李甫基	馬凱　等	320	
BA003	台灣經驗四十年	高希均、李誠編		400	
BA004	新領導力	葛德納	譚家瑜	300	
BA005	新政府運動	歐斯本　等	劉毓玲	300	
BA006	台灣二〇〇〇年	蕭新煌　等		320	
BA007	不再寂靜的春天	彌爾布雷斯	鄭曉時	500	
BA008	綠色希望	席塔茲	林文政	320	
BA009	台灣經驗再定位	高希均、李誠編		500	

知識的世界		作者	譯者	定價	備註
BW005x	經濟學的世界—經濟觀念與現實問題：上篇(精裝本)	高希均		600	
BW005y	經濟學的世界—經濟觀念與現實問題：上篇(平裝本)	高希均		500	
BW006x	經濟學的世界—總體與個體理論導引：下篇(精裝本)	高希均		500	
BW006y	經濟學的世界—總體與個體理論導引：下篇(平裝本)	高希均		400	

1995年8月

心理勵志系列		作者	譯者	定價	備註
BP001x	樂在工作	魏特利　等	尹　萍	220	
BP004	樂在溝通—做個會說話的上班族	白克	顧淑馨	220	
BP006	人生，另一種解答	葆森　等	趙瑜瑞	200	
BP007	與成功有約—全面造就自己	柯維	顧淑馨	220	
BP008	長大的感覺，真好	帕翠生　等	尹　萍	150	
BP009	可以勇敢，也可以溫柔	史克蘿	何亞威	220	
BP010	生涯挑戰101—做工作的主人	迪梅爾　等	李淑嫻	220	
BP011	腦力激進—十二週成長計畫	莎凡　等	李芸玫	220	
BP013	一躍而過	麥考梅克　等	顧淑馨	220	
BP014	愛與被愛	霍克	劉毓玲	200	
BP016	資訊創意家	川勝久	呂美女	200	
BP017	自助保健	希爾絲	邱秀莉	200	
BP018	無壓力工作	克雷區	汪　芸	200	
BP020	生涯定位	四人組	黃孝如	220	
BP021	21世紀工作觀	麥考比	李瑞豐	220	
BP022	全心以赴	柯維	徐炳勳	250	
BP023	樂在談判	貝瑟曼　等	賓靜蓀	220	
BP024	看，錢在說話	亞伯朗斯基	盧惠芬	250	
BP025	魅力，其實很簡單	瑞吉歐	蕭德蘭	220	
BP026	快樂，從心開始	契克森米哈賴	張定綺	250	
BP027	志在奪標	魏特利	邱秀莉	220	
BP028	開拓創意心	辛妮塔	莊勝雄	250	
BP029	有聲有色做溝通	華頓	譚家瑜	250	
BP030	破解工作苦	史崔瑟、西奈	蕭德蘭	220	
BP031	激發決策腦	道森	盧惠芬	250	
BP032	其實你真的聰明	艾波思坦　等	蕭德蘭	250	
BP033	扣準時機的節奏	魏特利	朱偉雄	250	
BP034	夢想，改造一生	布朗	陳秀娟	250	
BP035	全面成功	金克拉	陳秀娟	300	
BP036	駕馭變局十二法則	歐力森	李宛蓉	280	
BP037	心靈地圖(修訂版)	派克	張定綺	250	
BP038	與心靈對話	派克	張定綺	280	
BP039	熱情過活	歇爾	黃治蘋	300	
BP040	寂寞的，不只是你	古屋和雄	唐素燕	240	

1995年8月

財經企管系列		作者	譯者	定價	備註
CB107	發展型管理	萊森	周旭華	280	
CB108	全品質經理人	帕瑞克	陳秋美	220	
CB109	統合管理革命	格蕾安	陳秋美	260	
CB110	資訊地球村	增田米二	游琬娟	240	
CB111	第五項修練—學習型組織的藝術與實務	彼得・聖吉	郭進隆	500	
CB112	優勢行銷	拉瑟　等	周旭華	250	
CB113	實現創業的夢想	霍肯	吳程遠　等	220	
CB114	溝通時代話領導	狄倫施耐德	余佩珊	280	
CB115	全球弔詭—小而強的年代	奈思比	顧淑馨	320	
CB116	共創企業淨土	徐木蘭		250	
CB117	台商經驗—投資大陸的現場報導	高希均　等		320	
CB118	新競爭時代的經營策略	高清愿　等		500	
CB119	時間萬歲—解讀忙碌症候羣	伯恩斯	莊勝雄	280	
CB120	飛狐行動—一個團隊致勝的故事	巴特曼	施惠薰	280	
CB121	團隊出擊	哈琳頓-麥金	齊若蘭	260	
CB122	綠色管理手册	沙德葛洛夫	宋偉航	360	
CB123	覺醒的年代—解讀弔詭新未來	韓第	周旭華	300	
CB124	第五項修練Ⅱ實踐篇(上)—思考、演練與超越	彼得·聖吉　等	齊若蘭	460	
CB125	第五項修練Ⅱ實踐篇(下)—共創學習新經驗	彼得·聖吉　等	齊若蘭	460	
CB126	我看英代爾—華裔副總裁的現身說法	虞有澄　等		360	
CB127	個人公關	蘿安	李淑嫻	240	
CB128	公關高手—經營人際關係的藝術	蘿安	李淑嫻	240	

國外訂購價格（含郵費）

航空／歐、美、日等地區　定價×1.8

香港、澳門　定價×1.6

水陸／歐、美、日等地區　定價×1.6

香港、澳門　定價×1.4

- 購買總金額在新台幣1000元（含1000元）以下者，請加付手續費新台幣200元。
- 請以美金支票付款，支票抬頭請開Commonwealth Publishing Co., Ltd.。
- NT.$25.00＝US.$1.00。

天下文化出版公司圖書目錄

	財經企管系列	作者	譯者	定價	備註
CB049	做個高附加值的現代人	高希均		180	
CB053	歷練—張國安自傳	張國安		200	
CB055	麥當勞—探索金拱門的奇蹟	洛夫	韓定國	200	
CB056	工作與信仰—台灣經濟社會發展的見證	李國鼎		200	
CB057	我們不能再等待	趙耀東		200	
CB058	廣告大師奧格威—未公諸於世的選集	奧格威	莊淑芬	200	
CB061	服務業的經營策略	海斯凱特	王克捷 等	200	
CB063	再創高峯—成功者如何超越失敗	海耶特 等	黃孝如	200	
CB064	攻心爲上—活用的商場智慧	麥凱	曾陽晴	200	
CB065	說來自在—上台演講不緊張	薩娜芙	金玉梅	160	
CB066	股市陷阱88—掌握投資心理因素	巴瑞克	陳延元	200	
CB069	投資美國—外資如何改變美國面貌	陶秦夫婦	周天瑋	200	
CB077	2000年大趨勢	奈思比 等	尹 萍	250	
CB078	150年行銷戰—寶鹼公司贏的策略	廣告年代編	邱秀莉	220	
CB081	個人趨勢家	史蘭特 等	薛美珍 等	250	
CB082	談笑用兵—洞悉商場策略	麥凱	鄭懷超 等	220	
CB083	改造遊戲規則—21世紀銷售新法	魏爾生	孫紹成	220	
CB084	經驗與信仰	李國鼎		200	
CB085	平凡的勇者	趙耀東		200	
CB086	哈佛仍然學不到的經營策略	麥考梅克	劉毓玲	220	
CB087	未來贏家—掌握2000年十大經營趨勢	塔克爾	賓靜蓀	220	
CB089	世紀之爭—競逐全球新霸主	梭羅	顧淑馨	250	
CB090	躍升中的四小龍	傅高義	賈士蘅	180	
CB091	台灣突破—兩岸經貿追蹤	高希均 等		320	
CB092	超國界奇兵	蓋伊 等	李淑嫻	200	
CB093	無限影響力—公關的藝術	狄倫施耐德	賈士蘅	250	
CB095	吳舜文傳	溫曼英		320	
CB096	經營顧客心	懷特利	董更生	240	
CB097	溫柔女強人	羅絲曼	余佩珊	220	
CB098	追求卓越(最新修訂版)	畢德士 等	天下編譯	220	
CB099	跳躍的靈魂—「美體小舖」安妮塔傳奇	安妮塔	黃孝如	280	
CB100	創世紀	保羅．甘迺迪	顧淑馨	320	
CB101	企業大轉型—資訊科技時代的競爭優勢	凱恩	徐炳勳	250	
CB102	大潮流—目擊全球現場	萊特 等	李宛蓉	280	
CB103	反敗爲勝—汽車巨人艾科卡自傳	艾科卡 等	賈堅一 等	250	
CB104	經典管理—世界名著中的管理啓示	克萊蒙 等	張定綺	240	
CB105	小故事，妙管理	阿姆斯壯	黃炎媛	220	
CB106	專業風采	畢克斯樂	黃治蘋	240	

訂購辦法：

- 請向全省各大書局選購。
- 利用郵政劃撥、現金袋、匯票或即期支票訂購，可享九折優惠。
  劃撥帳號：1326703－6　戶名／支票抬頭：天下文化出版股份有限公司
  地址：台北市松江路87號4樓
- 利用信用卡／簽帳卡訂購者，請與本公司讀者服務部聯絡。團體訂購，另有優惠。
  讀者服務專線：（02）506－4616分機3　傳真：（02）507－6735
- 訂購總額在新台幣600元以下，請加付掛號郵資30元。
- 購滿40冊以上，台北市區有專人送書收款。

CB111

第五項修練

——學習型組織的藝術與實務

彼得・聖吉／著　郭進隆／譯

●定價五〇〇元

未來最成功的企業將是「學習型組織」；它像個具生命的有機體，任空前未有的複雜、混沌、變化撲肆而下，它總能靈活伸展、輪轉向前。新一代管理大師彼得・聖吉在這本暢銷全球且極具影響力的巨作中，介紹這種身心都強健的組織——在其中，成員的創造潛能得以發揮，而組織整體動態搭配的能力也提升。

作者提出「系統思考」，以破解當代片段思考的危機。並以系統思考——第五項修練，爲建立學習型組織的鷹架，將其他四項核心修練貫注其中；它們是自我超越、改善心智模式、建立共同願景、團隊學習。當五項修練逐漸聚合，便能釋放出組織潛藏的巨大能量。這是一個學習革命的時代，而本書便提供了通向未來的新指引。

CB123

覺醒的年代

——解讀弔詭新未來

韓第／著　周旭華／譯

●定價三〇〇元

現代企業正面對一個「非組織性」的弔詭時代；企業家不再掌握企業，員工反而能以智慧與知識控制企業的命脈；薪資日漸提高，卻有更多的工作找不到人做；主管既要授權又要加強控制，員工既要獨立作業又要加強團隊合作；……

被尊爲「當代經營哲學大師」的韓第，以深厚的學養和豐富的企業經營經驗，觀察現存的變局，首先歸納混亂現象中的九大弔詭，促使我們重新思考傳統價值觀和生存技巧的真正意義。

本書幫助人類有效掌握弔詭中的契機，以便在無既定模式可遵循的時代，找到新出路，重新建構符合人類共同福祉的價值觀和思考體系。

CB121

團隊出擊

哈琳頓—麥金／著　齊若蘭／譯

●定價二六〇元

充分運用人力資源，達到組織目標，是企業成功的重要策略，近年來更被廣泛運用在各個產業領域：例如豐田汽車以生產團隊建立品質、提昇效率；富豪汽車的生產團隊降低了二五％的成本；這些成功的實例讓全球企業積極地尋求團隊出擊的有效策略。

本書是一本報導團隊運作技巧的最佳參考，從團隊誕生、會議討論、行爲融合，到克服成員潛藏的恐懼焦慮、尖銳對立，逐漸釐清目標，凝聚共識，最後談到團隊決策、績效評估及教育訓練等內容，一應俱全，無論是營利或非營利機構，無論是跨部門小組或獨立團隊，都能從書中得到具體幫助。

或許你的團隊剛起步，或許已略具雛型，都可以在書中隨時取得具體、可行的建議，逐步發揮「優秀團隊」的潛力，邁向成功。

財經企管⑫⑥

我看英代爾
——華裔副總裁的現身說法

作　者 / 虞有澄
協助整理 / 程文燕
責任編輯 / 吳程遠
封面設計 / 陳俊良
美術編輯 / 李錦鳳
照片提供 / 虞有澄、英代爾總公司及台灣分公司
社　長 / 高希均
發行人 / 王力行
法律顧問 / 陳長文律師　常青國際法律事務所
出版者 / 天下文化出版股份有限公司
地　址 / 台北市104松江路87號四樓
電　話 / (02)507- 8627
直接郵撥帳號 / 1326703-6號　天下文化出版股份有限公司
電腦排版 / 極翔企業有限公司
製版廠 / 利全美術製版印刷股份有限公司
印刷廠 / 盈昌印刷有限公司
裝訂廠 / 台興裝訂廠
登記證 / 局版台業字第2517號
總經銷 / 黎銘圖書有限公司　　電話 / (02)981- 8089

著作完成日期 / 1995年3月
出版日期 / 1995年8月30日第一版第一次印行(1～10,000本)
定價 / 360元

by Albert Yu assisted by Zoe Cherng

Published by Commonwealth Publishing Co., Ltd.

ISBN：957-621-283-9

國立中央圖書館出版品預行編目資料

我看英代爾：華裔副總裁的現身說法 / 虞有澄
著.第一版．--臺北市：天下文化出版；[臺北
縣三重市]：黎銘總經銷,1995[民84]
面；　　公分.--(財經企管；126)
ISBN 957-621-283-9 (平裝)

1.虞有澄-傳記

782.886　　　　　　　　84008291